The Catholic
Theological Union
LIBRARY
Chicago, Ill.
WITHDRAWN

SUR LE BAPTÊME

SOURCES CHRÉTIENNES

N° 357

BASILE DE CÉSARÉE

SUR LE BAPTÊME

TEXTE GREC DE L'ÉDITION U. NERI

INTRODUCTION, TRADUCTION ET ANNOTATION

PAR

Jeanne DUCATILLON

Docteur ès Lettres

The Catholic
Theological Union
LIBRARY
Chicago, Ill.

*Ouvrage publié
avec le concours du Centre National des Lettres
et de l'Œuvre d'Orient*

LES ÉDITIONS DU CERF, 29, BD DE LATOUR-MAUBOURG, PARIS 7e

1989

Cette publication a été préparée
avec le concours de l'Institut des Sources Chrétiennes
(U.A. 993 du C.N.R.S.)

© *Les Éditions du Cerf, 1989*
ISBN 2-204-04062-2
ISSN 0750-1978

INTRODUCTION

Chapitre premier

L'AUTHENTICITÉ

Le traité *du Baptême* divisé en deux livres figure sous le nom de Saint Basile archevêque de Césarée au tome 31 de la *Patrologie grecque* de Migne, de même que les œuvres ascétiques auxquelles il se rattache étroitement par son contenu ; mais il est relégué dans l'appendice [1]. Son authenticité fut longtemps admise, bien que fissent défaut des témoignages antiques pour l'appuyer. F. Combefis le premier la mit en doute en 1679. Cet érudit dominicain estimait que l'ouvrage, en raison de sa morale sévère et de certaines singularités de langage, ne pouvait être de Basile, mais qu'il était plus raisonnable de l'attribuer, ainsi que l'ensemble des *Ascétiques*, à Eustathe de Sébaste [2]. Le Nain de Tillemont lui répliqua en 1703. Jugeant pour sa part les œuvres ascétiques authentiques, il devait accepter également le traité *du Baptême*, suivant à sa manière l'exemple même de

1. *PG* 31, col. 1514-1628.
2. Combefis, I, p. 241. — Nous reviendrons sur cet Eustathe, propagateur de l'ascétisme en Asie Mineure, au chapitre V de notre introduction.

Combefis qui avait rejeté toutes ces œuvres ensemble sans faire de distinction entre elles [3].

Quelques années plus tard, Julien Garnier, moine bénédictin de Saint-Maur, qui entreprit l'édition des œuvres complètes de Basile, reproduite plus tard par Migne, examina le problème à son tour. Il crut trouver dans le style du *De baptismo* tant de négligences et d'imperfections, tant de différences avec le genre habituel de l'écrivain qu'il rangea le traité sans hésiter parmi les *spuria*, tout en sauvegardant l'authenticité basilienne de la plupart des *Ascétiques* [4]. Prudent Maran, autre bénédictin de Saint-Maur, qui acheva l'édition après la mort de son confrère, adopta une position différente, car les idées développées dans le traité lui paraissaient tout à fait basiliennes. Il avait observé en outre que l'auteur s'attribuait deux œuvres d'une authenticité bien établie, le *De judicio* et les *Petites Règles*. Il considérait donc Basile comme l'inspirateur du *De baptismo* et mettait le style négligé sur le compte d'un secrétaire qui aurait maladroitement exprimé la pensée du maître [5].

Dans cette divergence entre les éditeurs mauristes, l'opinion du premier prévalut longtemps et les jugements portés ultérieurement sur le *De baptismo* furent rarement favorables. Si Bardenhewer rapportait plusieurs arguments pour et contre l'authenticité sans prendre lui-même parti, Amand de Mendieta déclarait, en 1949 : « Les deux livres du *Baptême*... ne présentent aucune garantie sérieuse d'authenticité basilienne [6]. » De

3. Le Nain de Tillemont, p. 685.

4. J. Garnier, *Praefatio* XII, col. 140-153 : *Basilione tribuendi sint duo De baptismo libri, necne.*

5. Ces remarques de Maran ont été incorporées dans la *Patrologie* (*PG* 29, p. clxxvi).

6. C. Bardenhewer, *Geschichte der altkirchlichen Literatur*, III, Fribourg en Br. 1923, p. 144; D. Amand, *L'ascèse monastique de saint Basile. Essai historique*, Maredsous 1949, p. xxvi.

son côté, Lampe, dans son *Patristic Greek Lexicon*, recensait notre traité parmi les ouvrages d'authenticité douteuse. Et l'on pourrait citer d'autre philologues ou critiques de la seconde moitié du XXe siècle qui évitent de se prononcer sur la question ou la tranchent par la négative.

Cependant, dès 1932, Pierre Humbertclaude avait pris la défense du *De baptismo* dans son étude sur la doctrine ascétique de Saint Basile. Avec beaucoup de précision, il réfuta une à une les objections stylistiques de Garnier, pour en montrer la faiblesse, voire le manque total de fondement. Il signala par exemple un certain nombre d'expressions relevées par le moine bénédictin comme étrangères aux habitudes de Basile et qui apparaissent en réalité un grand nombre de fois dans le *De fide* ou le *De judicio*. Il conclut que c'est bien le style ordinaire de Basile qu'on trouve dans ce traité ; s'il présente des négligences, des lenteurs, des répétitions lassantes, c'est qu'il s'agit d'un exposé oral, d'une simple causerie non destinée à la publication. Inutile pour expliquer les imperfections de la forme, de faire intervenir un secrétaire, comme l'avait suggéré Maran. Selon toute vraisemblance, le texte que nous avons est « le relevé tachygraphique des paroles mêmes de Basile [7] ».

Les arguments de P. Humbertclaude que nous venons d'évoquer rapidement fortifièrent la conviction de G. Bardy, qui écrivit dans le *Dictionnaire de Spiritualité* un article sur S. Basile où il déclara que l'authenticité du *De baptismo* pouvait « être tenue pour assurée [8] ». Toutefois ce notable revirement d'opinion ne s'imposa vraiment que lorsque Jean Gribomont l'eut cautionné de son autorité. Dans son *Histoire du texte des Ascétiques*

7. HUMBERTCLAUDE, p. 45-63.
8. BARDY, « Saint Basile », col. 1275.

parue en 1953, l'éminent philologue examina les deux passages déjà remarqués par Maran où l'auteur renvoie à deux œuvres qu'il présente comme siennes, intitulant l'une, « Lettre sur la concorde », l'autre, « Premières questions »[9], et qui sont en fait le *De judicio* et les *Petites Règles*, c'est-à-dire deux ouvrages incontestablement basiliens. Or les deux titres donnés par le *De baptismo* sont absolument inconnus de la recension d'œuvres ascétiques basiliennes devenue Vulgate, que Gribomont fixe au VIe siècle et qui dérive immédiatement d'un vieux manuscrit du Pont datant lui-même du début du Ve siècle[10]. Nous tirons donc cette conclusion : si l'on refuse vraiment de croire l'auteur sur parole quand il s'attribue deux œuvres authentiquement basiliennes, il faut du moins admettre qu'il a composé son *De baptismo* à une époque très ancienne, antérieure à la constitution du vieux manuscrit du Pont, ancêtre immédiat de la Vulgate, c'est-à-dire avant le début du Ve siècle, et que le vrai et le faux Basile seraient, à peu de chose près, contemporains.

A la lumière de la critique textuelle, la thèse de l'inauthenticité perdait donc du terrain. Gribomont apporta encore d'autres arguments. Il revint sur le vocabulaire, qui ne diffère pas sensiblement de celui qu'on trouve en maint passage de l'*Asceticon*[11], sur la façon identique d'introduire les citations, sur les idées dominantes, qui sont « non seulement basiliennes mais caractéristiques de Basile ». Il reconnut dans le traité des préoccupations correspondant entièrement à la situation historique de Basile cherchant à conjurer les périls que certaines formes de monachisme faisaient courir à

9. *De bapt* 1592 a; 1621 a.

10. Cf. GRIBOMONT, *Histoire du texte*, p. 164 et 256.

11. Gribomont désigne sous le titre général d'*Asceticon* l'ensemble constitué par les *Grandes Règles* et les *Petites Règles* avec leurs prologues.

l'Église, et sur lesquels nous reviendrons plus loin. Ces arguments [12] ne pouvaient passer inaperçus. Ils exercèrent une influence déterminante sur Quasten et Heising, qui recensèrent le *De baptismo* parmi les œuvres authentiques [13]. Gribomont lui-même, fort prudent au début de ses recherches, se montra de plus en plus partisan de l'attribution basilienne [14] à laquelle il apparut rallié définitivement en 1979.

Cette histoire de la critique, esquissée à grands traits, serait incomplète si nous n'ajoutions pour finir la contribution très importante apportée par Umberto Neri, qui édita en 1976 le *De baptismo*. Dans l'introduction de son ouvrage il consacre une trentaine de pages au problème de l'authenticité, qu'il tranche résolument par l'affirmative [15]. Se servant des arguments de Gribomont, reprenant encore les objections stylistiques de Garnier pour les écarter définitivement, il élargit les bases de la discussion et met en puissant relief la parfaite identité de pensée entre ce traité et les autres œuvres basiliennes. Il montre que l'auteur du *De baptismo* recueille, combine, interprète les textes scripturaires comme Basile a l'habitude de le faire. En outre, dans son commentaire, il signale un grand nombre de textes parallèles, d'authenticité indiscutée, ayant une proximité de langage et de style si étroite avec le *De baptismo* que pratiquement presque chaque ligne de ce texte s'en trouve confirmée dans sa « basilianité ». Nous avons nous-même indiqué un certain nombre de ces rapprochements dans les notes qui accompagnent notre traduc-

12. Voir en particulier GRIBOMONT, *Histoire du texte*, p. 306-308.

13. J. QUASTEN, *Patrology*, III, Utrecht-Anvers 1975, p. 213 ; A. HEISING, « Der heilige Geist und die Heiligung der Engel in der Pneumatologie des Basilius von Cäsarea », *ZKTh* 87 (1965), p. 274, n. 80.

14. GRIBOMONT, Compte rendu de l'ouvrage de Neri.

15. NERI, p. 23-51.

tion et nous pensons qu'après le travail de Neri l'authenticité ne peut plus être mise en doute. Quant au lecteur qui désirerait avoir une vue complète sur la question, nous ne pouvons que le renvoyer aux pages d'introduction et au commentaire si riche de cette édition qui a été qualifiée d' « exemplaire [16] » et dont la nôtre, malgré quelques divergences de vue, s'est plus d'une fois inspirée.

16. L'adjectif est de M. Jean-Pierre Sodini rendant compte dans la *Revue des Études grecques* (91 [1978], p. 624) de l'édition de Neri.

Chapitre II

CONTENU — STRUCTURE — FORME

En ouvrant le *De baptismo*, le lecteur s'imaginera peut-être qu'il va y trouver, entre autres choses, des considérations sur l'âge auquel il convient de recevoir le baptême[1] ou bien la description détaillée de la façon dont on l'administrait au IVe siècle. En fait la première de ces questions n'est même pas évoquée dans cet ouvrage, mais il n'est pas besoin de le lire très longtemps pour s'apercevoir qu'il traite uniquement du baptême des adultes, et quant à la seconde, elle suppose un point de vue qui n'est pas celui de Basile. Notre auteur ne montre pas de quelle façon se déroule une cérémonie baptismale. Il ne centre pas son enseignement sur les rites et la liturgie du baptême à la manière de Cyrille de Jérusalem ou de Jean Chrysostome[2]. Son objet principal, c'est de dire comment on se prépare au baptême, ce qu'il signifie, quelles obligations découlent de l'engagement baptismal.

Il développe sa pensée en deux livres étroitement unis entre eux[3]. Le livre I renferme trois chapitres, le

1. Cette question fait l'objet de l'*Exhortation au baptême* (*hom.* 13, *PG* 31, col. 424-444), pièce dont l'authenticité basilienne est peu assurée.

2. Cf. Cyrille de Jérusalem, *Catéchèses mystagogiques* (*SC* 126); Jean Chrysostome, *Huit catéchèses baptismales* (*SC* 50 bis).

3. La division en 3 livres qu'on a parfois proposée (Fabricius, *Bibliotheca graeca*, IX, Hambourg, 1804, p. 44) est inacceptable. Elle se fonde sur une disposition tardive et isolée de la recension studite.

premier sur la nécessité de se faire disciple du Seigneur avant de se présenter au baptême, le second sur le baptême lui-même, le troisième sur l'eucharistie. Le second chapitre, véritable cœur de l'ouvrage, occupe à lui seul plus de place que les deux autres réunis. Le dernier ne constitue nullement une parenthèse ou une digression, l'eucharistie, nourriture du baptisé, étant aux yeux de Basile inséparable du baptême. La pensée progresse lentement mais régulièrement à travers ces trois chapitres où de fréquents résumés mettent en valeur les idées principales. La nécessité de se faire disciple annoncée dès les premières lignes du chapitre I est répétée au commencement puis à la fin du chapitre II. Le chapitre II lui-même s'achève par la récapitulation de tous les points traités, récapitulation qui reparaît encore, mais sous une forme plus concise, au début du chapitre III.

Dans le second livre, Basile reprend la même matière, en procédant par questions et réponses. Cette méthode, bien conforme aux habitudes intellectuelles des anciens Grecs, notamment des philosophes stoïciens, lui est familière ; elle apparaît aussi dans ses *Règles Monastiques*[4], ouvrage qui présente avec notre livre II de très grandes affinités, où l'on respire la même atmosphère de sorte que le lecteur, passant de l'un à l'autre sans transition, ne se sentirait nullement dépaysé. Les questions ici posées sont au nombre de treize ; et les treize réponses, de longueur variable, s'accordent toutes parfaitement avec la doctrine du premier livre ; elles utilisent les mêmes

4. A la suite de L. Lèbe et selon la tradition, nous appelons ici *Règles Monastiques* l'ensemble formé par les *Grandes Règles* et les *Petites Règles*, ensemble auquel Gribomont donne le nom d'*Asceticon*.

5. Donnons en exemple la question 2 du livre II. Tous les éléments de la réponse fondée sur l'interprétation typologique de *Lév.* 21, 16-20, étaient déjà présents au livre I (1528 a). Cf. HUMBERTCLAUDE, p. 46.

expressions, font appel aux mêmes références bibliques et parfois, comme l'a remarqué P. Humbertclaude, elles y sont textuellement puisées [5]. Il n'y a donc aucune rupture ni de pensée ni même de forme entre les deux livres constituant le *De baptismo*, le premier tout entier étant déjà la réponse de Basile à une question qui lui a été posée sur le sens de la formule « baptiser au nom du Père, du Fils et du Saint-Esprit [6] ».

Cette rapide analyse montre que le *De baptismo* loin de se réduire à une juxtaposition de pièces décousues, comme on l'a cru parfois [7], présente au contraire une unité et forme un tout cohérent. Certes, les redites, les développements annexes, les retours en arrière ne manquent pas. Mais en dépit des méandres, le fil conducteur de la pensée reste visible et ne peut échapper au lecteur attentif [8].

Cet ouvrage n'est pas une homélie, ni un manuel technique, mais une conférence ou plutôt une causerie faite à la demande d'auditeurs, qui, ayant choisi le sujet, posent ensuite des questions, et au cours de laquelle il arrive à l'orateur de les prendre à partie. Il constate qu'ils ont oublié ou négligé de l'interroger sur un point important, réclame le secours de leurs prières, se justifie auprès d'eux pour ses fréquentes répétitions [9]. N'ayant d'autre ambition que d'instruire, il dit plusieurs fois et

6. *De bapt* 1513 c.

7. C'était, en particulier, l'opinion de LE NAIN DE TILLEMONT, p. 685.

8. On en a la preuve au second chapitre du livre I. L'auteur annonce en quelque sorte (1536 a) qu'il va commenter successivement : 1) naître d'en haut, 2) naître de l'eau et de l'Esprit, 3) baptiser au nom du Père, du Fils et du Saint-Esprit. Ces trois points, fortement imbriqués l'un dans l'autre, semblent parfois oubliés ou étouffés sous d'autres développements. Ils sont cependant traités tous les trois et dans l'ordre annoncé (1536 c, 1537 c, 1560 c).

9. Cf. *De bapt* 1513 c; 1525 b; 1605 a.

en des termes à peine différents ce qu'il regarde comme essentiel, sans craindre la monotonie. Il s'exprime familièrement, avec l'abondance facile de l'homme qui possède bien le sujet dont il traite. Cependant il ne peut oublier la riche culture qu'il a acquise au cours de ses années d'études à Constantinople puis à Athènes, ni les leçons des rhéteurs qui lui ont enseigné l'éloquence et l'art de démontrer. Il emploie dans le *De baptismo* quelques-uns de leurs procédés, périphrases, allitérations, antithèses, structures symétriques. Il leur emprunte aussi des images et des métaphores lorsqu'elles sont tirées de la vie ordinaire et de l'usage commun dont il entend rester proche [10] : la cire qui reçoit les empreintes, la laine plongée dans la teinture, le fer soumis à l'action du feu, le corps humain dont les parties s'ajustent exactement les unes aux autres, lui servent de termes de comparaison. Mais ces ornements inspirés de la « sagesse du dehors » restent fort discrets et n'altèrent en rien la couleur profondément biblique du style. Exposé oral, pour une bonne part improvisé, pris en note par des tachygraphes, mais nourri de la pensée et du vocabulaire de l'Écriture, le *De baptismo* est dépourvu de prétentions littéraires.

10. Cf. *De bapt* 1541 a.

Chapitre III

A QUI S'ADRESSENT LES DEUX LIVRES DU *DE BAPTISMO*?

Les destinataires de cet ouvrage sont des gens d'Église comme le prouve l'expression « votre piété », dont se sert Basile au début de I, 2 pour les désigner. Cette expression, très largement employée au IVe siècle pour des ecclésiastiques de toute condition [1], ne permet pas à elle seule de préciser si ces gens d'Église vivent ou non dans le monde. Mais comme elle apparaît aussi au début du *De fide*, pièce basilienne incontestablement adressée à des moines, on peut penser qu'il en est de même ici. De plus, après avoir écouté l'exposé suivi sur le baptême, qui fait l'objet du livre I, les auditeurs posent des questions et le conférencier y répond. Or c'est ainsi que les choses se passaient habituellement dans les communautés ascétiques lorsque Basile les visitait : les moines ne se bornaient pas à écouter, ils profitaient de la présence fraternelle et souvent nocturne du maître pour l'interroger non seulement sur ce qu'ils venaient d'entendre, mais sur d'autres points de doctrine ou sur des problèmes pratiques posés par la vie en commun [2]. On peut donc affirmer sans grand risque

1. Cf. H. Zilliacus, *Untersuchungen zu den abstrakten Anredeformen und Höflichkeitstiteln im Griechischen*, Helsingfors 1949, p. 68.

2. Nous sommes renseignés sur les circonstances de ces visites par le Prologue I qui figure en tête des *Petites Règles* (*PG* 31, col. 1080 a-b). C'est la nuit. Basile accaparé dans la journée par de

d'erreur que les destinataires du *De baptismo* sont bien des moines[3] et, comme certaines de leurs questions concernent « les âmes qui leur sont confiées » (οἱ πεπιστευμένοι), on peut penser qu'en raison de leur âge ou de leur expérience, ils exercent à l'intérieur de leurs monastères la responsabilité soit de s'occuper des jeunes frères, soit d'accueillir les nouveaux venus ou les hôtes de passage ; et ils ont assez d'autorité pour que leurs questions apparaissent à Basile comme des ordres auxquels il s'empresse d'obéir[4]. On peut enfin ajouter que ces destinataires sont pour la plupart des prêtres, célébrant comme lui-même les mystères sacerdotaux[5].

On trouvera peut-être étrange qu'un ouvrage sur le baptême soit adressé à des religieux vivant séparés du monde et n'ayant sans doute que de rares occasions de baptiser. Mais si Basile peut considérer ses auditeurs sous l'angle de leurs rapports avec d'éventuels catéchumènes, ce n'est pas sa visée principale. Il voit davantage en eux les moines, et ceux-ci ont besoin d'entendre un exposé sur le baptême car l'état monacal et l'état de baptisé ont d'étroits rapports, comme il l'a démontré lui-même indirectement en utilisant partout dans son œuvre des termes identiques pour les caractériser l'un et l'autre[6] et comme l'ont observé plusieurs

multiples tâches n'a pas d'autre moment pour s'entretenir avec ses moines. Le silence et le calme environnants favorisent cette causerie familière. Bienheureux ceux qui méditent jour et nuit la loi du Seigneur !

3. Le nom de « moines » n'est pas prononcé : tel est l'usage de l'*Asceticon*.

4. Cf. *De bapt* 1525 b : τὸ ἐπίταγμα.

5. C'est en effet la première personne du pluriel qui est employée dans la réponse à la question 8 : « Si nous célébrons (ἐπιτελῶμεν) les mystères sacerdotaux en des lieux profanes » (1601 b), et ce « nous » est un pluriel véritable.

6. Une liste des expressions applicables aussi bien au baptême qu'à la consécration monacale a été dressée par NERI, p. 71-74.

érudits modernes [7]. De même que le néophyte a pris l'engagement en se faisant baptiser de renoncer au péché et d'adhérer à Jésus-Christ, de même l'ascète a promis en s'offrant à la consécration monacale de mener une vie parfaite : la profession monastique renouvelle la profession baptismale. Un exposé sur le baptême concerne donc directement les moines puisqu'il leur rappelle leurs propres engagements, et l'on comprend qu'ils aient pu eux-mêmes le demander à Basile.

Les questions qu'ils posent après avoir écouté cet exposé nous permettent d'entrevoir leur état d'esprit. Elles indiquent pour la plupart la préoccupation plus ou moins inquiète [8] de vivre selon la loi divine et de plaire à Dieu. Mais certains moines semblent estimer la règle sévère et chercher, sinon pour eux-mêmes, du moins pour ceux qui leur sont confiés, à trouver la jointure par laquelle ils pourraient, selon l'expression de P. Humbertclaude, en desserrer quelque peu l'étreinte [9]. « *Tout* baptisé, demandent-ils, doit-il vivre pour Dieu (II, 1)? Devons-nous accorder foi et obéissance à *toute* parole de Dieu (II, 4)? Est-il *toujours* dangereux de scandaliser (II, 10)? » Quand ils interrogent, ils emploient souvent le mot « tout », comme s'ils souhaitaient s'entendre répondre qu'il existe des exceptions ou des cas particuliers où l'on serait dispensé de l'obligation. Parfois la question déconcerte par une forme naïve à laquelle pourtant semble se mêler une arrière-pensée : « Faut-il, demande l'un d'eux, m'associer aux transgresseurs de la Loi et aux œuvres infructueuses des ténèbres, en particulier si ces trangresseurs n'appartiennent pas au

7. R. ROQUES, G. MICCOLI, P. DESEILLE expriment tous trois, dans *Théologie de la vie monastique*, l'opinion que la consécration monastique est un second baptême.

8. Plusieurs questions renferment l'expression : « est-il sans danger? » (ἀκίνδυνον), qui exprime une certaine crainte.

9. Cf. HUMBERTCLAUDE, p. 59.

groupe qui m'a été confié (II, 9) ? » Mais le plus souvent, elle est posée d'une façon ferme et précise appelant une réponse de même qualité. Ainsi, à propos de la désobéissance, quelqu'un veut savoir si elle « réside dans l'exécution d'une chose défendue » ou si c'est également désobéir que d' « omettre une chose approuvée (II, 6) ».

On voit que les moines rassemblés pour entendre parler du baptême ont, pour la plupart, une foi sincère, un grand appétit des choses spirituelles et qu'ils veulent s'instruire sérieusement de leurs devoirs afin de bien les remplir. Mais leurs questions un peu abruptes montrent qu'ils acceptent difficilement une obéissance à Dieu inconditionnelle et sans examen. Prêts à l'effort quand c'est nécessaire, mais ennemis de l'héroïsme inutile, ils souhaitent connaître les limites exactes de leurs obligations comme s'ils entendaient ne pas aller au-delà. Ils possèdent assez bien la Bible pour y avoir remarqué des contradictions ou des difficultés dont ils demandent la solution et pour être capables de suivre un exposé particulièrement riche en citations scripturaires. Quant à la culture profane, il est probable que Basile s'interdirait d'y faire devant eux la moindre allusion s'il les en jugeait totalement dépourvus[10].

10. Nous apportons ici quelques nuances au portrait tracé par Humbertclaude qui présente ces moines comme des « gens simples et peu cultivés » (p. 58).

CHAPITRE IV

LA DATE DU *DE BAPTISMO*

Pour établir la date de notre traité, il faut tenir compte des deux passages déjà examinés plus haut, dans le chapitre sur l'authenticité [1], et qui renvoient l'un au *De judicio*, l'autre aux *Petites Règles*. Considérant le second, U. Neri affirme à bon droit que la *Petite Règle* (R*b*) 64 à laquelle se réfère notre texte constitue un terminus *post quem*. Il ajoute qu'elle faisait partie de l'*Asceticon magnum*, c'est-à-dire de cette seconde rédaction plus développée où *Grandes Règles* et *Petites Règles* formaient deux groupes bien distincts et qu'il considère, avec Gribomont, comme postérieure à 370, année où Basile fut promu à l'épiscopat. Il place donc le *De baptismo* dans la période 371-379, rien ne permettant selon lui de préciser davantage [2].

Il est exact, si l'on suit la démonstration de Gribomont, que R*b* 64 figurait dans l'*Asceticon magnum*. Mais cette *Petite Règle*, appartenant au groupe 1-192, figurait déjà aussi dans l'*Asceticon parvum*, première rédaction où les *Grandes Règles* ne sont pas matériellement distinguées des *Petites* [3]. Pourquoi alors ne pas rapporter plutôt R*b* 64 à cet *Asceticon parvum* ? Il nous semble en effet que

1. Cf. *supra*, p. 10.
2. Cf. NERI, p. 53.
3. De la 1re à la 2e rédaction des *Ascétiques*, le nombre des *Petites Règles* est passé de 192 à 313 : cf. GRIBOMONT, « Saint Basile », p. 99-113.

l'expression collective et globale « dans nos premières questions », ἐν τοῖς πρώτοις ἐρωτήμασι (1621 a), utilisée pour situer la référence a plus de chance de se rapporter à la première rédaction où *Grandes* et *Petites Règles* forment un tout indifférencié qu'à la seconde constituée de deux parties bien distinctes. Comme cette première rédaction dite *Asceticon parvum* est, selon Gribomont, antérieure à l'épiscopat [4], nous sommes conduits à faire remonter le *De baptismo* nettement plus haut que la période 371-379 proposée par U. Neri.

Le ton et l'atmosphère de cet ouvrage nous y conduisent également. On ne sent quand on le lit aucune trace d'animosité, aucun signe de tension entre l'orateur et ceux qui l'écoutent. En dépit d'une certaine polémique sous-jacente, que nous étudierons un peu plus loin, le climat est à la sérénité et à la confiance. Or un tel climat ne correspond pas à la période 371-379 qui fut pour Basile fertile en contrariétés. Victime des calomnies que son ancien maître Eustathe, l'évêque de Sébaste, répandit sur son compte, en rupture ouverte avec lui après avoir été très longtemps son ami [5], Basile, devenu évêque de Césarée, eut, entre autres épreuves, la douleur de voir les moines prendre contre lui le parti d'Eustathe. Une lettre de Grégoire de Nazianze fait état de leur attitude inquiète et malveillante à son égard [6]. Il semble donc plus légitime de placer le *De baptismo* en un temps où les bonnes relations entre les deux propagateurs du monachisme ne pouvaient encore éveiller aucune méfiance dans les communautés.

Ajoutons une remarque. On sait que Basile avait

4. Cf. GRIBOMONT, *ibid.*

5. Cf. PRUCHE, *SC* 17 bis, Introd., p. 69-70. — Sur la question eustathienne, cf. *infra*, notre chap. V.

6. GRÉGOIRE DE NAZIANZE, Lettre 58 (à Basile); B. PRUCHE évoque cette lettre dans son article : « Autour du traité *Sur le Saint-Esprit* », p. 225.

composé à son entrée dans la carrière monastique une anthologie de règles morales étayée par des textes choisis du Nouveau Testament. Or le *De baptismo* présente de nombreux rapports avec cet ouvrage. Non seulement il en reprend les thèmes et les citations, mais il le continue et le prolonge en quelque sorte, puisqu'il montre la source de l'ascèse chrétienne dans le baptême et l'eucharistie, ce que précisément la dernière des *Règles Morales* indiquait déjà en sa dernière question : « Quel est le propre du chrétien [7] ? » Or, si les *Moralia* ont été composées vers 360, comme l'a établi J. Gribomont confirmant l'opinion des éditeurs bénédictins [8], il devient difficile d'admettre qu'un traité leur faisant immédiatement suite et qui en est pour ainsi dire l'écho, ait vu le jour longtemps après. P. Humbertclaude, sensible lui aussi au ton « reposé » du *De baptismo* et considérant d'autre part le surgissement des questions du livre II comme l'effet de la surprise produite par la publication récente des *Moralia*, propose de placer cet ouvrage en 366, année de paix relative au point de vue religieux [9].

La date de 366 nous paraît acceptable. Nous ne pouvons envisager de descendre plus bas, non seulement pour les raisons qui viennent d'être données, mais aussi parce que le premier des deux renvois évoqués au début de ce chapitre nous semble l'interdire. Parlant aux moines de la désobéissance, Basile déclare que la question « a été traitée plus largement dans la Lettre sur la concorde », ἐν τῇ περὶ τῆς συμφωνίας ἐπιστολῇ (1592 b). Grâce à l'important travail de Gribomont sur le texte des *Ascétiques*, nous savons aujourd'hui que cette

7. *Mor* 80, 22-27.
8. Seul L. Lèbe, « Saint Basile et ses *Règles morales* », *RBén* 75 (1965), p. 193-200, fait des *Règles Morales* un ouvrage tardif; Gribomont réfute son opinion (*Mélanges* I, p. 137-138 : « Notes biographiques »).
9. Humbertclaude, p. 62.

lettre fut écrite vers le même temps que les *Règles Morales*, et que, sous le titre de *Jugement de Dieu* ou *De judicio*, elle leur servit de prologue [10]. L'allusion faite par le *De baptismo* à la Lettre sur la concorde perdrait une bonne part de sa pertinence et de son efficacité si un trop long intervalle — dix ans au moins, en acceptant l'hypothèse de Neri — séparait les deux œuvres. Nous plaçons donc volontiers, avec P. Humbertclaude, notre traité en 366, voire un ou deux ans plus tôt.

10. Cf. GRIBOMONT, *Histoire du texte*, p. 323.

Chapitre V

CLIMAT : L'AUTEUR, LE MILIEU, L'ARRIÈRE-PLAN

Quelle est la situation personnelle de Basile en l'année 366 ? A cette époque il n'est encore que simple prêtre [1], mais il jouit déjà d'une grande réputation. Auxiliaire de l'évêque de Césarée, Eusèbe, honoré de sa confiance après une courte disgrâce [2], c'est lui qui, en réalité, exerce l'autorité épiscopale et règle la plupart des affaires. Il ne se borne pas à participer de très près au gouvernement de l'église locale, afin de la maintenir dans l'orthodoxie, ligne devenue plus difficile à garder maintenant que Valens, favorable à l'arianisme, occupe depuis deux ans le trône impérial de l'Orient ; sa sollicitude s'étend aussi aux moines et aux communautés d'ascètes qui se sont implantées en Cappadoce et dans le Pont. L'intérêt qu'il leur manifeste n'est pas né en lui brusquement. Déjà, une dizaine d'années plus tôt, après avoir achevé brillamment ses études à Athènes et reçu le baptême de l'évêque Dianos, il s'était senti appelé à l'état monastique. Encouragé par les exhortations et les exemples de sa sœur aînée, Macrine, qui menait la vie

1. Il fut ordonné prêtre par l'évêque de Césarée, Eusèbe, en 362 ou 364.

2. Peu avant 365, Basile, devenu l'auxiliaire de l'évêque, quitta Césarée. Il craignait que sa propre popularité dont prenait ombrage le prélat n'entraînât un schisme.

d'ascète à Annesi, domaine familial situé dans la province du Pont en bordure de l'Iris, il avait entrepris un long voyage à travers l'Égypte, la Palestine et la Syrie pour visiter les solitaires les plus réputés de son temps et s'instruire auprès d'eux[3]. A son retour, il fonda sa propre communauté à Annesi, avec quelques compagnons épris comme lui d'une perfection plus haute que celle des chrétiens vivant dans le monde, et y mena durant cinq ans l'existence austère des moines. Comme l'effectif grossissait de jour en jour, il se préoccupa d'y organiser solidement la vie en commun. Pour donner à ses frères autant qu'à lui-même un guide sûr dans le combat pour la vertu, il commença par écrire les *Règles Morales*[4]. Puis, s'inspirant des exemples vus naguère au cours de ses voyages, des leçons d'ascèse qu'il recevait de pieux visiteurs, et surtout de l'expérience quotidienne, il élabora au fil des jours les instructions qui constitueront la première ébauche des *Règles Monastiques* et répandront sa renommée dans les nombreux monastères du Pont et de la Cappadoce. Devenu prêtre puis coadjuteur d'Eusèbe, son évêque, il est chargé de nouvelles responsabilités. Il ne saurait pourtant oublier ses moines. On le consulte souvent. Par écrit ou de vive voix, au cours de visites dans les communautés, il répond aux questions, donne des conseils pour mener de la manière la plus parfaite la vie cénobitique. A l'époque approximative du *De baptismo*, il apparaît donc déjà comme le législateur du monachisme en Asie Mineure. Mais, s'il a contribué puissamment à l'extension du

3. Basile n'a pas écrit une relation détaillée de son voyage, mais il y a fait plusieurs allusions dans ses lettres (*Ep* 204, 233), exprimant son admiration pour les vertus et les austérités des moines. Voir, sur ce point, P. ALLARD, *Saint Basile*, Paris 1920, p. 27-31.

4. Nous avons parlé des *Règles Morales* ou *Moralia*, *supra*, chap. IV. Nous y reviendrons *infra*, chap. VI.

mouvement ascétique dans cette région, il ne l'a pas suscité. Quelqu'un l'a précédé qui en fut le promoteur, Eustathe de Sébaste.

Ce personnage, que nous avons déjà évoqué [5], n'a rien écrit, mais nous avons des renseignements sur lui par l'*Histoire ecclésiastique* de Sozomène [6], et des échos de sa prédication ont survécu, en particulier dans les homélies du Pseudo-Macaire. D'abord disciple d'Arius à Alexandrie, il s'adonna ensuite avec enthousiasme à la vie monastique et s'en fit en divers lieux d'Orient le zélé propagateur. Il marqua d'une empreinte durable toutes les communautés qui se constituèrent sous son impulsion en Arménie, en Paphlagonie et dans le Pont. Macrine et sa mère, qui l'accueillirent à Annesi, le considéraient avec vénération et s'efforçaient de vivre selon son idéal. Basile avait entendu parler de lui avec éloge dès son enfance. Plus tard, alors qu'il tâtonnait encore sur la voie de l'ascèse, il rechercha à son tour le commerce de ce moine, de trente ans son aîné, qui par sa ferveur, son mépris des biens matériels, son enthousiasme pour les valeurs spirituelles avait conquis sa famille, et il resta longtemps en relations avec lui. Une de ses lettres nous apprend que lorsque, vers 364, il préparait à Annesi son premier ouvrage théologique, la réfutation de l'*Apologie* d'Eunome, il reçut plus d'une fois la visite d'Eustathe devenu évêque de Sébaste [7], et tout porte à croire qu'il éprouvait alors pour lui amitié et admiration.

Mais ces sentiments ne le rendirent pas aveugle. Dès cette époque, il discernait dans son enseignement des opinions trop radicales susceptibles de mettre l'orthodoxie en péril et où, en fait, apparaissaient les signes

5. Cf. *supra*, chap. I, p. 7.
6. SOZOMÈNE, *Hist eccl* III, 14, 31.
7. BASILE, *Ep* 223, 5 (Courtonne, III, p. 14). Voir aussi B. SESBOÜÉ, Introd. à Basile, *Eun*, *SC* 299, p. 42-43.

avant-coureurs de l'hérésie messalienne [8]. Il ne pouvait ignorer que son élection à l'épiscopat avait été contestée, qu'il avait fait l'objet d'une sentence d'ailleurs inefficace de déposition, que sa façon de vivre suscitait des méfiances et que déjà à Gangres, quelque vingt-cinq ans plus tôt, un synode avait condamné certaines de ses opinions et jeté l'anathème sur ceux qui les professaient [9]. Avec son amour de l'ordre et de la discipline, Basile sentait la nécessité de ramener le courant mystique réformateur suscité par Eustathe à la tradition de l'Église et à la ligne stricte de l'Évangile. Ses deux livres du *De baptismo* sont à replacer dans ce contexte et à considérer dans cette perspective. On peut y déceler, comme l'a déclaré J. Gribomont à propos de l'*Asceticon* en général, à la fois « dépendances et réactions » par rapport au mouvement eustathien [10].

Examinons d'abord les dépendances. L'auteur du *De baptismo* adopte le rigorisme d'Eustathe. Il manifeste la même aspiration à un christianisme austère, le même refus des accommodements qui pourraient affadir le sel de l'Évangile. Il apparaît aussi très proche de lui par la ferveur mystique. Il accorde en effet une grande importance à la διάθεσις, c'est-à-dire aux dispositions du cœur [11]. Il recommande très souvent le zèle, σπουδή, et la recherche du bon plaisir de Dieu, πρὸς Θεὸν εὐαρέστησις [12]. Il suit donc la voie ouverte par Eustathe.

Mais il arrive qu'il transpose quelques-unes des notions héritées de son prédécesseur et qu'il en restrei-

8. Cf. GRIBOMONT, *Mélanges* I, p. 26-41 : « Le monachisme au IVe s. en Asie Mineure ».

9. Le synode de Gangres s'est tenu en 341.

10. GRIBOMONT, « Saint Basile », p. 111.

11. Cf. en particulier *De bapt* 1609 a; 1612 a.

12. Cette expression, avec la variante εὐάρεστον τῷ θεῷ, est très fréquente dans le *De bapt* (1516 a, 1556 b, 1604 b, 1608 a, etc.), comme dans tout l'*Asceticon*.

gne le champ d'application. Ainsi pour la πληροφορία[13]. Il donne à ce mot qu'il emploie souvent dans le *De baptismo* le sens de certitude intérieure apportée par la foi, il n'y mêle pas cette impression de plénitude née d'une perception quasi sensible du divin que prétendent éprouver certains adeptes du mouvement, tel le Pseudo-Macaire. De même pour l'Esprit-Saint (πνεῦμα). Les eustathiens, qui se donnent à eux-mêmes le nom de πνευματικοί, affirment pouvoir entrer en communication directe avec lui et devenir capables, sous son influence, d'actions hors du commun et de renoncements tout à fait spectaculaires. Basile admet aussi que ses moines ont reçu de l'Esprit des charismes, mais il ne croit pas qu'ils puissent s'en prévaloir pour accomplir des prouesses de thaumaturge, ni qu'ils jouissent de faveurs spéciales dans l'ordre spirituel[14]. Au surplus, il éprouve une méfiance instinctive pour les manifestations fakiristes où se complaisent certains ascètes, et il cite avec prédilection le passage de la première Épître aux Corinthiens où S. Paul montre que les prodiges les plus éclatants ne sont rien à côté de l'amour[15]. Il procède également à une transposition, mais de forme bien différente, en ce qui concerne l'usage de la prière continuelle et exclusive qui conduisait parfois les moines eustathiens à négliger, voire à refuser le travail. S'inspirant encore de S. Paul, il enseigne que manger, boire, faire quoi que ce soit, tout cela constitue une prière du moment que l'on agit pour la gloire de Dieu[16]. En outre il demande qu'on se souvienne constamment de Jésus-Christ mort et ressus-

13. Il est rare que le *De bapt* emploie le mot πληροφορία seul; presque toujours le génitif τῆς ἀληθείας l'accompagne (1524 b, 1541 a, 1548 a, 1549 b, etc.).

14. Cf *De bapt* 1561 a.

15. Cf. *De bapt* 1565 d, 1577 c, 1609 c, etc.

16. *I Cor* 10, 31 est cité trois fois (1553 d, 1568 d, 1609 d) dans notre texte. Sur la question de la prière continuelle, cf. SPIDLICK, *La sophiologie de saint Basile*, p. 218-220.

cité pour nous [17], et dans ce continuel souvenir on peut voir transposée leur notion de prière continuelle. Comme les eustathiens, Basile prend donc très au sérieux le « Priez sans cesse [18] » de l'Apôtre; il ne se sépare d'eux que par une interprétation plus large et moins littérale de ce conseil.

Mais, en d'autres cas, il marque au mouvement une franche opposition. Les moines eustathiens ne pratiquent pas tous le cénobitisme. On en voit qui vivent seuls ou en petits groupes de deux ou trois comme bon leur semble, sans règle ni supérieur, et à qui, par conséquent, la vertu d'obéissance reste étrangère. D'autres tolèrent auprès d'eux la présence de gens aux mœurs douteuses. Certains, lorsqu'ils célèbrent le culte, dédaignent les églises et préfèrent se réunir dans des maisons particulières. Tous tendent plus ou moins consciemment à dissocier la vie spirituelle de son cadre ecclésial. Basile réagit dans le *De baptismo* contre ces tendances individualistes et indisciplinées. Il affirme qu'on méprise les saints mystères si on les célèbre en violation du lieu, παρὰ τόπον, c'est-à-dire en dehors des endroits ou des édifices consacrés [19]. Il cite les déclarations énergiques de S. Paul prescrivant de fuir la société des méchants. Il recommande inlassablement l'obéissance, présentant comme le modèle à suivre, Jésus-Christ, dont la soumission aux volontés de son Père est allée jusqu'à la mort [20]. D'autre part, outre leur indiscipline et un certain esprit schismatique les poussant à se séparer du peuple

17. *De bapt* 1576 d, 1577 d. Cf. NERI, p. 292, n. 75.
18. *I Thess.* 5, 17.
19. *De bapt* 1601 b.
20. Toute la question 13 du livre II roule sur l'obéissance. Très souvent dans le *De bapt* Basile affirme la nécessité de renoncer aux volonté propres (τῶν ἰδίων θελημάτων) et d'obéir à Dieu en sacrifiant s'il le faut notre vie, comme Jésus-Christ nous en a donné l'exemple. Le souvenir des persécutions et du martyre reste sans doute présent à son esprit.

chrétien, les eustathiens semblent peu instruits des vérités de la foi : ils ne croient guère à l'éternité des peines, ils manifestent mépris ou indifférence à l'égard de l'eucharistie et des sacrements, dont ils ne sentent pas en eux l'effet immédiat. Sur ce point encore, Basile réagit. Dans la récapitulation doctrinale qui achève le premier chapitre du *De baptismo* il affirme nettement le caractère éternel du châtiment (κόλασιν αἰώνιον) [21], et il consacre tout le chapitre III de son premier livre à montrer l'importance de l'eucharistie et les conditions à observer pour la recevoir avec fruit et sans s'exposer à la condamnation. Quant au baptême lui-même, dont les eustathiens nient l'efficacité purifiante, c'est l'ouvrage tout entier, et en particulier l'important chapitre II du livre I qui en fait voir la force et l'éminente vertu. Ce sacrement détruit totalement le péché et en même temps efface « toute souillure de la chair et de l'esprit [22] ». Il attaque, par conséquent, le mal à sa racine, contrairement à ce qu'ils affirment et que répèteront après eux leurs héritiers, les messaliens.

Le *De baptismo* laisse bien apparaître dépendances et réactions par rapport au mouvement eustathien, selon l'opinion constante exprimée par Gribomont au sujet des œuvres ascétiques de Basile [23]. Cependant si on peut déceler dans ce traité un certain désaveu des positions d'Eustathe, rien n'y indique un conflit ouvert. Basile ne prononce aucun nom, ne met personne directement en cause, ne se livre à aucune violence de langage. Sa polémique sous-jacente, si discrète qu'elle risque à une

21. *De bapt* 1525 a.
22. *De bapt* 1541 d.
23. « L'attitude de Basile à l'égard du monachisme... ne se comprend que par rapport à la tradition eustathienne, mais le plus souvent par opposition à elle » écrit J. Gribomont, *Mélanges* I, p. 43-64, « Saint Basile et le monachisme enthousiaste ». Cf. *supra*, p. 28 et n. 10.

première lecture de passer inaperçue, n'a d'autre but que de maintenir dans l'orbite de l'Église le mouvement « généreux mais anarchique » dont l'ascète qu'il continue de vénérer fut l'inspirateur.

Chapitre VI

LE *DE BAPTISMO* ET LA BIBLE

Notre traité présente une particularité notable : il est constitué pour plus de la moitié par des phrases ou des expressions tirées de la Bible. Le Nain de Tillemont remarquait déjà à propos du premier livre qu'il n'était « presque qu'un tissu des textes de S. Paul et de l'Evangile [1] ». Et on pourrait en dire autant pour le second en ajoutant que l'Ancien Testament s'y trouve aussi représenté assez largement. Basile fonde naturellement ses affirmations théologiques sur l'Écriture sainte, et son mouvement le plus spontané est de recourir à elle quand il doit répondre à une question ou résoudre une difficulté. Il craindrait, s'il avançait des arguments tirés de son propre fonds, de jeter le doute dans l'esprit des auditeurs [2].

Ses connaissances bibliques, il les doit pour une bonne part à son milieu familial, étant né de parents chrétiens et ayant eu dans ses jeunes années de fréquents contacts avec son aïeule Macrine l'ancienne, qui avait subi sans faiblir les assauts de la persécution et reçu l'enseignement du fondateur de l'Église cappadocienne, Grégoire le Thaumaturge. C'est donc tout enfant, ainsi qu'il le déclare lui-même dans le *De judicio*, qu'il apprit les Lettres sacrées [3]. Plus tard, il ne cessa jamais de

1. Le Nain de Tillemont, p. 301.
2. *De bapt* 1585 d.
3. *De jud* 653 a.

consulter et d'étudier l'Écriture sainte. Éprouvant le besoin en entrant dans la vie monastique de constituer un précis de règles de conduite à l'usage du chrétien, il appliqua au Nouveau Testament la méthode du florilège qui était en honneur chez les érudits des premiers siècles de notre ère pour recueillir les opinions des philosophes du passé, et il composa les *Moralia*, œuvre capitale mais longtemps méconnue, dans laquelle il puisa constamment par la suite.

Il possède donc une solide culture biblique, qui s'exprime dans le *De baptismo* soit par de simples allusions soit par des citations explicites. Les premières sont parfois difficiles à reconnaître tant elles s'incorporent avec naturel à sa propre pensée. Ainsi, pour nous borner à un seul exemple, la comparaison de l'âme noircie par le péché avec le côté brûlé par le feu d'une marmite pourrait paraître originale et personnelle, alors qu'elle s'inspire en réalité du livre de Joël[4].

Quant aux citations explicites, elles apparaissent sous des formes diverses. Parfois ce sont de longs passages, le plus souvent des phrases assez brèves. Certaines ne figurent qu'une fois ; d'autres sont répétées jusqu'à cinq ou six fois. Elles ne sont pas toujours présentées isolément. Il arrive que Basile les rapproche, les rassemble, les soude même l'une à l'autre au moyen d'une particule de liaison, malgré leur origine différente. Il relie par exemple au moyen d'un γάρ explicatif un verset du Psaume 110 à un passage de l'Evangile de Jean[5]. Les rapprochements qu'il opère méritent d'être observés, car à eux seuls et en l'absence de tout commentaire ils suggèrent déjà une interprétation. De plus, ils donnent lieu à des comparaisons qui nous renseignent sur son point de vue. Deux ou plusieurs déclarations bibliques relatives au même sujet étant présentées successivement,

4. *De bapt* 1544 a.
5. *De bapt* 1540 d.

un adjectif ou un adverbe au comparatif assure la transition de l'une à l'autre et précise que la seconde est plus claire ou plus énergique ou plus sévère que la précédente ou l'emporte sur elle à tout autre point de vue [6]. Il arrive aussi que la comparaison porte non sur les déclarations elles-mêmes mais sur les circonstances dans lesquelles elles sont prononcées. Ainsi pour les béatitudes, nous sommes informés que le temps et le lieu chez Luc ne sont pas les mêmes que chez Matthieu [7].

Dans ses références à l'Écriture, Basile se conforme à l'usage ordinaire des Pères : il se contente assez souvent de formules un peu vagues, telles que « dans la Loi », « dans l'Ancien Testament », « vers la fin des Évangiles », parfois il se montre un peu plus précis et indique à quel livre de la Bible ou à quelle épître de Paul il renvoie. Mais on sent bien qu'il n'attache pas grande importance à cette question. Comme il partage avec l'ensemble de la Tradition l'idée que l'Écriture tout entière est inspirée et qu'elle a Dieu pour unique et véritable auteur, l'indication exacte de la référence n'offre à ses yeux qu'un intérêt secondaire. Quant à la citation elle-même, il prend avec elle certaines libertés, bien qu'il porte le plus grand respect aux Livres saints et qu'il recommande en toute occasion de les étudier attentivement [8]. Il lui arrive d'omettre un adjectif possessif, de remplacer un mot par un synonyme, d'ajouter un terme qui renforce l'idée exprimée, d'intro-

6. Voir, parmi de nombreux exemples, *De bapt* 1564 a, où, après une parole d'un psaume, Basile cite un précepte de S. Paul qu'il présente comme plus sévère.

7. *De bapt* 1528 c.

8. Le souci de l'intégralité de l'Écriture se manifeste souvent chez Basile. On lit par ex. dans le *Contre Eunome*, assez proche chronologiquement de notre traité : « Celui qui a devant les yeux le tribunal du Christ et sait quel danger il y a à retrancher ou à ajouter quelque chose à ce que l'Esprit-Saint nous a transmis... » (II, 8, 7-10).

duire dans un récit de Marc des expressions empruntées à Matthieu, bref de ne pas reproduire à la lettre le texte scripturaire. Ces altérations légères, qui concernent la forme sans toucher le fond et qui tiennent sans doute au fait qu'il cite de mémoire, sont les plus fréquentes. Cependant, on découvre aussi certaines infidélités plus graves. Le pronom féminin αὐτήν, qui dans le Psaume 110, 10 représentait la sagesse, devient chez lui un neutre αὐτά et renvoie à l'enseignement de Jésus [9]. D'une parole de l'Ecclésiaste, il supprime la référence à Dieu et la réduit à cette simple maxime de sagesse humaine : « Toute chose est belle en son temps [10]. » Alors que saint Paul recommande aux Corinthiens de se sanctifier « dans la crainte de Dieu », ἐν φόβῳ Θεοῦ (*II Cor,* 7, 1), il substitue à cette dernière formule « dans l'amour du Christ », ἐν ἀγάπῃ Χριστοῦ [11]. On pourrait ainsi relever dans le *De baptismo* d'autres citations inexactes trahissant peu ou prou l'esprit de l'original.

Une autre forme d'infidélité consiste à joindre à une phrase correctement citée une interprétation erronée qui ne tient pas compte du contexte. Lorsque Ézéchiel affirme (18, 4) : « L'âme qui pèche, c'est celle-là qui mourra », il veut essentiellement, comme le montrent les déclarations qui précèdent et celles qui suivent, affirmer le caractère personnel de la responsabilité et combattre l'idée fort répandue selon laquelle les fils sont punis pour les fautes de leurs pères. Or Basile utilise la parole du prophète comme un simple argument pour dissuader de commettre le péché et sans se préoccuper de la solidarité des générations dans le châtiment [12]. Cette manière de citer un auteur sans prendre en considération son intention profonde n'est pas exceptionnelle chez

9. *De bapt* 1540 d.
10. *De bapt* 1605 b.
11. *De bapt* 1600 a.
12. *De bapt* 1553 a.

lui [13]. Elle surprendrait de la part d'un chrétien qui professe le plus grand respect de l'Écriture, si elle n'était, elle aussi, chose courante chez les Pères, au moins quand ils ne se proposent pas le commentaire suivi d'un texte scripturaire. Elle peut en partie s'expliquer par l'usage d'un florilège, où l'absence de contexte favorise les interprétations abusives.

Autre trait qu'il partage encore avec la plupart des Pères, Basile tient la Septante en telle estime qu'il juge inutile de la confronter avec l'original hébreu. Ce travail, d'ailleurs, exigerait une connaissance approfondie de la langue hébraïque qu'il n'a jamais possédée. C'est donc la Septante qu'il utilise exclusivement pour ses références à l'Ancien Testament, suivant l'usage inauguré autrefois par l'apôtre Paul. Il en cite le plus volontiers les Psaumes parce qu'ils sont de tous les livres bibliques celui que les chrétiens de son temps connaissent le mieux et qui lui semble en même temps le plus adapté à la vie des moines et à leur niveau de culture. Bientôt du reste, il allait composer une série d'homélies pour aider les fidèles à tirer le meilleur parti de cette prière commune à tous, celle que l'on chante à l'église, mais que l'on peut aussi bien fredonner dans la rue ou en vaquant à ses occupations ordinaires. En dehors des Psaumes, le *De baptismo* emprunte ses citations les plus nombreuses au Lévitique, à Isaïe et à Malachie, à la Genèse et aux Proverbes.

La matière que Basile extrait de tous ces livres consiste en pensées, en expressions, en images, en récits

13. La phrase d'Ézéchiel est citée de la même façon en *Rf* 50 (1040 c) et en *Rb* 194 (1212 c). Basile, d'autre part, a composé toute une homélie sur les mots de *Deut.* 15, 9, *Attende tibi ipsi*, sans aucun souci des circonstances très particulières dans lesquelles ils furent prononcés. On pourrait citer encore, dans le *De baptismo* même, le passage où Basile rattache de façon assez arbitraire le thème du néant des richesses humaines, évoqué dans le Ps. 48, à la désobéissance originelle (1537 a).

édifiants. Il évoque Moïse, Pharaon, Jonas, Jérémie, d'autres personnages encore dont la conduite peut servir d'exemple ou le destin de leçon [14], car il est fort préoccupé d'utilité pratique et d'enrichissement moral. Il recueille aussi des « types », c'est-à-dire des faits anciens qui peuvent s'interpréter comme une sorte de préfiguration de la loi nouvelle [15]. Naturellement, il trouve aussi dans l'Ancien Testament des témoignages directs en faveur de l'Évangile : car si l'Évangile est « la parole la plus sûre » et la plus digne de foi, il n'y a pas entre cette parole et celle de l'Ancien Testament solution de continuité. A la déclaration du Christ en *Matth.* 24, 35 : « Le ciel et la terre passeront, mes paroles, elles, ne passeront pas », il sent la nécessité de joindre celle de David dans le Psaume 144 : « Le Seigneur est fidèle dans toutes ses paroles », celle de Jéhu au second livre des Rois : « Voyez, la parole du Seigneur ne tombera pas à terre. » Il met ainsi en évidence l'unité des Écritures, et en même temps il vient en aide, selon sa propre expression, à la faiblesse de certains, probablement des chrétiens issus du judaïsme, auxquels l'affirmation de Matthieu, si ferme et solennelle qu'elle soit, ne suffit pas et qui ont besoin de l'Ancien Testament pour accepter pleinement l'autorité du Nouveau [16].

Mais si certains peuvent trouver dans les livres vétéro-testamentaires la lumière supérieure, celle-ci, aux yeux de Basile, ne peut briller qu'en Jésus-Christ lui-même, soleil de la justice, car il y a entre les deux Testaments toute la distance qui sépare un simple

14. Ainsi Coré et ses compagnons, durement châtiés par l'Éternel pour leur refus d'obéissance à Moïse (1605 b).

15. Certaines interdictions cultuelles du Lévitique liées aux disgrâces ou aux infirmités physiques préfigurent les souillures d'ordre moral incompatibles avec l'exercice du sacerdoce (1528 a; 1584 a) : la gloire de Moïse préfigure celle du Christ (1588 a).

16. *De bapt* 1588 b-c.

flambeau de la lumière véritable [17]. On comprend donc que l'auteur du *De baptismo* recoure au Nouveau Testament bien plus souvent encore qu'à l'Ancien. Le texte qu'il utilise est, pour l'essentiel celui de la *koinè* byzantine, texte encore imparfaitement fixé de son temps et dont il est l'un des premiers témoins. Il puise dans toutes les parties du livre saint en laissant toutefois de côté l'Apocalypse, selon un usage qui apparaîtra constant chez lui [18].

Pour exposer l'enseignement néo-testamentaire se rapportant à son sujet, il met largement les *Moralia* à contribution. On peut constater, en effet, que souvent il associe et combine les textes scripturaires dans le *De baptismo* de la même façon que dans cet ouvrage. Prenons par exemple la *Règle Morale* 20 qui concerne le baptême : après *Matth.* 28, 19 qu'il a cité en premier lieu, on trouve successivement *Jn* 3, 3, *Jn* 3, 5, *Jn* 3, 6-8, *Rom.* 6, 11, *Rom.* 6, 3-7, *Col.* 2, 11-12, *Gal.*, 3, 27-28, *Col.* 3, 9-11. Or, la citation initiale sur laquelle il édifie tout le *De baptismo*, c'est *Matth.* 28, 19; et au commencement du livre II, répondant à une question sur les devoirs du baptisé, il fait appel d'abord à *Jn* 3, 5, puis utilise *Rom.* 6, 3-4, *Gal.* 3, 27-28 et enfin *Col.* 2, 11-12 [19]. On voit donc que pour composer son traité, il s'est reporté à son florilège des *Moralia*, instrument de travail commode, où il trouvait précisément les versets du Nouveau Testament groupés et classés pour servir aux besoins de l'apostolat. Toutefois ce serait une erreur de croire qu'il cite la parole de Dieu uniquement par l'intermédiaire de

17. Le thème de l'illumination supérieure apportée par Jésus-Christ revient souvent dans le *De bapt* : ainsi en 1544 b-d et en 1613 a.

18. Cette particularité, selon GRIBOMONT, pourrait tenir au fait que Basile est assez nettement de mouvance antiochienne (*Mélanges* I, p. 191-200 : « Le paulinisme de saint Basile »).

19. *De bapt* 1580 b.

son ouvrage précédent. Plus d'une fois, aussi, il remonte directement à la source, comme l'indiquent certaines de ses remarques concernant la succession des idées dans le texte sacré. Il signale par exemple que le précepte de baptiser est suivi de la parole : « Enseignez-leur à observer tout ce que je vous ai commandé », alors que dans la *Règle Morale* 20, évoquée ci-dessus, ce précepte apparaît sans aucun accompagnement. Il signale que l'enseignement de la Lettre aux Éphésiens sur la réconciliation des païens et des Juifs est précédé d'un exposé sur la philanthropie divine, que la réponse à une question sur le châtiment divin se trouve dans une péricope de l'Évangile faisant suite aux Béatitudes [20]. Le recours exclusif à une anthologie faite de phrases détachées interdirait cette observation attentive des enchaînements [21].

Basile nomme rarement les évangélistes dont il cite tant de fois les paroles. Cette sorte d'indifférence à leur personne peut s'expliquer de la même façon que son faible intérêt pour les références précises : il ne lui semble pas nécessaire d'attirer l'attention sur les simples interprètes humains de celui dont les paroles sont « plus dignes de foi que n'importe quel récit ou démonstration [22] ». La place qu'il fait à Matthieu est la plus large ainsi qu'on le constate habituellement chez les Pères ; celle de Jean est plus réduite, plus réduite encore celle de Luc, très faible celle de Marc. Comme nous l'avons dit un peu plus haut, c'est le verset 19 du dernier

20. *De bapt* 1565 b, 1564 a, 1592 c.

21. Il arrive donc que Basile recoure directement au texte scripturaire. On doit même admettre que, l'ayant naguère beaucoup étudié, il retrouve parfois ce texte tout entier présent à sa mémoire, dans l'ordre de ses différentes parties, et qu'il puisse ainsi, dans ses réponses improvisées aux questions qui lui sont posées, faire des remarques sur l'enchaînement des idées.

22. Cf. *De jud* 672 b (LÈBE, *Mor* p. 32).

chapitre de Matthieu (« Allez, faites disciples toutes les nations, baptisez-les au nom du Père, du Fils et du Saint-Esprit ») qu'il met à la base de son traité. A Luc, il demande principalement l'explication du mot « disciple ». Quant à Jean, il considère surtout son chapitre 3, qui présente le baptême comme une nouvelle naissance. Ses citations évangéliques les plus longues proviennent de Luc auquel il emprunte la parabole du maître de maison qui donne un festin et dont les invités se dérobent, celle de l'homme qui veut bâtir une tour, celle du roi qui part en guerre [23]. Matthieu lui fournit celle des dix vierges [24] et un très grand nombre d'exhortations, de mises en garde, de sentences. Il rapporte aussi, s'inspirant du premier et du dernier évangile, deux scènes d'affrontement verbal entre Pierre et Jésus [25]. Mais il ne se borne pas à reproduire les paroles du Maître. Il montre aussi sa conduite afin de la donner en exemple. Ainsi, questionné sur les limites de l'obéissance, il invite ses interlocuteurs à considérer, d'après le récit de Jean, quelle fut l'attitude de Jésus-Christ au moment de son arrestation et à la prendre pour modèle en acceptant joyeusement l'épreuve, et s'il le faut en obéissant comme lui jusqu'à la mort [26].

Si le *De baptismo* fait de nombreux emprunts à l'Évangile, les citations et les réminiscences de Paul sont plus fréquentes encore. Pour nous en tenir au seul chapitre II du premier livre, on relève 143 références à l'Apôtre contre seulement 38 à Matthieu et 33 à Jean. Basile a beau déclarer que le plus sûr moyen de s'instruire, c'est de considérer Jésus-Christ, et que les croyants n'ont pas besoin d'autre enseignement [27], il appelle assez souvent en renfort les épîtres pauliniennes.

23. *De bapt* 1521 b-c; 1524 b.
24. *De bapt* 1604 c-d.
25. Cf. *De bapt* 1529 b; 1620 b; 1621 c.
26. *De bapt* 1625 c.
27. *De bapt* 1592 b; 1593 a; 1621 b.

Il est persuadé en effet que les âmes dont la foi est encore mal assurée ont besoin de ce secours supplémentaire. A la différence de Jésus-Christ, à la fois homme et Dieu, Paul représente exclusivement la nature humaine. Quelles que soient les révélations ou les extases dont il a pu bénéficier — et auxquelles le *De baptismo* ne fait jamais allusion —, il est de notre race (τῶν ὁμογενῶν) [28]. Chacun de nous se sent comme de plain-pied avec lui. Par égard pour les faibles, Basile ajoute donc à l'enseignement de Jésus-Christ celui de Paul, comme nous l'avons vu plus haut et pour le même motif joindre l'Ancien Testament au Nouveau. Aucune dissonance n'en résulte, car l'Apôtre apparaît toujours dans le *De baptismo* comme un disciple fidèle du Seigneur, méditant sa parole pour en tirer des leçons, exécutant tous ses commandements [29]. Et que de fois, au moment de le citer, notre auteur utilise-t-il cette formule indiquant une totale communion : « Paul qui parle dans le Christ » (ὁ ἐν Χριστῷ λαλῶν) !

A côté de témoignages susceptibles de fortifier la foi, il tire de l'œuvre paulinienne l'essentiel de sa doctrine du baptême. Il exploite principalement l'Épître aux Romains, qui lui fournit les thèmes de la faiblesse morale de l'homme naturel, de l'humanité pécheresse séparée de Dieu, de l'intervention salvatrice de Jésus-Christ. La partie centrale de cette épître a surtout retenu son attention et il l'utilise très largement dans le second chapitre de son livre I. Son texte de base est *Rom.* 6, 3-11, qu'il appelle « le discours sur le baptême [30] ». Il le cite une première fois *in extenso*, comme un beau morceau d'anthologie, avant de le commenter phrase par phrase. Il le replace d'abord dans son contexte en le rattachant au chapitre précédent sur la philanthropie

28. *De bapt* 1621 c.
29. Cf. *De bapt* 1520 c, d, etc.
30. *De bapt* 1581 a : ἐν τῷ περὶ τοῦ βαπτίσματος λόγῳ.

divine. Puis il en reprend chaque affirmation l'une après l'autre, l'explique, la développe en faisant appel à d'autres épîtres ou à d'autres passages de la même épître. Dans sa démarche un peu sinueuse, il ne perd jamais ce discours de vue : il en souligne les articulations logiques et il conclut en termes qui rappellent son introduction [31]. Ainsi, il met en pleine lumière cette idée, essentielle aux yeux de Paul comme aux siens, que le baptême en nous plongeant dans la mort du Christ nous fait naître à une vie nouvelle.

Ajoutons qu'il développe le thème de la libération par rapport au péché, à la mort, à la Loi, en suivant de près les chapitres 5 à 7 de cette épître, qu'il se place au même point de vue que l'Apôtre, opposant comme lui les Juifs aux gentils [32] et qu'il manifeste un souci semblable des petits et des faibles, veillant à leur donner l'instruction appropriée à leur état et à ne pas les scandaliser [33].

Il s'inspire de l'Épître aux Romains même dans le domaine de l'argumentation et du style. Les lenteurs et les retours en arrière que l'on constate dans le *De baptismo* et dont certains critiques ont pris prétexte pour rejeter cette œuvre comme indigne du grand Basile

31. En 1544 a, il souligne par l'expression τὸ συνημμένως ἐπενεχθέν le rapport entre *Rom.* 6, 4 et *Rom.* 6, 3, que Paul avait exprimé au moyen de la particule conclusive οὖν, et, pour attirer l'attention, il interrompt la citation paulinienne juste avant ἵνα par διὰ τί. Dans le passage récapitulatif (1556 c), il déclare : « L'Apôtre nous a *enseigné* la *signification* du baptême d'*eau* », utilisant précisément les 3 mots παραδίδωμι, λόγος et ὕδωρ dont il s'était servi pour annoncer son commentaire en 1537 c. — De façon générale, le soin avec lequel Basile a étudié la suite des idées dans l'Épître aux Romains se marque par les expressions τὰ προτεταγμένα, τὰ ἐπιφερόμενα et τὰ ἐπενεχθέντα, qu'il emploie plus d'une fois (1540 a, b, c). Il est vrai qu'en l'absence de numérotation, il lui était difficile de désigner autrement les versets scripturaires.

32. *De bapt* 1544 c.

33. *De bapt* 1593 a; 1621 a.

tiennent en partie aux lenteurs et aux retours en arrière de Paul. Il n'expose pas en une seule fois sa doctrine du baptême, mais il reproduit dans une certaine mesure cette façon de composer par répétitions concentriques qu'on observe dans l'épître et qui rappelle les prophètes de l'Ancien Testament. Il recourt aux métaphores sportives, recherche allitérations et assonances, coupe brusquement un développement par une question brève destinée à ranimer l'attention, argumente en allant tantôt du plus petit au plus grand, tantôt au contraire du plus grand au plus petit, suivant, en tous ces procédés, l'exemple de l'épître [34]. Manifestement il a étudié cette œuvre avec soin, la connaît d'une façon directe et personnelle, et non pas seulement à travers le commentaire d'Origène dont il a pu toutefois s'inspirer [35]. Il la garde si continuellement présente à l'esprit, qu'à deux reprises, après l'avoir laissée de côté un certain temps il en cite de nouveau un passage sans ajouter la moindre référence qui pourrait en indiquer la source [36].

Si Basile a très largement utilisé les Épîtres et en particulier l'Épître aux Romains pour composer son *De baptismo*, c'est qu'il se sent tout proche de l'Apôtre à beaucoup d'égards. Il partage ses préoccupations de pasteur, son goût de l'exhortation morale, son désir de pédagogie efficace [37]. Il s'identifie à lui jusque dans sa

34. Cf. *De bapt* 1568 c, 1572 a, 1544 a, etc. Les arguments *a minori ad majus* et *a majori ad minus* apparaissent en *Rom.* (11, 12; 11, 24, etc.) sous la forme εἰ ... πόσῳ μᾶλλον. Basile en fait volontiers usage : 1597 a; 1624 a; 1625 d; etc.

35. Lorsqu'il déclare (1557 c) que le baptisé qui continuerait de vivre selon les prescriptions de la loi ancienne s'attire une condamnation d'adultère, Basile semble s'inspirer d'ORIGÈNE, *Comm. in Rom.* VI, 7 (*PG* 14, col. 1073 b).

36. Cf. *De bapt* 1541 a, 1548 b, où Basile se contente des verbes φησί, ἐπιφέρει λέγων, sans préciser que le sujet de ces verbes est Paul.

37. Comme l'Apôtre, Basile croit à la nécessité de dire

personne physique. Constatant la disproportion entre la pauvreté du langage humain et les magnificences de la grandeur divine qu'il a le devoir de célébrer, il n'hésite pas à s'appliquer les mots mêmes de Paul évoquant dans sa deuxième Lettre aux Corinthiens « son corps chétif et sa parole méprisée [38] ». Il laisse donc voir sans réserve son intimité personnelle avec l'Apôtre. On sent qu'entre ses auditeurs et lui règne un climat de confiance reposant sur une communauté de foi.

plusieurs fois les mêmes choses pour se faire bien comprendre (cf. *De bapt* 1549 d).

38. *De bapt* 1533 c.

Chapitre VII

LA DOCTRINE BAPTISMALE

Dans le *De baptismo*, Basile parle souvent du baptême selon l'évangile de Jésus-Christ ou plus simplement du baptême de Jésus-Christ. Il entend toujours ce baptême au sens actif [1] et il l'oppose à celui de Jean-Baptiste en citant la parole du Précurseur rapportée par S. Matthieu : « Moi, je vous baptise dans l'eau, pour la conversion ; lui vous baptisera dans l'Esprit-Saint et le feu [2]. » Traitant essentiellement du baptême de Jésus-Christ, il ne devrait donc guère utiliser, semble-t-il, l'expression « baptême d'eau ». Or, il l'emploie très souvent et l'associe au nom du Seigneur. Comment expliquer cette anomalie ?

Tertullien nous apporte un éclaircissement. Il publia au début du IIIe siècle un traité sur le baptême qui devait tenir une grande place dans la tradition chrétienne et que l'on peut considérer comme le plus ancien document relatif à ce sacrement. Au chapitre IV, il montre l'importance de l'élément liquide et rappelle qu' « au commencement l'esprit de Dieu était porté sur les eaux » ; un peu plus loin il fait observer que « toutes les espèces d'eau, du fait de l'antique prérogative qui les marqua à l'origine, participent... au mystère de notre

1. C'est le baptême que Jésus-Christ confère ou institue, non celui qu'il reçoit lui-même de Jean-Baptiste.
2. *De bapt* 1532 d.

sanctification » ; et il ajoute : « une fois Dieu invoqué sur elles [3] ».

Or, cette invocation est bien attestée. Les liturgies baptismales des premiers siècles rapportent que l'évêque avant de baptiser bénissait l'eau qui devait servir à la cérémonie et prononçait sur elle une épiclèse au Saint-Esprit [4]. Il est donc raisonnable d'admettre que lorsque Basile parle du baptême d'eau, il s'agit d'une eau non pas à l'état pur (ψιλὸν ὕδωρ) comme celle du Jourdain où Jean baptisait, mais additionnée en quelque sorte d'Esprit-Saint, vivifiée par lui, ou, si l'on préfère une expression devenue familière aux Pères de l'Église, une eau servant de « véhicule » à l'Esprit-Saint et « contenant » la grâce. Comment imaginer, au surplus, que l'eau pourrait être absente du baptême chrétien ? Elle offre l'image de la mort, par laquelle il faut passer avant de recevoir la force vivifiante de l'Esprit et on l'a toujours utilisée au long des âges, qu'on baptisât par immersion ou par infusion ; le mot même de baptiser deviendrait incompréhensible sans cet élément liquide puisqu'il signifie étymologiquement « plonger dans » ou « immerger ». Un baptême ayant pour « matière » une eau consacrée peut donc à juste titre être rapporté à Jésus-Christ et Basile qui se contente souvent de l'appeler « baptême d'eau » est parfaitement en droit de l'appeler aussi « baptême dans l'Esprit-Saint », ce qui renvoie à la formule de Jean-Baptiste, ou encore, réunissant les deux termes, « baptême d'eau et d'esprit ».

Mais comment Basile conçoit-il ce baptême et quelle place lui assigne-t-il dans l'économie du salut ? S'inspi-

3. TERTULLIEN, *Traité du baptême*, IV, 1-4 (trad. Refoulé).

4. Un écho de cet usage a persisté jusqu'au XXe s. dans cette préface consécratoire chantée par l'évêque lors de la bénédiction des fonts baptismaux : « Que l'Esprit-Saint par l'immixtion cachée de sa divinité féconde l'eau préparée pour régénérer les hommes. »

rant à la fois de l'Épître aux Romains et de l'évangile de Jean, il le présente comme un mystère de mort et de résurrection. « Nous sommes baptisés dans le Christ Jésus » dit-il avec l'Apôtre, ce qui veut dire que nous sommes « baptisés dans sa mort [5] ». La piscine baptismale représente son tombeau. Y descendre, c'est donc, pour nous, accepter de nous unir à sa passion, reconnaître que nous sommes « crucifiés avec lui (συσταυροῦσθαι), morts avec lui (συντεθνηκέναι), ensevelis avec lui (συντεθάφθαι) [6] ». Évidemment cette crucifixion et cette mort ne concernent pas notre être physique. Elles touchent seulement en nous le vieil homme, c'est-à-dire le pécheur. « Comprenons-le, dit Basile citant de nouveau Paul, notre vieil homme a été crucifié avec le Christ afin d'annihiler notre corps de péché. » Nous devons donc, puisque nous sommes ensevelis dans une mort semblable à la sienne mourir à notre tour au péché et crucifier notre chair [7]. Par son immersion, le catéchumène abandonne au fond de la piscine baptismale tout le péché qu'il porte en lui ; il se purifie, mais en même temps, il prend un engagement, celui de ne plus mettre ses membres terrestres au service du mal car il a déposé en quelque sorte une profession de foi écrite (ὥσπερ ἔγγραφον ὁμολογίαν) par laquelle il se déclare mort au péché, à lui-même et au monde [8].

Après l'immersion vient l'émersion [9]. Pour expliquer cette seconde phase de la cérémonie, Basile utilise principalement le passage de l'Évangile où Jean rapporte l'entretien de Jésus avec Nicodème sur la nécessité

5. *De bapt* 1540 b.
6. *De bapt* 1524 a.
7. *De bapt* 1537 d; 1552 a.
8. *De bapt* 1552 b; 1573 b.
9. En fait, le rite baptismal comporte trois immersions suivies de trois émersions. Basile tantôt les distingue, tantôt les considère en bloc.

de renaître. Il y voit, suivant l'opinion courante, la préfiguration du baptême et interprète cette seconde naissance comme le redressement (ἐπανόρθωσις) de la première qui a eu lieu dans la souillure du péché [10]. A cause de l'antique désobéissance dont toute naissance charnelle porte la trace, l'homme a perdu l'état glorieux dans lequel il a été créé et sa ressemblance avec Dieu s'est effacée. Le baptême d'eau et d'esprit le fait renaître spirituellement. Lorsqu'il émerge pour la troisième fois de la piscine dans laquelle il s'est à trois reprises plongé il retrouve sa dignité entière. Dès la première émersion, l'Esprit-Saint lui avait été communiqué ; à la seconde il avait revêtu le Fils ; à la troisième, baptisé au nom du Père, il devient enfant de Dieu. C'est un être neuf, un mort revenu à la vie qui remonte de la fontaine baptismale (διὰ τῆς ἐκ τοῦ βαπτίσματος ἀνόδου) au fond de laquelle il a laissé sa dépouille de vieil homme [11]. Il va marcher désormais dans une existence nouvelle où il sera soutenu par l'espérance du Royaume et où il brillera de la splendeur du Christ ressuscité. Si la phase première du baptême, représentant la plongée dans les eaux de la mort, pouvait éveiller des idées funèbres de corruption ou d'anéantissement, c'est une note joyeuse de régénération que fait retentir la seconde. La naissance d'en haut transforme le pécheur en fils de Dieu.

L'acte du baptême que nous venons de décrire avec les deux aspects d'immersion et d'émersion est essentiel aux yeux de Basile. Il inaugure véritablement la vie chrétienne. Il nous délivre de l'esclavage du péché, restaure en nous l'image divine, marque notre engagement de ne plus vivre pour nous, mais pour celui qui est mort et ressuscité pour nous, scelle la nouvelle alliance, comme la circoncision scellait l'ancienne, nous ouvre

10. Cf. *De bapt* 1536 c.
11. *De bapt* 1553 a.

enfin la voie du salut. A lui seul, il tient lieu de la justice parfaite et de toutes les bonnes actions qui sont récompensées par les béatitudes. Il va donc bien au-delà d'un simple rite purificatoire et laisse loin derrière lui les baptêmes de Moïse et de Jean [12]. Notre auteur ne tarit pas d'éloges à son sujet : ce baptême est saint (ἅγιον), très glorieux (ἐνδοξότατον), très admirable (θαυμασιώτατον) ; c'est une merveille incomparable (περιέχον θαῦμα) [13]. Ces formules nous paraissent emphatiques ; elles étaient peut-être destinées à impressionner les messaliens qui doutaient de son efficacité.

La prophétie de Jean-Baptiste rapportée plus haut nous a montré le feu associé à l'Esprit-Saint quand il s'agit du baptême de Jésus-Christ. Nous avons donc à chercher maintenant comment Basile, qui cite cette prophétie du Précurseur et qui mentionne plusieurs fois le baptême de feu dans son traité, entend cette expression. Il en donne une première définition au chapitre II du livre I. Être baptisé dans le feu, cela veut dire être baptisé « dans la parole enseignante (τουτέστιν ἐν τῷ λόγῳ τῆς διδασκαλίας), qui accuse la malice des mauvaises actions (ἐλέγχοντι μὲν τῶν ἁμαρτημάτων τὴν κακίαν) et révèle la grâce des actions justes (φανεροῦντι δὲ τῶν δικαιωμάτων τὴν χάριν) ». Plus loin, dans un passage récapitulatif, il revient sur ce baptême. Nous avons appris, dit-il, qu'il « peut réfuter toute malice (ἐλεγκτικὸν μέν ἐστι πάσης κακίας) et nous rend capables d'accueillir la justice selon le Christ (δεκτικὸν δὲ τῆς κατὰ Χριστὸν δικαιοσύνης), car il inspire la haine du mal et le désir de la vertu (μῖσος μὲν ἐμποιοῦν τῆς κακίας, ἐπιθυμίαν δὲ τῆς ἀρετῆς) » [14]. Ces deux passages fortement concordants

12. *De bapt* 1532 b; 1581 a. La circoncision spirituelle que constitue le baptême est très supérieure à la circoncision charnelle dont se prévalaient les Juifs.

13. *De bapt* 1525 c; 1532 c.

14. *De bapt* 1541 c; 1573 a.

par l'opposition qu'ils établissent entre le bien et le mal permettent d'affirmer que le baptême de feu est un enseignement moral sur les devoirs du chrétien. Et puisque c'est Jésus-Christ qui baptise dans le feu, on peut finalement définir le baptême de feu comme la parole enseignante de Jésus-Christ. Basile identifie à tel point baptême de feu et parole de Jésus-Christ qu'il emploie sensiblement les mêmes mots pour les caractériser l'un et l'autre [15] et qu'il applique à cette parole l'épithète διάπυρος signifiant « embrasé », « plein de feu », juste avant de citer la phrase fameuse que S. Luc met dans la bouche du Maître : « Je suis venu lancer le feu (πῦρ) sur la terre [16]. » On ne peut donc douter que pour lui le baptême de feu ne soit l'enseignement du Seigneur lui-même.

Cette interprétation cependant a paru singulière. La tradition en effet a toujours considéré le baptême de feu, que le Précurseur attribue à Jésus-Christ, comme l'épreuve du jugement, et le traité *Sur le Saint-Esprit*, dont l'authenticité basilienne est aujourd'hui bien démontrée, se rallie sur ce point à l'opinion traditionnelle [17]. Mais les deux façons d'envisager le baptême de feu s'excluent-elles ? Certains assurément l'ont pensé et en ont déduit que les œuvres où elles figurent ne pouvaient appartenir au même auteur [18]. En fait, elles ne sont nullement incompatibles, la parole enseignante de Jésus-

15. En 1569 c, Basile attribue à la parole de Jésus-Christ le pouvoir de « rendre claire la malice des fautes et de mettre en lumière la vertu des bonnes actions ». On retrouve à peu près les mots employés pour le baptême de feu.

16. *Ibid.*

17. Cf. *De Sp sanct* 132 c : « On appelle ici baptême de feu l'épreuve du jugement ».

18. Ainsi le théologien protestant A. Schultes qui, en 1613, reconnaissant le *De bapt* comme basilien, avait tiré argument de cette divergence apparente d'appréciation sur le baptême de feu pour mettre en doute l'authenticité du *De Sp sanct*.

Christ appelant, selon nous, l'épreuve du jugement. Nous avons remarqué en effet que les deux passages du *De baptismo* relatifs au baptême de feu opposent fortement le bien et le mal ; dans cette antithèse, une perspective eschatologique se dessine déjà, renforcée par la présence de part et d'autre de l'adjectif ἐλεγκτικός, apparenté au verbe ἐλέγχω, qui signifie « convaincre de faute », « accuser », et suggère l'idée d'un tribunal. La parole qui enseigne ce qu'il faut faire et ce qu'il faut éviter pour plaire à Dieu mettra en lumière au jour du jugement dernier le caractère bon ou mauvais de nos actes ; elle fournit le critère qui départagera les hommes et permettra de rendre à chacun selon ses œuvres. Ajoutons encore ce que dit Jésus-Christ dans l'évangile de Jean au sujet de ceux qui le rejettent et refusent de croire en lui : « La parole que j'ai fait entendre, c'est elle qui les jugera au dernier jour. » Cette déclaration que cite Basile dans notre traité [19] confirme notre manière de voir. L'interprétation du *De baptismo* ne contredit donc ni celle du *De Spiritu sancto* ni la tradition. Si la parole enseignante de Jésus-Christ n'est pas, à la lettre, l'épreuve du jugement, elle en est toute proche et y conduit nécessairement.

Mais à quel moment reçoit-on le baptême de feu et qui concerne-t-il ? Étant la parole même du Seigneur, il consiste à étudier l'Évangile, à s'en pénétrer, à se convertir pour se faire disciple. Propédeutique indispensable à la réception du baptême proprement dit, il doit forcément le précéder. Basile insiste à plusieurs reprises sur cette antériorité. Elle découle à ses yeux du verset de *Matth.* 28,19, qu'il décompose en deux temps de la manière suivante : 1) allez, faites disciples ; 2) baptisez. Et dans la récapitulation par laquelle il clôt le deuxième chapitre du premier livre, il rappelle cet ordre de succession des deux baptêmes.

19. *De bapt* 1593 c.

Il en résulte que le baptême de feu concerne les catéchumènes et plus précisément ceux d'entre eux qui envisagent de recevoir le sacrement dans un avenir proche et s'y préparent sérieusement [20]. Leur tâche, pendant leur période probatoire, ne consiste pas seulement à s'instruire d'une manière tout intellectuelle sur les dogmes essentiels de la religion chrétienne. Aidés par la grâce prévenante de Dieu, ils doivent déjà, dans leur manière de vivre, se montrer de vrais disciples du Seigneur en marchant à sa suite, en parcourant avec lui les étapes de sa passion, en portant comme lui la croix. Sa parole enseignante, dans l'étude de laquelle ils se plongent comme dans un feu purifiant, les incite à se détacher de leurs intérêts terrestres et leur fait comprendre la nécessité de renoncer au péché. Conduisant au glorieux baptême de Jésus-Christ, le baptême de feu n'impose pas des renoncements moins héroïques ni des obligations moins ardues que ce baptême lui-même.

Tout au long de cette ascèse, la foi est présente. Le simple catéchumène qui fait ses premiers pas dans la carrière croit déjà au Seigneur [21] ; le baptême d'eau et d'esprit qu'il recevra au terme de son cheminement sera le sceau de sa foi. C'est la foi qui rend possible après le baptême de feu la purification dans le sang du Christ [22], qui fait trouver facile (εὐόδως) la garde des commandements [23]. C'est elle encore qui donne l'intelligence des Écritures, car il faut croire pour comprendre [24]. Foi et baptême sont étroitement liés, et, pour nous servir d'une

20. Tous les catéchumènes n'ont pas le même désir du baptême. Beaucoup, ayant demandé et obtenu leur inscription au catéchuménat, ne changent rien à leur manière de vivre, reculent indéfiniment l'heure de leur baptême, certains jusqu'à la mort.

21. *De bapt* 1516 d.

22. *De bapt* 1541 c; 1573 b.

23. *De bapt* 1565 b.

24. *De bapt* 1540 d.

image basilienne qui ne se trouve pas dans notre texte mais en exprime bien la pensée, il faut les considérer comme la base et le faîte d'un même édifice[25].

On ne s'étonnera pas de voir un livre sur le baptême s'achever par un chapitre traitant de l'eucharistie. C'est un couronnement à la fois naturel et grandiose. Le baptisé a franchi toutes les étapes du catéchuménat. Lorsqu'il remonte de la piscine sacrée, devenu fidèle à part entière, admis à participer pleinement aux mystères de l'Église, il est aussitôt conduit à la table sainte comme l'indiquent toutes les liturgies baptismales des premiers siècles et il pourra enfin goûter au corps et au sang du Seigneur. L'eucharistie apparaît tellement comme le corollaire du baptême que longtemps ces deux sacrements, auxquels il faut joindre la confirmation, furent désignés collectivement sous le nom de *sacramenta baptismi*[26]. Basile ne sort donc pas de son sujet en traitant de l'eucharistie, nourriture adaptée aux besoins du néophyte qui vient de naître à une vie nouvelle.

Ce qui pourrait étonner, en revanche, c'est que dans ce dernier chapitre, il ait fait aussi clairement le récit de l'institution eucharistique, une première fois d'après *Matth.* 26,26-28 et une deuxième d'après *I Cor.* 11,23-26, sans paraître craindre une profanation possible. Il savait pourtant que le rite eucharistique tombait sous la discipline du secret, discipline à laquelle il fait lui-même une allusion élogieuse dans son traité *Sur le Saint-Esprit*[27]. Mais rappelons-nous que ses auditeurs ne sont ni des païens, ni même des catéchumènes, mais des moines déjà fort engagés dans l'ascèse chrétienne et dont beaucoup ont charge d'âmes. Il prononce à haute voix les paroles sacrées du Canon parce qu'il veut les commenter ensuite et montrer en particulier que, pour

25. Cf *De Sp sanct* 117 b.
26. Cf. Corblet, *Histoire du sacrement du baptême*, II, p. 402.
27. *De Sp sanct* 189 a.

recevoir avec fruit l'eucharistie, il faut entetenir activement en soi le souvenir de Jésus-Christ mort et ressuscité. Il espère que son auditoire tirera profit de ses explications et pourra éventuellement les transmettre plus tard à des âmes suffisamment préparées pour les entendre. Une divulgation de la liturgie eucharistique dans un tel milieu exclut tout risque de profanation.

De la préparation intellectuelle et morale requise du catéchumène à la participation au banquet eucharistique, c'est un exposé doctrinal très complet que nous trouvons ici. Il diffère peu, pour le fond, des exposés qui ont paru au cours des premiers siècles sur le même sujet, car il présente le baptême comme un mystère de mort et de résurrection selon l'enseignement très largement répandu de l'Épître aux Romains [28].

Comme l'initié aux mystères d'Éleusis, le baptisé a franchi une série d'étapes dont la dernière constitue l'initiation parfaite (ὁ τέλειος βαθμός) [29] et lui assure la joie la plus haute, celle de devenir enfant de Dieu. Entre chacune d'entre elles, une expression revient fréquemment : « alors, il est jugé digne » (καταξιοῦται), qui introduit une sorte de solennité dans l'ascension mystique, mais qu'il faut entendre plus souvent au sens un peu affaibli de « il est admis ».

Bien qu'il regarde le baptême comme une initiation, Basile n'adopte pas les procédés d'exposition propres aux catéchèses mystagogiques. Il ne suit pas le catéchumène pas à pas au cours de la nuit pascale où il va renaître à une vie nouvelle. Il n'indique pas le sens symbolique de chacun des rites accomplis successivement sur lui, il ne parle pas d'onction ni d'huile purifiante, ne mentionne nulle part les vêtements blancs

28. Le baptême est présenté comme un mystère de mort et de résurrection dans les *Constitutions apostoliques*, chez Athanase, Grégroire de Nysse, Jean Chrysostome, etc.

29. *De bapt* 1565 b.

dont on revêt le baptisé au sortir de la piscine baptismale selon un usage constant au IVe siècle [30]. Il songe moins aux détails de la liturgie qu'aux besoins spirituels des moines qui l'écoutent. Par son exposé doctrinal il veut montrer que les renoncements et les engagements de leur profession monastique s'enracinent dans le renoncement du catéchumène à Satan et dans la promesse baptismale de fidélité à la justice de l'Évangile.

30. Cf. THÉODORE DE MOPSUESTE, *IIIe homélie sur le baptême* 26 (éd. Tonneau-Devreesse, *Studi e Testi* 145, p. 455-457).

Chapitre VIII

ASCÈSE ET SPIRITUALITÉ DANS LE *DE BAPTISMO*

Deux influences ont contribué à la formation de l'idéal ascétique proposé dans le *De baptismo*, celle de la philosophie grecque et celle de l'Écriture sainte.

En ce qui concerne la première, considérons d'abord la part qui revient à Platon. Basile, marqué par le dualisme métaphysique du *Phédon* et se souvenant du mythe de la caverne, établit une opposition irréductible entre le corps et l'âme, l'un se traînant sur la terre comme une ombre, l'autre ayant le ciel pour patrie [1]. Il affirme aussi qu'il faut prendre soin de l'homme intérieur et bannir les préoccupations qui empêchent l'esprit de se recueillir et de réaliser son unité [2]. Par ces exigences, il se met dans le sillage de Socrate qui exhortait ses concitoyens à s'occuper de leur âme [3] et dépistait leurs contradictions de langage, dans lesquelles il voyait les signes d'une conscience disloquée, faute d'intériorité. Le spiritualisme platonicien a donc contribué soit par contact direct, soit par l'intermédiaire du néo-platonisme à l'élaboration des principes ascétiques du *De baptismo*.

La pensée stoïcienne y a contribué davantage. D'im-

1. *De bapt* 1561 c.
2. *De bapt* 1568 d.
3. Platon, *Apologie de Socrate* 29 e.

portants travaux parus au cours du xxe siècle ont mis en lumière les rapports étroits et longtemps méconnus qu'elle présente avec le christianisme[4]. Comme la plupart des Pères, Basile en a subi l'influence et toutes ses œuvres, à des degrés divers, en sont marquées. En ce qui concerne le *De baptismo*, cette influence s'est exercée à la fois sur la forme et sur le fond.

Nous signalerons dans les notes qui accompagnent le texte, les mots ainsi que les procédés de style ou d'exposition relevant du Portique. Ici, sans nous désintéresser du vocabulaire, nous chercherons surtout à déterminer quelle place les thèmes ou la pensée de l'école occupent dans notre traité et de quelle manière ils sont utilisés.

Une notion essentielle chez les stoïciens est la faculté hégémonique. Dans leur physique assez confuse, ils admettaient qu'une force matérielle et pourtant raisonnable pénètre toutes les parties de l'univers comme un souffle (πνεῦμα)[5] et dans ce souffle ils distinguaient un élément directeur, unifiant, vivifiant qu'ils appelaient τὸ ἡγεμονικόν. Basile adopte le πνεῦμα ἡγεμονικόν, et c'est à l'Esprit-Saint dont la nature est de commander, ainsi qu'il l'écrit dans le *Contre Eunome*[6], qu'il applique cette expression proprement stoïcienne[7].

Mais la fonction hégémonique n'agit pas seulement dans l'univers physique comme force organisatrice. Les stoïciens la voient à l'œuvre aussi et plus encore dans le microcosme qu'est l'homme, où elle régit la vie morale[8]. Ils l'identifient soit à l'âme, dont elle est la partie

4. Citons en particulier E. Elorduy, « Estoicismo y cristianismo », *Estudios eclesiásticos* 18 (1944), p. 375-411 ; M. Spanneut, *Le stoïcisme des Pères de l'Église*.

5. *SVF* II, 416, p. 137, l. 30 : τὸ διῆκον διὰ πάντων πνεῦμα.

6. *Eun* 660 a.

7. *De bapt* 1588 b.

8. L'ἡγεμονικόν est la partie maîtresse de l'âme : cf. *SVF* II, 837, p. 228, l. 1.

maîtresse, soit à la raison, et ils l'appellent le dieu ou le maître intérieur, ou plus simplement l'homme intérieur [9]. Basile connaît bien cette dernière expression, que déjà S. Paul avait employée [10], et il l'utilise plus d'une fois dans le *De baptismo* [11]. Comme les maîtres du Portique, il en fait un synonyme de ψυχή et il déclare avec eux qu'il faut prendre soin de l'homme intérieur et veiller à son intégrité [12].

L'aspect le plus connu de la morale stoïcienne est assurément la lutte contre les passions. Les philosophes de l'école la recommandaient à leurs disciples pour conquérir ou préserver la liberté de l'âme. Basile reconnaît lui aussi l'importance de cet enjeu et il souscrirait sans difficulté à leur affirmation que l'homme de bien est libre tandis que le méchant est esclave [13], car il déclare que la liberté — et il précise, celle de l'âme — consiste à échapper à la tyrannie du péché [14]. Il veut que le moine combatte les désirs, les mauvais penchants, la complaisance envers soi-même. Il condamne même l'attachement à la vie lorsqu'il est poussé à l'extrême et, pour exprimer cet attachement passionné, il se sert du mot bien stoïcien de προσπάθεια [15]. Attentif aux causes d'asservissement que l'on porte en soi, il observe également celles qui proviennent du dehors. Il conseille de ne pas s'inquiéter outre mesure des moyens d'existence ni des usages ayant cours en société, même, remarque-t-il, s'ils paraissent tout à fait raisonnables, ni non plus des obligations humaines, qu'il appelle à la suite des

9. Cf. MARC AURÈLE, *Pensées* III, 5 ; IV, 1 ; etc.
10. *Éphés.* 3, 16.
11. *De bapt* 1537 b; 1544 a; 1561 c; etc.
12. *De bapt* 1568 d. Ce souci était aussi celui de Socrate, dont Basile se souvient peut-être ici. Cf. *supra*, p. 57, n. 3.
13. Cf. *SVF* III, 593, p. 155, l. 13-18.
14. *De bapt* 1516 c.
15. *De bapt* 1520 a. Cf. *SVF* III, 397, p. 97, l. 13.

philosophes du Portique καθήκοντα [16]. En exprimant ces pensées abruptes, on dirait qu'il s'inspire de la prédication populaire cynico-stoïcienne, qui visait à libérer l'individu de toutes les servitudes, y compris celles de la vie familiale et sociale, ainsi que des besoins superflus. L'idéal qu'il propose à ses moines apparaît dans une assez large mesure comme l'état d'indifférence aux choses extérieures que les maîtres de l'école préconisaient sous le nom d'ἀπάθεια [17].

Adopte-t-il aussi leur rigorisme en morale ? Met-il sur le même plan les forfaits et les peccadilles ? Dirait-il comme Zénon qu' « étrangler un coq sans nécessité n'est pas moins criminel que de tuer son père [18] » ? Certes, il répugne aux déclarations paradoxales ou provocantes et nulle part dans le *De baptismo* il n'affirme textuellement que toutes les fautes ont la même gravité, mais il le laisse entendre. Il cite en effet dans son premier livre cette maxime qu'il attribue à l' « un de nos sages » : « Dans la vie l'à peu de chose près n'est pas peu de chose [19] » ; et il la développe dans le second de la manière suivante : « Ce qui est arrivé à peu de chose près n'est pas arrivé... celui qui mourut à peu de chose près n'est pas mort... celui qui entra à peu de chose près n'est pas entré », et, passant au domaine moral, il conclut : « Celui qui a observé la Loi à peu de chose près ne l'a pas observée, mais il est transgresseur de la Loi [20]. » Si la thèse stoïcienne *omnia peccata esse paria* [21] n'apparaît pas formellement dans cette explication, on doit y reconnaître du moins l'ancien argument de

16. *De bapt* 1520 c; 1521 b; 1524 c. Cf. *SVF* III, 493 et 496, p. 134; Cicéron, *De officiis* I, 8.
17. *SVF* III, 201, p. 48, l. 31. A noter toutefois que Basile n'emploie pas le mot ἀπάθεια dans le *De bapt*.
18. *SVF* I, 225, p. 54, l. 20-23.
19. *De bapt* 1528 a.
20. *De bapt* 1612 b.
21. Cf. Cicéron, *Pro Murena* 61.

Chrysippe : « Celui qui est à cent stades de Canope et celui qui n'en est qu'à un stade se trouvent à égalité, n'étant ni l'un ni l'autre à Canope, et de même celui qui commet une faute grave et celui qui commet une faute légère : ils sont l'un comme l'autre hors du droit chemin [22]. »

Dans leur rigorisme intransigeant les premiers maîtres du Portique ne faisaient aucune concession. Non seulement entre le bien et le mal ils n'établissaient pas de degré [23], mais dans le domaine psychologique ils ne reconnaissaient que deux classes d'individus, d'une part les sages capables de discerner les choses qui dépendent d'eux et celles qui n'en dépendent pas, d'autre part les fous qui n'ont jamais su faire cette distinction [24]. Toutefois avec le temps, cette doctrine rigide s'était assouplie. On avait admis entre les extrêmes des catégories et des états intermédiaires et introduit dans la doctrine la notion de progrès moral (προκοπή) [25]. Basile utilise cette notion devenue au temps d'Épictète un pivot du système éthique stoïcien. Dans un passage du livre II il fait apparaître la προκοπή comme l'étape à franchir entre la maladie de l'âme (νόσος) et la perfection (τελείωσις) [26]. Il reconnaît donc implicitement, comme le faisait Épictète lui-même, l'existence d'une classe intermédiaire entre les débutants qui se mettent en route et les parfaits qui sont arrivés, celle des progressants (προκόπτοντες). De la même façon, il adopte la catégorie stoïcienne des μέσα, choses moyennes ou indifférentes, qu'il faut placer entre la vertu et le vice, le permis et le

22. *SVF* III, 527, p. 141, l. 27-30.
23. *SVF* III, 536, p. 143, l. 15-19.
24. Selon un des « paradoxes » stoïciens, tous les non-sages sont des insensés : cf. CICÉRON, *Tusculanes* III, 28, 68. Sur la φρόνησις et l'ἀφροσύνη, voir aussi *SVF* III, 268.
25. *SVF* III, 535, p. 143, l. 5.
26. *De bapt* 1589 a.

défendu, le bien et le mal [27]. Il suit ainsi plus ou moins consciemment les maîtres de l'école, qui, sous l'Empire romain, à une époque de scepticisme où toutes les croyances se trouvaient ébranlées, avaient humanisé l'ancienne doctrine pour qu'elle puisse répondre aux attentes des âmes inquiètes et l'avaient tournée davantage vers la direction morale et la conduite pratique de la vie [28]. Cette orientation s'accordait parfaitement avec sa propre nature.

L'influence du Portique sur le *De baptismo* est donc manifeste et elle se traduit par de nombreuses réminiscences qui se réfèrent à la fois aux formes anciennes de l'école et aux formes nouvelles qu'elle a prises au cours de sa longue histoire. Mais il ne faut pas la surestimer [29]. Comme nous l'avons déjà constaté à propos du souffle hégémonique [30], Basile utilise les notions ou les préceptes stoïciens à sa manière, en les éclairant d'une lumière chrétienne. Dans les passions qui nous asservissent, il voit l'action du diable [31]. S'il affirme que nous devons leur résister et nous détacher des biens périssables, ce n'est pas pour mettre notre âme en accord avec l'harmonie universelle ni même pour préserver notre liberté intérieure, bien qu'il attache de l'importance à cette considération, c'est essentiellement pour nous rendre capables d'accueillir la Parole et de répondre à l'appel de Jésus-Christ [32]. S'il juge légitime de négliger

27. *De bapt* 1597 c. Cf. *SVF* III, 118, p. 28, l. 19-20.

28. On sait que les maîtres de ce nouveau stoïcisme furent principalement Sénèque, Épictète et Marc Aurèle.

29. En ce qui concerne les ressemblances verbales, il faut se rappeler qu'à l'époque de Basile bien des termes du vocabulaire stoïcien étaient tombés dans le domaine courant. Cf. PRUCHE, *SC* 17 bis, Introd., p. 176-177.

30. Cf. *supra*, p. 58.

31. Cf. *De bapt* 1517 a, où il associe les expressions « esclave du diable » et « vaincue par le péché ».

32. *De bapt* 1520 c.

les obligations familiales ou sociales, c'est seulement dans la mesure où elles empêchent la prompte obéissance due à Dieu [33]. Si les moindres préceptes ont de l'importance, s'il faut faire attention aux plus petites choses, si l'on n'a rien fait tant qu'on n'a pas tout fait, d'autres maîtres que les stoïciens nous l'enseignent. Qu'on relise l'ancienne Loi : elle exigeait des prêtres ainsi que des animaux apportés en offrande une perfection physique absolue [34]. Quant à l'Évangile, il nous apprend que Pierre, après avoir reçu du Seigneur louanges et promesses, fut menacé par lui pour une seule désobéissance de perdre à jamais sa récompense [35], et que les cinq vierges sottes ont vu se fermer devant elles la salle de noces, alors qu'elles avaient agi en tout, à une chose près, comme les cinq vierges sages qui y furent admises [36]. L'apôtre Jacques enfin n'a-t-il pas lui même écrit que « celui qui accomplit toute la Loi, mais commet un écart sur un seul point est coupable comme l'ayant toute violée [37] » ? Une telle sentence confirmait Basile dans son refus instinctif des accommodements, tout autant que les déclarations les plus intransigeantes du Portique.

Pour élaborer son ascèse, l'auteur du *De baptismo* a donc mis à contribution la philosophie grecque, en particulier celle des stoïciens, revue et corrigée à la lumière de l'Écriture. Mais il ne s'est pas contenté de cette « sagesse du dehors », fût-elle recueillie auprès de penseurs qui « disposent au christianisme », tels que Platon ou Épictète, et pénétrée de clartés bibliques. Comme nous l'avons indiqué plus haut [38], il en appelle

33. *De bapt* 1521 b ; 1524 c.
34. *De bapt* 1528 a.
35. *De bapt* 1529 b.
36. *De bapt* 1613 d; 1616 a.
37. *De bapt* 1529 b.
38. Cf. *supra*, chap. VI.

aussi aux sources scripturaires elles-mêmes et il les exploite bien davantage. Nous avons étudié dans un chapitre précédent [39] son attitude en face des Livres saints et nous avons reconnu qu'il en tire des citations continuelles dont il forme le tissu de sa pensée. Il nous reste à montrer comment, dans son traité, il utilise cette riche culture biblique pour les besoins des âmes.

La parole de Dieu, contrairement à celle des philosophes, exige une adhésion sans réserve. Il faut l'écouter avec la pleine assurance qu'elle exprime la vérité. Cette assurance intérieure (πληροφορία) constitue la foi même. Croire, selon les *Moralia*, c'est « adhérer fermement à la vérité des paroles inspirées, sans se laisser ébranler par aucun raisonnement [40] ». Cette définition correspond parfaitement à l'enseignement donné dans notre traité. Basile y évoque très souvent la certitude intime de vérité apportée par la foi [41] et il veut que cette foi soit ἀδιάκριτος, c'est-à-dire qu'elle n'examine pas, ne discute pas, n'hésite pas [42]. Certes, il permet et même recommande avec insistance de « scruter les Écritures », en particulier lorsqu'on rencontre une difficulté dans l'application d'un précepte, ou lorsqu'on se trouve en présence de deux préceptes qui semblent se contredire [43]. Mais il ne faut jamais mettre en doute aucune affirmation du Livre saint. La foi est l'attitude première requise du chrétien. Elle précède toute démarche intellectuelle, car il faut croire pour comprendre [44].

Une confiance aussi totale dans la parole divine suppose évidemment que l'effort ascétique ne trouve pas son accomplissement en lui-même, mais qu'il se tourne

39. Cf. *supra*, chap. VI.
40. *Mor* 80, 22.
41. Cf. *De bapt* 1524 b; 1552 c; etc.
42. *De bapt* 1588 b.
43. *De bapt* 1588 c; 1589 b.
44. Cf. *De bapt* 1536 a; 1540 d.

tout entier vers Dieu et s'enracine dans la méditation ardente des paroles de Jésus-Christ et l'imitation de ses actes. Basile fait voir, sans en rien omettre, les aspects durs et sévères du Nouveau Testament, et il les met si bien en valeur qu'il est difficile, à une première lecture, de remarquer les autres. Il cite les sentences évangéliques les plus implacables : « Quiconque ne renonce pas à tous ses biens ne peut être mon disciple », ou encore : « Celui qui met la main à la charrue et se retourne en arrière est impropre au Royaume de Dieu [45]. » Le Seigneur est pour lui un maître redoutable qui ordonne, menace, prononce des sentences effrayantes, dont il faut accomplir sur-le-champ toutes les volontés sans la moindre arrière-pensée de gloire ou d'intérêt personnel [46], et qui fait peser sa colère sur ceux qui lui désobéissent [47]. Il le présente aussi comme un juge qui ne laisse aucune faute impunie, mais exclut du Royaume et envoie au feu éternel en les maudissant non seulement ceux qui font le mal, mais encore ceux qui négligent de faire le bien ou le font mollement [48], et même ceux qui ont péché par ignorance, ou qui n'ont commis qu'une seule faute [49]. Son *De baptismo*, qui ne retranche rien de l'extrémisme évangélique, inspire en maints passages la crainte du jugement et met en garde contre le démon qui incite au mal.

Mais le Seigneur n'apparaît pas uniquement dans le *De baptismo* comme un juge redoutable et un maître exclusif. Il est aussi présenté comme le modèle à suivre. Homme de douleur, portant le fardeau de la croix,

45. *De bapt* 1521 a; 1524 c; 1529 c.
46. *De bapt* 1560 b; 1568 c. La volonté humaine qui s'introduit dans l'exécution d'un commandement apparaît à Basile comme une cicatrice ou une lèpre (1584 a).
47. *De bapt* 1592 b; etc.
48. *De bapt* 1596 a.
49. *De bapt* 1529 c; 1541 a.

obéissant à son Père jusqu'à la mort, il précède les disciples sur la voie de l'abnégation et du renoncement. Ceux-ci doivent l'imiter en observant tous les commandements même au péril de leur vie, en portant la croix à leur tour, en crucifiant leur chair. Basile cite plusieurs fois les paroles de l'Évangile ou de Paul qui proclament le plus impérieusement cette nécessité [50]. Mais il ne s'intéresse pas aux modalités pratiques de la mortification ni à ses manifestations extérieures. Il ne dit pas comment réduire et amaigrir le corps, ne parle pas de jeûnes ni de veilles, n'encourage pas non plus les tendances aux prouesses ascétiques étonnantes, préférant une piété traditionnelle selon les règles observées par les « saints » c'est-à-dire par les chrétiens du passé, apôtres ou simples fidèles. Ce qui compte surtout à ses yeux, ce sont les dispositions intérieures. Il insiste avec force sur le renoncement absolu aux volontés propres, sans lequel, malgré les bonnes œuvres accomplies, on ne sera jamais qu'un ouvrier d'iniquité, et il prescrit de combattre sans relâche pour le service de Dieu. Un héroïsme vigilant, où la pensée du châtiment divin tient une place importante, voilà comment on pourrait caractériser la spiritualité qui s'exprime dans le *De baptismo*, et l'on voit sans peine qu'elle ne s'accorde plus guère avec la sensibilité des chrétiens de notre temps.

Mais ce serait une erreur de s'en tenir à ce seul aspect, car le Dieu sévère dont l'homme sensé doit éviter la colère et craindre la justice, est aussi un Père plein de patience et d'amour. Basile parle souvent de sa « philanthropie ». Il le montre tendant la main à notre faiblesse, prenant plaisir à raffermir nos cœurs [51] et mettant le comble à sa bonté en revêtant son Fils de la

50. Cf. *De bapt* 1520 a; 1521 b; 1524 a; etc.
51. *De bapt* 1524 a.

nature humaine et en nous l'envoyant non pour nous juger mais pour nous sauver [52].

Si tel est l'amour de Dieu à notre égard, nous devons nous efforcer d'y répondre. Pour mieux nous en convaincre, l'auteur du *De baptismo* cite deux fois *in extenso* le passage fameux de *I Cor.* 13, 1-3, où Paul montre que nos vertus et nos efforts ne servent à rien si nous ne savons pas aimer [53], et il y fait de fréquentes allusions pour établir que sans amour les actes même conformes à la loi divine sont des œuvres d'iniquité [54]. Pour lui, comme pour l'Apôtre, l'amour est la plénitude de la Loi [55].

Il ne suffit donc pas d'observer les commandements; il faut encore, suivant l'exemple de Paul et de Jésus-Christ lui même, s'appliquer à faire « le bon plaisir de Dieu » (ἡ πρὸς θεὸν εὐαρέστησις). Cette expression qui paraît un grand nombre de fois dans le *De baptismo* et dans tout l'*Asceticon* soit sous cette forme, soit sous des formes légèrement différentes [56], désigne l'élément essentiel de la spiritualité basilienne. Il s'agit d'établir dans notre âme la disposition de pur amour qui rendra notre obéissance agréable au Seigneur et nous fera vivre unis à lui [57]. L'intimité divine apparaît à Basile comme le bien le plus désirable sur cette terre et l'objet par excellence de l'espérance chrétienne. Deux fois il cite le verset simple et touchant de l'Épître aux Thessaloniciens : « Et alors nous serons pour toujours avec le Seigneur [58] », qui fait si bien sentir que le bonheur éternel consiste en

52. *De bapt* 1521 a.
53. *De bapt* 1565 d et 1609 c.
54. *De bapt* 1568 b.
55. *De bapt* 1609 d.
56. Cf. en particulier *De bapt* 1516 a, où le nom εὐαρεστήσεως est précédé de l'adjectif εὐάρεστον.
57. Basile insiste sur la nécessité d'établir en notre âme une disposition d'amour : cf. *De bapt* 1609 a; 1613 d; etc.
58. *De bapt* 1548 c et 1549 a.

une relation d'amour. Par notre obéissance attentive, nous pouvons dès ici-bas vivre dans l'intimité de Dieu et avoir un avant-goût de ce bonheur. La désobéissance au contraire nous en éloigne. Aussi devons-nous l'éviter. « Renonçons, conseille Basile, à la dureté de, la désobéissance [59] », et s'il peut appeler la désobéissance une « dureté », σκληρότητα, c'est sans doute parce qu'il y voit la résistance à une douce voix qui murmure à notre oreille : « Allons, écoute-moi, fais-moi plaisir. » Au surplus, enseigne-t-il, l'obéissance est facile quand on aime [60]. Ainsi, au fond de la rude ascèse basilienne on découvre une sorte de tendresse mystique.

Mais comment concilier crainte et amour ? Peut-on éprouver ces deux sentiments simultanément ou bien passe-t-on de l'un à l'autre à mesure que l'on progresse dans la sainteté ? U. Neri se rallie à cette deuxième hypothèse [61]. Selon lui la crainte n'a que la fonction préliminaire et provisoire de détacher du péché et il invoque comme argument principal le passage du *De baptismo* où *II Cor.* 7, 1 est cité avec deux modifications significatives : « Purifions-nous de toute souillure de la chair et de l'esprit, puis alors (καὶ τότε) achevons de nous sanctifier dans l'amour du Christ (ἐν ἀγάπῃ Χριστοῦ) [62] ». En introduisant les mots καὶ τότε dans la phrase, Basile distingue les deux moments de la purification et de la sanctification plus nettement que ne l'avait fait l'Apôtre ; mais surtout il le corrige en substituant l'amour à la crainte, car Paul avait écrit ἐν φόβῳ θεοῦ. Il est donc assez légitime de penser que pour Basile ces deux sentiments doivent régner successivement dans l'âme et qu'ils correspondent chacun à une phase déterminée du progrès spirituel : la crainte joue d'abord

59. *De bapt* 1544 b.
60. *De bapt* 1565 b.
61. Neri, p. 89.
62. *De bapt* 1600 a.

le rôle principal, car le débutant a besoin de la menace du châtiment pour se détacher du péché ; elle perd sa raison d'être, une fois la purification accomplie, et cède la place à l'amour qui seul peut sanctifier. A cette interprétation on doit pourtant opposer un fait : Basile qui cite trois fois dans le *De baptismo* la phrase de Paul ne la corrige qu'une seule fois ; dans les deux autres citations, il maintient la crainte de Dieu [63]. Il nous semble donc plus juste d'admettre qu'à ses yeux une certaine crainte du châtiment doit régner à toutes les étapes de la vie spirituelle, bien qu'elle soit sans doute plus convenable au commencement et qu'elle est inséparable de l'amour. On est toujours exposé en effet à retomber dans le péché et s'il faut redouter la punition quand on viole un commandement, il faut la redouter tout autant lorsqu'on n'aime pas, car l'amour lui-même fait l'objet d'un commandement. « Aimer Dieu et son Christ, remarque Basile, c'est accomplir le commandement du Seigneur qui a dit : 'Je vous donne un commandement nouveau, que vous vous aimiez les uns les autres comme je vous ai aimés' [64]. »

Dans la spiritualité du *De baptismo*, l'amour joue donc un rôle plus important qu'on pourrait le croire au premier abord. Il ne fait pas disparaître la crainte mais en demeure imprégné, car, fût-on très avancé sur la voie de la sanctification, on doit toujours craindre de ne pas aimer suffisamment. Si Basile pense que les moines doivent accepter toutes les rigueurs du renoncement dont il leur a fait voir la source dans le mystère baptismal, il juge non moins nécessaire qu'ils entretiennent au fond d'eux-mêmes une relation personnelle d'amour avec Dieu. Il ne dissocie pas ces deux aspects, mais suivant l'exemple d'Origène, dont avec son ami

63. *De bapt* 1572 c et 1584 b.
64. *De bapt* 1625 a.

Grégoire de Nazianze il compila peut-être naguère la *Philocalie*, il unit étroitement l'ascèse et la mystique. Ainsi, il enseigne à ses auditeurs les exigences spirituelles de leur vie cénobitique et il pose en même temps le fondement doctrinal sur lequel s'édifieront toutes les formes de monachisme.

Chapitre IX

NOTE SUR L'ÉTABLISSEMENT DU TEXTE ET SUR LA TRADUCTION

Nous avons suivi dans une très large mesure le texte de l'édition critique de U. Neri : *Basilio di Cesarea. Il battesimo*, parue à Brescia en 1976. Cette édition repose sur des bases solides. Le philologue italien a pris connaissance de la quasi-totalité des 34 manuscrits connus. Il en a établi la filiation, les a ordonnés par familles et par groupes, et, s'il n'en a pas lui-même donné le stemma, il est facile de le déduire du classement qu'il a opéré (voir page suivante).

Il a aussi recensé les versions anciennes du *De baptismo* et retracé l'histoire des éditions depuis la *princeps*, parue à Venise en 1535, jusqu'à celle de Garnier, parue à Paris en 1722. A cette dernière édition, sans doute remarquable pour son époque, il affirme à bon droit qu'on ne peut plus aujourd'hui faire totalement confiance, car elle se fonde sur un trop petit nombre de manuscrits et présente assez souvent des leçons arbitraires. Lui-même a établi son texte sur la base de Σ en éliminant le groupe φ, simple déviation corrompue de δ, et en donnant pratiquement la première place à V. Il y a ajouté L, le meilleur représentant de la famille Ω, malheureusement incomplet [1]. Nous renvoyons les lecteurs qui s'intéressent de plus près à la critique textuelle et voudraient

1. Le manuscrit L s'arrête à 1564 b (βαπτισθέντες).

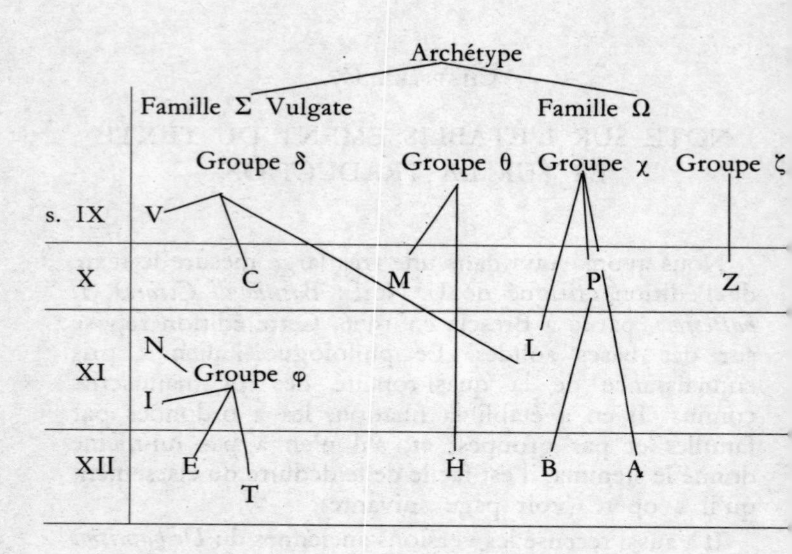

A *Atheniensis 239*
B *Vaticanus Barberini 476*
C *Parisinus Coislin 46*
E *Parisinus 505*
H *Parisinus 504*
I *Parisinus 964*
L *Athonensis Lavra 442*
M *Mosquensis 120*
N *Venetianus Marcianus 65*
P *Patmiacus 18*
T *Venetianus Marcianus 62*
V *Vaticanus 428*
Z *Vaticanus 2011*

replacer clairement le *De baptismo* dans l'histoire du texte des *Ascétiques* aux pages 98 à 115 de son introduction.

Notre propre texte ne s'écarte du sien que sur les points suivants :

au lieu de lire avec Neri :			*nous choisissons de lire :*
1544	d	ἀντιποιούμεθα	ἀντιποιώμεθα (I, 2, 11, 29)
1545	b	καινότητα	καινότης (I, 2, 11, 53)
1548	a	λαλήσῃ	ἂν λαλήσῃ (I, 2, 13, 24)
1553	c	αὐτὸ	αὐτοῦ (I, 2, 16, 39)
1553	c	τοῦ ἀποστόλου	τὸ τοῦ ἀποστόλου (I, 2, 16, 43)
1600	c	εἴδωμεν	ἴδωμεν (II, 8, 2, 1)
1601	a	εἴδωμεν	ἴδωμεν (II, 8, 2, 19)
1613	c	εἴδωμεν	ἴδωμεν (II, 9, 3, 2)
1620	d	γίνεται	γένηται (II, 10, 2, 25)
1624	a	ἴδαμεν	εἴδομεν (II, 11, 35).

Nous avons parfois modifié la ponctuation ainsi que le découpage en alinéas et nous avons introduit à l'intérieur des chapitres la numérotation de Migne. En ce qui concerne l'orthographe, nous avons régulièrement supprimé l'iota souscrit des infinitifs ζῇν, προσδοκᾷν, συνιστᾷν, etc. Au total, nos modifications sont peu nombreuses. Nous avons conservé en tête de l'ouvrage le titre : Τοῦ ἁγίου Βασιλείου περὶ βαπτίσματος, que nous avons traduit par « Saint Basile. Sur le baptême ». Ce titre est le plus bref de tous ceux qu'offrent les manuscrits ; il présente en outre l'avantage de ne pas attribuer à notre auteur la qualité d'archevêque de Césarée que, selon nous, il ne possède pas encore.

La traduction que nous présentons, la première paraissant en langue française, est le fruit d'un travail laborieux. Nous avons éprouvé la difficulté de mettre par écrit ce qui relève souvent du style oral et de concilier la fidélité au texte avec les exigences de la clarté. Nous avons dû parfois couper des phrases trop longues, notamment dans les comparaisons où interviennent des incidentes. Mais lorsque des répétitions de mots

risquaient de rendre la version française languissante et monotone, nous n'avons pas cru devoir les éviter ; en général, nous avons respecté l'allure propre de l'original aussi bien dans les lenteurs que dans les passages plus animés.

NOTES BIBLIOGRAPHIQUES

I. Œuvres de Basile de Césarée

Attende — *Homilia in illud : Attende tibi ipsi, PG* 31, col. 197-217 ; *L'homélie de Basile de Césarée sur le mot 'Observe-toi toi-même', Studia Graeca Stock.*, Uppsala 1962 (éd. S. Y. Rudberg).

De bapt — *De baptismo, PG* 31, col. 1513-1628 ; *Il battesimo, Testi e ricerche di Scienze religiose* (voir à II, NERI).

De fid — *De fide, PG* 31, col. 676-692 ; *Profession de foi*, trad. in *Saint Basile. Les Règles Morales et portrait du chrétien*, p. 37-47 (voir à II, LÈBE *Mor*).

De jejun — *De jejunio homiliae* I et II, *PG* 31, col. 164-197.

De jud — *De judicio, PG* 31, col. 653-676 ; *Du jugement de Dieu*, trad. in *Saint Basile. Les Règles Morales et portrait du chrétien*, p. 19-35 (voir à II, LÈBE *Mor*).

De rel ex inf — *De religiosae exercitationis informatione, PG* 31, col. 1509-1513.

De Sp sanct — *De Spiritu sancto, PG* 32, col. 68-217 ; *Sur le Saint-Esprit, SC* 17 bis (voir à II, PRUCHE).

Ep — *Epistulae, PG* 32, col. 220-1112 ; *Lettres, CUF*, t. I-III, 1957-1966 (éd. Y. Courtonne).

Eun — *Contra Eunomium, PG* 29, col. 497-669 ; *Contre Eunome, SC* 299 et 305, t. I-II, 1982-1983 (éd. B. Sesboüé, G.-M. de Durand, L. Doutreleau).

In Christi gen — *Homilia in sanctam Christi generationem, PG* 31, col. 1457-1476.

In Hex — *Homiliae IX in Hexaemeron, PG* 29, col. 4-208 ; *Homélies sur l'Hexaéméron, SC* 26 bis, 1968[2] (éd. S. Giet).

Monast — *Les Règles Monastiques*, trad. (voir à II, LÈBE).

Mor — *Moralia, PG* 31, col. 692-869; in *Saint Basile. Les Règles Morales et portrait du chrétien* (voir à II, LÈBE *Mor*).

R*b* — *Regulae brevius tractatae, PG* 31, col. 1052-1303 = *Petites Règles.*

R*f* — *Regulae fusius tractatae, PG* 31, col. 889-1052 = Grandes Règles.

R*f prooem* — *Prooemium in Regulas fusius tractatas, PG* 31, col. 889-902.

II. Livres et articles

G. BARDY, « Saint Basile », *DSp* 1 (1937), col. 1273-1283.

H. CHADWICK, *The Sentences of Sextus. A contribution to the history of Early Christian Ethics*, Texts and Studies, Cambridge 1959 (cité CHADWICK).

F. COMBEFIS, *Basilius magnus ex integro recensitus. Textus ex fide optimorum codicum ubique castigatus auctus illustratus*, Paris 1679 (cité COMBEFIS).

J. CORBLET, *Histoire dogmatique, liturgique et archéologique du sacrement du baptême*, 2 vol., Paris-Genève 1881.

J. GARNIER, *Praefatio, PG* 31, col. 9-158.

S. GIET, *Les idées et l'action sociale de saint Basile*, Paris 1941.

J. GRIBOMONT, Compte rendu de l'ouvrage de Neri, *Basilio di Cesarea. Il battesimo*, RHE 74 (1979), p. 49-52.

— *Histoire du texte des* Ascétiques *de saint Basile* (*Bibl. du Muséon* 32), Louvain 1953 (cité *Histoire du texte*).

— *Mélanges : Saint Basile, Évangile et Église*, 2 vol., Abbaye de Bellefontaine 1984 (cité *Mélanges*).

- « Le monachisme au IVe siècle en Asie Mineure : De Gangres au Messalianisme », in *Studia Patristica* II (*TU* 64), Berlin 1957, p. 400-415.
- « Saint Basile et le monachisme enthousiaste », in *Irenikon* 53 (1980), p. 123-144.
- « Notes bibliographiques sur saint Basile le Grand », in *Basil of Caesarea : Christian, Humanist, Ascetic* (éd. P. J. Fedwick), Toronto 1981, p. 21-48.
- « Le paulinisme de saint Basile », in *Studiorum Paulinorum Congressus Internationalis Catholicus*, 1961, II, Rome 1963, p. 481-490.

– « Le renoncement au monde dans l'idéal ascétique de saint Basile », in *Irenikon* 31 (1958), p. 282-307 et p. 460-475.

— « Saint Basile », in *Théologie de la vie monastique*, Paris 1961, p. 99-113 (cité « Saint Basile »).

P. HUMBERTCLAUDE, *La doctrine ascétique de saint Basile de Césarée*, Paris 1932 (cité HUMBERTCLAUDE).

S. LE NAIN DE TILLEMONT, *Mémoires pour servir à l'histoire ecclésiastique des six premiers siècles*, t. IX, Paris 1703 (cité LE NAIN DE TILLEMONT).

L. LÈBE, *Saint Basile. Les Règles Monastiques*, Introd. et trad., Maredsous 1969 (cité *Monast*).

— *Saint Basile. Les Règles Morales et portrait du chrétien*, Introd. et trad., Maredsous 1969 (cité LÈBE *Mor*).

U. NERI, *Basilio di Cesarea. Il battesimo*, testo, trad., introd. e commento, *Testi e ricerche di Sc. relig.*, Brescia 1976 (cité NERI).

B. PRUCHE, « Autour du traité *Sur le Saint-Esprit* de saint Basile de Césarée », *RevSR* 52 (1964), p. 204-232.

— *Basile de Césarée. Sur le Saint-Esprit*, introd. texte, trad. et notes, *SC* 17 bis, 1968 (cité PRUCHE, *SC* 17 bis).

M. SPANNEUT, *Le stoïcisme des Pères de l'Église*, Paris 1957.

Th. ŠPIDLICK, *La sophiologie de saint Basile* (*OCA* 162), Rome 1961.

Théologie de la vie monastique : Études sur la Tradition patristique (coll. *Théologie* 49), Paris 1961.

ABRÉVIATIONS

CUF	*Collection des Universités de France*, Paris.
DSp	*Dictionnaire de Spiritualité*, Paris.
OCA	*Orientalia Christiana Analecta*, Rome.
PG	*Patrologia Graeca* (J.-P. Migne), Paris.
R*Bén*	R*evue bénédictine*, Maredsous.
R*HE*	R*evue d'histoire ecclésiastique*, Louvain.
R*ev*S*R*	R*evue des sciences religieuses*, Strasbourg.
SC	*Sources Chrétiennes*, Paris.
SVF	*Stoicorum veterum fragmenta*, éd. I. von Arnim, I-III, Leipzig 1903-1905.
TU	*Texte und Untersuchungen*, Leipzig.
ZKTh	*Zeitschrift für katholische Theologie*, Innsbruck.

Les références données en abrégé dans le cours du volume renvoient aux ouvrages signalés dans les Notes bibliographiques.

TEXTE ET TRADUCTION

ΤΟΥ ΑΓΙΟΥ ΒΑΣΙΛΕΙΟΥ
ΠΕΡΙ ΒΑΠΤΙΣΜΑΤΟΣ

⟨ΛΟΓΟΣ Α′⟩

PG 31

1513 b

α′.

Ὅτι δεῖ πρῶτον μαθητευθῆναι τῷ Κυρίῳ καὶ τότε καταξιωθῆναι τοῦ ἁγίου βαπτίσματος.

1 Ὁ Κύριος ἡμῶν Ἰησοῦς Χριστός, ὁ μονογενὴς Υἱὸς τοῦ Θεοῦ τοῦ ζῶντος, μετὰ τὴν ἐκ νεκρῶν ἀνάστασιν ἀπολαβὼν τὴν ἐπαγγελίαν τοῦ Θεοῦ καὶ Πατρὸς αὐτοῦ εἰπόντος διὰ Δαβὶδ τοῦ προφήτου · « Υἱός μου εἶ σύ, ἐγὼ
5 σήμερον γεγέννηκά σε · αἴτησαι παρ' ἐμοῦ, καὶ δώσω σοι ἔθνη τὴν κληρονομίαν σου, καὶ τὴν κατάσχεσίν σου τὰ πέρατα τῆς γῆς [a] », προσλαβόμενος τοὺς ἑαυτοῦ μαθητάς, φανεροῖ αὐτοῖς πρῶτον τὴν δοθεῖσαν αὐτῷ ἐξουσίαν παρὰ τοῦ Πατρός, εἰπών · « Ἐδόθη μοι πᾶσα ἐξουσία ἐν
10 οὐρανῷ καὶ ἐπὶ τῆς γῆς [b] », καὶ τότε ἀποστέλλει αὐτούς, λέγων · « Πορευθέντες, μαθητεύσατε πάντα τὰ ἔθνη, |
c βαπτίζοντες αὐτοὺς εἰς τὸ ὄνομα τοῦ Πατρὸς καὶ τοῦ Υἱοῦ καὶ τοῦ ἁγίου Πνεύματος, διδάσκοντες αὐτοὺς τηρεῖν πάντα ὅσα ἐνετειλάμην ὑμῖν [c]. »

1 a. Ps. 2, 7 || b. Matth. 28, 18 || c. Matth. 28, 19-20.

SAINT BASILE

SUR LE BAPTÊME

LIVRE I

Chapitre I

Il faut[1] d'abord se faire disciple du Seigneur avant d'être admis au saint baptême.

Un commandement du Seigneur : faites disciples, puis baptisez

1 Notre Seigneur Jésus-Christ, le Fils Monogène du Dieu vivant, après sa résurrection d'entre les morts obtint de Dieu son Père l'accomplissement de la promesse qu'il lui avait faite par la bouche du prophète David : « Toi, tu es mon Fils, moi aujourd'hui je t'ai engendré ; demande-moi et je te donnerai les nations pour ton héritage et tu possèderas les extrémités de la terre[a]. » Prenant avec lui ses disciples, il leur révèle d'abord le pouvoir qui lui a été donné par son Père : « Tout pouvoir, leur dit-il, m'a été donné au ciel et sur la terre[b]. » Puis il les envoie en mission avec ces paroles : « Allez, faites disciples toutes les nations, baptisez-les au nom du Père, du Fils et du Saint-Esprit, apprenez-leur à observer tout ce que je vous ai prescrit[c]. »

1. Le titre commence par les deux mots ὅτι δεῖ. Il en est souvent ainsi dans les *Règles Monastiques* de Basile, ainsi que dans ses *Règles Morales*.

15 Ἐπεὶ οὖν, προστάξαντος τοῦ Κυρίου πρῶτον· « Μαθητεύσατε πάντα τὰ ἔθνη[d] », καὶ τότε ἐπαγαγόντος· « Βαπτίζοντες αὐτούς[e] », καὶ τὰ ἑξῆς, ὑμεῖς μέν, τὸ πρῶτον σιωπήσαντες, τοῦ δευτέρου τὸν λόγον ἡμᾶς ἀπῃτήσατε, ἡμεῖς δέ, λογισάμενοι παρ' ἐντολὴν τοῦ 20 ἀποστόλου ποιεῖν ἐὰν μὴ εὐθὺς ἀποκρινώμεθα, εἰπόντος· « Ἕτοιμοι ἔσεσθε πρὸς ἀπολογίαν παντὶ τῷ ἐπερωτῶντι ὑμᾶς λόγον[f] », παρεδώκαμεν τὸν λόγον τοῦ κατὰ τὸ εὐαγγέλιον τοῦ Κυρίου βαπτίσματος, ἔχον δόξαν ὑπὲρ τὸ τοῦ μακαρίου Ἰωάννου, μνημονεύσαντες ὀλίγων ἐκ 25 πολλῶν τῶν περὶ αὐτοῦ ἐν ταῖς θεοπνεύστοις Γραφαῖς εἰρημένων. Ὅμως ἀναγκαῖον ἐλογισάμεθα ἐπὶ τὴν παρα-1516 δεδομέ|νην ὑπὸ τοῦ Κυρίου τάξιν ἀναδραμεῖν, ἵνα οὕτω καὶ ὑμεῖς πρῶτον τοῦ « μαθητεύσατε[g] » τὴν δύναμιν γνόντες, εἶτα ἀκολούθως τὸν περὶ τοῦ ἐνδόξου βαπτίσμα-30 τος λόγον παραλαβόντες, ἐπὶ τὴν τελειότητα εὐοδωθῆτε, διδασκόμενοι τηρεῖν πάντα ὅσα ἐνετείλατο ὁ Κύριος τοῖς ἰδίοις μαθηταῖς[h], καθὼς γέγραπται.

Ἐνταῦθα μὲν οὖν « μαθητεύσατε[i] » εἰπόντος ἠκούσαμεν· λοιπὸν δὲ χρεία τῶν ἀλλαχοῦ περὶ τοῦ τοιούτου 35 εἰρημένων προστάγματος μνημονεῦσαι, ἵνα πρῶτον μὲν

d. Matth. 28, 19-20 || e. Ibid. || f. I Pierre 3, 15 || g. Matth. 28, 19 || h. Cf. Matth. 28, 20 || i. Matth. 28, 19.

---

2. Les adverbes πρῶτον et τότε distinguent deux moments en *Matth.* 28, 19 : faire disciple, baptiser. ATHANASE dans son discours *Contre les ariens* II, 42 (*PG* 26, 237a-b) fait aussi cette distinction, tout comme les *Constitutions apostoliques* VII, 40, 3.

3. A ceux qui s'étonneraient de voir un évangile attribué à Jean-Baptiste, rappelons Luc disant du Précurseur (3, 18) : « Et par bien d'autres exhortations encore, il annonçait au peuple la bonne nouvelle (εὐηγγελίζετο). » Il est cependant très tentant de corriger, comme le fait Garnier, le ἔχον des mss en ἔχοντος et de comprendre que le baptême de Jésus est supérieur à celui de Jean.

Le Seigneur a donc d'abord donné cet ordre : « Faites disciples toutes les nations[d]. » Puis, il a ajouté : « Baptisez-les[e][2] », etc. Or vous, sans dire mot du premier point, vous nous avez demandé l'explication du second. Considérant alors, quant à nous, que ne pas répondre immédiatement serait enfreindre le précepte de l'apôtre qui a dit : « Vous serez prêts à répondre à toute demande d'explication[f] », nous vous avons transmis la doctrine du baptême selon l'évangile du Seigneur, qui a plus de gloire que celui du bienheureux Jean[3], en mentionnant quelques-unes parmi les nombreuses paroles[4] qui ont été dites à ce sujet dans les Écritures inspirées. Toutefois nous croyons nécessaire de revenir à l'ordre des commandements tel qu'il nous a été transmis par le Seigneur[5]. Ainsi, en ce qui vous concerne , vous apprendrez d'abord la signification de l'expression « faites disciples[g] »; puis vous recevrez, comme la suite logique, la doctrine concernant le glorieux baptême et vous ferez alors bonne route vers la perfection, apprenant à garder tous les commandements que le Seigneur a donnés à ses disciples[h], selon ce qui est écrit.

Ici donc nous avons entendu le Seigneur nous dire : « Faites disciples[i]. » Nous avons maintenant besoin de rappeler ce qui a été dit ailleurs au sujet d'un tel précepte

A plusieurs reprises, dans la suite, Basile proclame l'éminente supériorité du baptême de Jésus-Christ (1525 c; 1532 b, c; etc.).

4. Ὀλίγων ἐκ πολλῶν : formule fréquente chez Basile, habitué à illustrer sa pensée par des textes bibliques, mais qui pressé par la nécessité ne peut tout citer (cf. *De Sp sanct* 109 c; *De fid* 692 b; etc.).

5. Le problème de la τάξις dans l'Écriture a toujours préoccupé Basile. Il fait l'objet de la première des *Grandes Règles* : « De l'ordre établi dans la série des commandements du Seigneur ». Notre traité reviendra plusieurs fois sur la nécessité de prendre en considération l'ordre des pensées dans l'Écriture (cf. *infra*, 1516 a; 1517 a; 1520 c; 1608 c).

τὸ φρόνημα εὐάρεστον τῷ Θεῷ κατορθώσαντες, ἔπειτα δὲ τὴν πρέπουσαν καὶ ἀναγκαίαν τάξιν φυλάξαντες, οὕτως τοῦ δυνατοῦ, κατὰ σκοπὸν τῆς πρὸς Θεὸν εὐαρεστήσεως, μὴ ἐκπέσωμεν. Σύνηθες γὰρ τῷ Κυρίῳ τὰ ὁριστικῶς που
40 προσταχθέντα διὰ τῶν ἐν ἄλλοις τόποις εἰρημένων
b σαφῶς | παραδιδόναι· ὡς τὸ « Θησαυρίζετε ὑμῖν θησαυροὺς ἐν οὐρανῷ [j] », τὸ πῶς ἐν ἑτέρῳ τόπῳ σαφηνίζει, λέγων· « Πωλήσατε τὰ ὑπάρχοντα ὑμῶν καὶ δότε ἐλεημοσύνην· ποιήσατε ἑαυτοῖς βαλλάντια μὴ παλαιού-
45 μενα, θησαυρὸν ἀνέκλειπτον ἐν τοῖς οὐρανοῖς [k] », καὶ πολλὰ ἄλλα ὁμοίως.

2 Μαθητὴς μὲν οὖν ἐστιν, ὡς μανθάνομεν παρ' αὐτοῦ τοῦ Κυρίου, πᾶς ὁ τῷ Κυρίῳ προσερχόμενος ὥστε ἀκολουθεῖν αὐτῷ, τουτέστιν ἀκούειν τῶν λόγων αὐτοῦ, πιστεύειν τε καὶ πείθεσθαι αὐτῷ ὡς δεσπότῃ καὶ βασιλεῖ
5 καὶ ἰατρῷ καὶ διδασκάλῳ ἀληθείας, ἐπ' ἐλπίδι ζωῆς αἰωνίου [a], καὶ τοῦτο ἐὰν μένῃ ἐν αὐτοῖς, καθὼς γέγραπται· « Ἔλεγεν οὖν πρὸς τοὺς πεπιστευκότας αὐτῷ Ἰουδαίους· Ἐὰν ὑμεῖς μείνητε ἐν τῷ λόγῳ τῷ ἐμῷ,
c ἀληθῶς μα|θηταί μού ἐστε, καὶ γνώσεσθε τὴν ἀλήθειαν,
10 καὶ ἡ ἀλήθεια ἐλευθερώσει ὑμᾶς [b] », ἐλευθερίαν δηλονότι ψυχῆς ἀπὸ τῆς τοῦ διαβόλου καταδυναστείας, ἐν τῷ ῥυσθῆναι ἀπὸ τῆς τῶν ἁμαρτημάτων καταδυναστείας· « Ὁ γὰρ ποιῶν, φησί, τὴν ἁμαρτίαν δοῦλός ἐστι τῆς ἁμαρτίας [c] », καὶ τῆς κατακρίσεως τοῦ θανάτου, καθὼς
15 παρέδωκεν ἡμῖν Παῦλος ὁ ἀπόστολος, εἰπών· « Τὸν γὰρ μὴ γνόντα ἁμαρτίαν, ὑπὲρ ἡμῶν ἁμαρτίαν ἐποίησεν, ἵνα

j. Matth. 6, 20 || k. Lc 12, 33.

2 a. Cf. Tite 1, 2 || b. Jn 8, 31-32 || c. Jn 8, 34.

---

6. Nous avons préféré ici l'interprétation de Garnier à celle de Neri.

7. L'idée de plaire à Dieu, de réaliser le bon plaisir de Dieu paraît un élément caractéristique de la spiritualité basilienne (cf. *Rf* 5 [920 c]; *Rb* 157 [1185 a]; etc.) : voir GRIBOMONT, *Mélanges* I, p. 37 : « Le monachisme au IVe siècle en Asie Mineure ».

afin qu'en redressant d'abord nos pensées pour qu'elles plaisent à Dieu, en observant ensuite l'ordre convenable et nécessaire nous ne tombions pas à côté du sens [6] et que nous nous conformions au but qui est de plaire à Dieu [7]. C'est en effet une habitude chez le Seigneur : ce qu'il a prescrit quelque part sous forme aphoristique, il l'enseigne clairement grâce aux paroles dites en d'autres endroits. Ainsi, pour le précepte : « Faites-vous des trésors dans le ciel [j] », il en indique avec clarté le « comment » [8] quand il dit dans un autre passage : « Vendez vos biens et donnez-les en aumônes. Faites-vous des bourses qui ne vieillissent pas, un trésor qui ne vous manque jamais dans les cieux [k]. » Et pour beaucoup d'autres préceptes, il en va de même.

Définition du disciple

2 Eh bien donc, il est disciple, nous l'apprenons du Seigneur lui-même, tout homme qui s'approche du Seigneur pour le suivre, c'est-à-dire pour écouter ses paroles, croire en lui et lui obéir comme à un souverain, à un roi, à un médecin, à un maître de vérité dans l'espérance de la vie éternelle [a] et qui, de plus, demeure ferme dans ces dispositions. Il est écrit en effet que « Jésus disait aux Juifs qui avaient foi en lui : Si vous demeurez dans ma parole, vous êtes vraiment mes disciples ; vous connaîtrez la vérité et la vérité vous fera libres [b] » — libres évidemment en ce qui concerne l'âme. Celle-ci échappe à la tyrannie du diable en se préservant de la tyrannie des péchés, puisque « celui qui commet le péché est, selon la parole (de Jésus), esclave du péché [c] » ; elle échappe aussi à la condamnation à mort selon l'enseignement de l'apôtre Paul qui nous a dit : « Celui qui n'avait pas connu le péché, Dieu l'a fait péché pour nous afin

8. La distinction entre ὅτι et πῶς, c.-à-d. entre le précepte et la manière de l'exécuter est familière à Basile (cf. *Rf 2* [908 b]).

ἡμεῖς γενώμεθα δικαιοσύνη Θεοῦ ἐν αὐτῷ [d] », καὶ πάλιν· « Ὥσπερ γὰρ διὰ τῆς παρακοῆς τοῦ ἑνὸς ἀνθρώπου ἁμαρτωλοὶ κατεστάθησαν οἱ πολλοί, οὕτω διὰ τῆς
20 ὑπακοῆς τοῦ ἑνὸς δίκαιοι κατασταθήσονται οἱ πολλοί [e]. »

Τὸν δὲ πιστεύοντα τῷ Κυρίῳ καὶ προσάγοντα ἑαυτὸν
d ἐπιτή|δειον εἰς μαθητείαν, μανθάνομεν δεῖν πρῶτον μὲν ἀφίστασθαι παντὸς ἁμαρτήματος, ἔπειτα δὲ καὶ παντὸς ἀφέλκοντος τῆς ὀφειλομένης κατὰ πολλοὺς λόγους τῷ
25 Κυρίῳ εὐπειθείας, κἂν εὐλογοφανεῖς εἶναι δοκῶσιν. Ἀδύνατον γὰρ ἁμαρτίαν ποιοῦντα, ἢ ἐμπλεκόμενον ταῖς τοῦ βίου πραγματείαις [f], ἢ ἐν φροντίδι καὶ αὐτῶν τῶν πρὸς τὸ ζῆν ἀναγκαίων, δουλεῦσαι, οὐχ ὅτι γε μαθητευθῆναι τῷ Κυρίῳ τῷ οὐ πρότερον εἰπόντι τῷ νεανίσκῳ·
30 « Δεῦρο ἀκολούθει μοι [g] », πρὶν ἐντείλασθαι πωλῆσαι τὰ
1517 ὑπάρχοντα καὶ | δοῦναι πτωχοῖς. Ἀλλ'οὐδὲ τοῦτο προσέταξεν πρὶν ὁμολογῆσαι αὐτὸν ὅτι « Ταῦτα πάντα ἐφύλαξα [h] ». Ὁ γὰρ μήπω λαβὼν τὴν ἄφεσιν τῶν ἁμαρτημάτων καὶ καθαρισθεὶς ἀπὸ τούτων ἐν τῷ αἵματι τοῦ Κυρίου
35 ἡμῶν Ἰησοῦ Χριστοῦ [i], δουλεύων δὲ τῷ διαβόλῳ καὶ κρατούμενος ὑπὸ τῆς ἐνοικούσης αὐτῷ ἁμαρτίας [j], ἀδυνάτως ἔχει δουλεῦσαι τῷ Κυρίῳ, τῷ ἀπαράβατον ἀπόφασιν δεδωκότι ἐν τῷ εἰπεῖν· « Ὁ ποιῶν τὴν ἁμαρτίαν δοῦλός ἐστι τῆς ἁμαρτίας· ὁ δὲ δοῦλος τῆς ἁμαρτίας οὐ
40 μένει ἐν τῇ οἰκίᾳ [k]. » Μαρτυρεῖ δὲ καὶ ὁ ἐν Χριστῷ λαλῶν Παῦλος, γράψας· « Ὁ δὲ δοῦλος τῆς ἁμαρτίας ἐλεύθερός ἐστιν ἀπὸ τῆς δικαιοσύνης [l]. » Καὶ πάλιν ὁ Κύριός φησιν· « Οὐδεὶς δύναται δυσὶ κυρίοις δουλεύειν [m] », καὶ τὰ ἑξῆς.

d. II Cor. 5, 21 || e. Rom. 5, 19 || f. Cf. II Tim. 2, 4 || g. Matth. 19, 21 || h. Matth. 19, 20 || i. Cf. I Jn 1, 7 || j. Cf. Rom. 7, 17 || k. Jn 8, 34 || l. Cf. Rom. 6, 20 || m. Matth. 6, 24.

---

9. Basile, que nous avons déjà vu attentif à l'ordre (1513 c), distingue trois étapes dans l'enseignement du Seigneur : 1) observe les commandements, 2) vends tes biens, 3) suis-moi.

que nous devenions justice de Dieu en lui[d]. » Et il a ajouté : « De même que par la désobéissance d'un seul homme, la multitude a été constituée pécheresse, de même par l'obéissance d'un seul, elle sera constituée juste[e]. »

Condition requise du disciple : le détachement

Celui qui a foi dans le Seigneur et qui se présente avec les dispositions requises pour devenir disciple doit, comme nous l'apprenons, se détacher d'abord de tout péché, puis également de tout objet le détournant de l'obéissance que, pour bien des raisons, il doit au Seigneur, et le détournant, alors même qu'il juge ces raisons tout à fait raisonnables. Il est impossible en effet, si on commet le péché ou si on s'embarrasse dans les tracas de la vie[f], ou simplement si on s'inquiète des choses nécessaires pour vivre, d'entrer au service du Seigneur et à plus forte raison de devenir son disciple. Au jeune homme, le Seigneur n'a pas commencé par dire : « Viens, suis-moi[g] »; il lui a enjoint au préalable de vendre ses biens et d'en faire don aux pauvres. Et cet ordre même, il ne l'a pas donné avant que le jeune homme ne lui ait déclaré : « Tous ces commandements, je les ai observés[h] [9] », car l'homme qui n'a pas encore reçu le pardon de ses fautes et n'en a pas encore été purifié dans le sang de notre Seigneur Jésus-Christ[i], mais sert le diable et se laisse vaincre par le péché qui habite en lui[j] est incapable d'entrer au service du Seigneur qui a prononcé cette sentence infaillible : « Celui qui commet le péché est esclave du péché. Or l'esclave du péché ne demeure pas dans la maison[k]. » Et Paul qui parle dans le Christ en témoigne aussi, lui qui a écrit : « L'esclave du péché est libre par rapport à la justice[l]. » Le Seigneur affirme encore : « Nul ne peut servir deux maîtres[m] », etc., et il a montré

Καὶ ἔδειξεν δι' ὧν ἐδίδαξεν ὁριστικῶς καὶ πολυτρόπως |
b 45 ὅτι οὔτε οἱ πρὸς τὸ ζῆν ἀναγκαίων ἑαυτοῖς μεριμνᾶν ἀνεχόμενοι δουλεύειν Θεῷ δύνανται, οὐχ ὅτι γε μαθητεύειν.

Ὅθεν ἔμαθεν ὁ Ἀπόστολος πλατύτερον θεωρήσας εἰπεῖν· « Τίς μετοχὴ δικαιοσύνῃ καὶ ἀνομίᾳ; ἢ τίς
50 κοινωνία φωτὶ πρὸς σκότος; τίς δὲ συμφώνησις Χριστῷ πρὸς Βελίαρ; ἢ τίς μερὶς πιστῷ μετὰ ἀπίστου; τίς δὲ συγκατάθεσις ναῷ Θεοῦ μετὰ εἰδώλων [n]; » Καὶ πάλιν ὁριστικῶς· « Ἡ σὰρξ ἐπιθυμεῖ κατὰ τοῦ πνεύματος, τὸ δὲ πνεῦμα κατὰ τῆς σαρκός· ταῦτα δὲ ἀντίκειται
55 ἀλλήλοις, ἵνα μὴ ἃ ἂν θέλητε ταῦτα ποιῆτε [o]. » Ἔτι δὲ ἐντρεπτικώτερον ἡμῖν παραδιδοὺς τί εἶπεν μνημονεύσωμεν· « Οἶδα μὲν γὰρ ὅτι ὁ νόμος πνευματικός ἐστιν, ἐγὼ δὲ σαρκικός εἰμι, πεπραμένος ὑπὸ τὴν ἁμαρτίαν. Ὃ γὰρ
c κατεργάζομαι οὐ γινώσκω· οὐ γὰρ ὃ θέλω | ἀγαθόν,
60 τοῦτο πράσσω, ἀλλ' ὃ μισῶ κακόν, τοῦτο ποιῶ. Εἰ δὲ ὃ οὐ θέλω ἐγώ, τοῦτο ποιῶ, σύμφημι τῷ νόμῳ ὅτι καλός. Νυνὶ δὲ οὐκέτι ἐγὼ κατεργάζομαι αὐτό, ἀλλ' ἡ οἰκοῦσα ἐν ἐμοὶ ἁμαρτία [p]. »

Καὶ τοῦτο αὐτὸ τὸ θεώρημα διὰ πλειόνων ἐπεξεργασά-
65 μενος, ὅτι ἀδύνατον τὸν κρατούμενον ὑπὸ ἁμαρτίας δουλεύειν τῷ Κυρίῳ, φανερῶς ὑποδεικνύει ἡμῖν τὸν λυτρούμενον ἡμᾶς ἐκ τῆς τοιαύτης τυραννίδος, ἐν τῷ εἰπεῖν· « Ταλαίπωρος ἐγὼ ἄνθρωπος· τίς με ῥύσεται ἐκ τοῦ σώματος τοῦ θανάτου τούτου; Εὐχαριστῶ τῷ Θεῷ
70 διὰ Ἰησοῦ Χριστοῦ τοῦ Κυρίου ἡμῶν [q]. » Καὶ μετ' ὀλίγα ἐπάγει· « Οὐδὲν ἄρα νῦν κατάκριμα τοῖς ἐν Χριστῷ Ἰησοῦ [r], μὴ κατὰ σάρκα περιπατοῦσιν [s]. »

n. II Cor. 6, 14-16 || o. Gal. 5, 17 || p. Rom. 7, 14-17 || q. Rom. 7, 24-25 || r. Rom. 8, 1 || s. Rom. 8, 4.

par l'enseignement qu'il a donné en aphorismes et en bien des formes diverses, que si l'on n'écarte pas les soucis relatifs aux nécessités de la vie, on ne peut ni servir Dieu ni à plus forte raison être disciple.

L'enseignement de l'apôtre Paul

Cet enseignement conduisit l'Apôtre à déclarer, considérant la question plus largement : « Quelle association est possible entre la justice et l'iniquité ? Quelle communion entre la lumière et les ténèbres ? Quel accord entre le Christ et Béliar ? Quelle part a le croyant avec l'incrédule ? Quelle conformité entre les idoles et le temple de Dieu[n] ? », et une autre fois, sous forme aphoristique : « Les désirs de la chair vont à l'encontre de l'esprit, ceux de l'esprit à l'encontre de la chair. Entre eux il y a opposition, si bien que vous ne faites pas ce que vous voulez[o]. » Rappelons aussi cet enseignement plus propre encore à nous faire rentrer en nous-mêmes : « Je sais, a-t-il dit, que la loi est spirituelle tandis que moi je suis un être de chair vendu, asservi au péché, car ce que j'accomplis, je ne le comprends pas ; le bien que je veux je ne le pratique pas, et le mal que je déteste, je le fais. Or, si je fais ce que je ne veux pas, je reconnais que la Loi est bonne. Mais alors, ce n'est plus moi qui accomplis l'action, c'est le péché qui habite en moi[p]. »

Et ayant considéré une fois encore et plus longuement cet objet même de réflexion, à savoir qu'il est impossible quand on se laisse vaincre par le péché de servir le Seigneur, il nous montre clairement celui qui nous rachète d'une telle tyrannie. « Malheureux homme que je suis, dit-il, qui me délivrera de ce corps de mort ? Je rends grâces à Dieu par Jésus-Christ notre Seigneur[q] ? » Et peu après il ajoute : « Il n'y a donc maintenant aucune condamnation pour ceux qui sont dans le Christ Jésus, qui ne marchent pas selon la chair[r]. »

d **3** Καὶ διὰ τῶν ἐν ἑτέρῳ τόπῳ εἰρημένων τὴν με|γάλην τῆς φιλανθρωπίας χάριν τοῦ Θεοῦ διὰ τῆς ἐνανθρωπήσεως τοῦ Κυρίου ἡμῶν Ἰησοῦ Χριστοῦ σαφῶς παρίστησιν, εἰπών· « Ὥσπερ γὰρ διὰ τῆς παρακοῆς τοῦ ἑνὸς
5 ἀνθρώπου ἁμαρτωλοὶ κατεστάθησαν οἱ πολλοί, οὕτω καὶ διὰ τῆς ὑπακοῆς τοῦ ἑνὸς δίκαιοι κατασταθήσονται οἱ πολλοί[a]. » Ἐν ἑτέρῳ δὲ τόπῳ θαυμασιωτέραν θεωρῶν
1520 τὴν ἐν Χριστῷ φιλαν|θρωπίαν τοῦ Θεοῦ, φησί· « Τὸν γὰρ μὴ γνόντα ἁμαρτίαν, ὑπὲρ ἡμῶν ἁμαρτίαν ἐποίησεν, ἵνα
10 ἡμεῖς γενώμεθα δικαιοσύνη Θεοῦ ἐν αὐτῷ[b]. »

Ἀνάγκη οὖν πᾶσα ἔκ τε τῶν μνημονευθέντων καὶ τῶν ὁμοίων, εἴ γε μὴ εἰς κενὸν τὴν χάριν τοῦ Θεοῦ ἐδεξάμεθα[c], ῥυσθῆναι πρῶτον τῆς καταδυναστείας τοῦ διαβόλου, ἐνάγοντος τὸν ὑφ' ἁμαρτίας κρατούμενον ἐφ' ἃ
15 μὴ βούλεται κακά, καὶ τότε, ἀπαρνησάμενον πάντα τὰ παρόντα καὶ ἑαυτόν, τῆς τε προσπαθείας τοῦ ζῆν ἀναχωρήσαντα, μαθητευθῆναι τῷ Κυρίῳ, καθὼς εἶπεν αὐτός· « Εἴ τις ἔρχεται πρός με, ἀπαρνησάσθω ἑαυτὸν καὶ ἀράτω τὸν σταυρὸν αὐτοῦ, καὶ ἀκολουθείτω μοι[d] »,
20 ὅπερ ἐστὶ μαθητής μου γινέσθω. Τὸ δὲ αὐτὸ πλατύτερον καὶ ἀποδεικτικώτερον καὶ ἀποφαντικώτερον παραδίδωσιν
b ἐν τῷ κατὰ Λουκᾶν | εὐαγγελίῳ, ὧν μνημονεύσομεν μετ' ὀλίγα.

Λυτρούμεθα δὲ πάντες τῆς τοιαύτης τῶν ἁμαρτιῶν
25 κατακρίσεως οἱ πιστεύοντες τῇ χάριτι τοῦ Θεοῦ τῇ διὰ

3 a. Rom. 5, 19 || b. II Cor. 5, 21 || c. Cf. II Cor. 6, 1 || d. Matth. 16, 24.

---

10. Dans toute son œuvre Basile parle de la « philanthropie divine » et il met généralement l'amour de Dieu le Père en relation avec le Christ. Pour exprimer cette relation, il utilise soit ἐν, comme ici, soit δία comme il l'a fait un peu plus haut. Sur l'usage de ces « particules », cf. *De Sp sanct* 73-87 (chap. II-V).

11. Le mot προσπάθεια, qui appartient au vocabulaire stoïcien (cf. *SVF* III, 97, p. 397), constitue, accompagné de τοῦ ζῆν ou de τοῦ βίου, une expression caractéristique de Basile (cf. *Rf* 5 [921 a]).

3 Et avec les paroles qu'il a dites dans un autre passage, il présente clairement la grande grâce de l'amour de Dieu se manifestant aux hommes par l'incarnation de notre Seigneur Jésus-Christ. Voici ses paroles : « De même que par la désobéissance d'un seul homme la multitude a été constituée pécheresse, de même par l'obéissance d'un seul, elle sera constituée juste [a]. » Dans un autre passage encore, considérant sous un jour plus admirable l'amour que Dieu manifeste aux hommes dans le Christ [10], il affirme : « Celui qui n'avait pas connu le péché, il l'a fait péché pour nous afin que nous devenions justice de Dieu en lui [b]. »

Les étapes du détachement

D'après les paroles que nous avons rappelées et celles qui leur sont semblables, il faut donc absolument, si du moins nous n'avons pas reçu en vain la grâce de Dieu [c], nous délivrer d'abord de la tyrannie du diable, car le diable conduit celui qui se laisse vaincre par le péché au mal qu'il ne veut pas ; ensuite, après avoir renoncé à tous les biens présents et à soi-même, après s'être détaché de la passion de vivre [11], il faut se faire disciple du Seigneur. Ainsi lui-même l'a dit : « Si quelqu'un vient à moi, qu'il renonce à lui-même, qu'il prenne sa croix et qu'il me suive [d] », c'est-à-dire qu'il devienne mon disciple. Et il nous transmet le même enseignement d'une façon plus ample, plus démonstrative et plus catégorique dans l'évangile selon Luc. Nous en reparlerons un peu plus loin.

Nous sommes rachetés d'une telle condamnation infligée à nos péchés nous tous qui croyons, Dieu nous

La doctrine basilienne du renoncement présentée dans ce passage est tout à fait conforme à celle de *Rf* 8 (περὶ ἀποταγῆς). La progression dans l'ascèse est semblable. Elle exige qu'après s'être détaché du péché, des biens de la vie, on devienne indifférent à la vie même (καὶ πρὸς αὐτὸ τὸ ζῆν).

τοῦ μονογενοῦς αὐτοῦ Υἱοῦ τοῦ Κυρίου ἡμῶν Ἰησοῦ Χριστοῦ εἰπόντος· « Τοῦτό μου ἐστὶ τὸ αἷμα τὸ τῆς καινῆς διαθήκης, τὸ περὶ πολλῶν ἐκχυννόμενον εἰς ἄφεσιν ἁμαρτιῶν [e] »· μαρτυροῦντος τοῦ Ἀποστόλου δι' ὧν
30 γράφει, ποτὲ μέν· « Ἀγαπᾶτε ἀλλήλους καθὼς καὶ Χριστὸς ἠγάπησεν ἡμᾶς καὶ παρέδωκεν ἑαυτὸν προσφορὰν καὶ θυσίαν τῷ Θεῷ [f] », ποτὲ δέ· « Χριστὸς ἡμας ἐξηγόρασεν ἐκ τῆς κατάρας τοῦ νόμου [g] », καὶ πολλὰ τοιαῦτα.

35 Ὅταν οὖν δοθῇ ἄφεσις τῶν ἁμαρτημάτων, τότε λαμβάνει ἄνθρωπος τὴν ἀπὸ τῆς ἁμαρτίας ἐλευθερίαν παρὰ τοῦ ἐξαγοράσαντος ἡμᾶς Ἰησοῦ Χριστοῦ τοῦ
c Κυ|ρίου ἡμῶν, εἰς τὸ δύνασθαι προσελθεῖν τῷ Λόγῳ. Καὶ τότε οὔπω τίς ἐστιν ἄξιος ἀκολουθῆσαι τῷ Κυρίῳ, πάλιν
40 λέγω, οὐ πρότερον εἰπόντι τῷ νεανίσκῳ· « Δεῦρο ἀκολούθει μοι », πρὶν εἰπεῖν· « Πώλησόν σου τὰ ὑπάρχοντα καὶ δὸς πτωχοῖς [h]. » Ἀλλ'οὐδὲ τοῦτο προσέταξεν πρὶν ὁμολογῆσαι αὐτὸν καθαρεύειν πάσης παραβάσεως τῷ εἰπεῖν πεποιηκέναι πάντα τὰ ὑπὸ τοῦ Κυρίου εἰρημέ-
45 να. Ὡς καὶ ἐν τούτῳ τὴν τάξιν φυλάσσεσθαι ἀναγκαῖον.

Οὐ μόνον δὲ ὑπαρχόντων καὶ τῶν ἀναγκαίων πρὸς τὸ ζῆν καταφρονεῖν διδασκόμεθα, ἀλλὰ καὶ τῶν πρὸς ἀλλήλους νενομισμένων κατά τε νόμον καὶ φύσιν δικαίων καθηκόντων ὑπερφρονεῖν παιδευόμεθα, τοῦ Κυρίου ἡμῶν
50 Ἰησοῦ Χριστοῦ εἰπόντος· « Ὁ ἀγαπῶν πατέρα ἢ μητέρα
d ὑπὲρ ἐμὲ οὐκ ἔστι μου ἄξιος [i] », | ὁμοίως καὶ περὶ τῶν

e. Matth. 26, 28 || f. Éphés. 5, 2 || g. Gal. 3, 13 || h. Matth. 19, 21 || i. Matth. 10, 37.

---

12. Προσελθεῖν τῷ Λόγῳ : même personnification de la Parole en *Attende* 205 b (ἡμῶν τῶν μαθητευομένων τῷ Λόγῳ).

13. Cf. *supra*, 1517a, et la note 9.

ayant donné sa grâce par l'intermédiaire de son Fils Monogène, notre Seigneur Jésus-Christ qui a dit : « Ceci est mon sang, le sang de la nouvelle alliance versé pour la multitude en rémission des péchés [e]. » De cette parole, l'Apôtre rend témoignage, écrivant tantôt : « Aimez-vous les uns les autres à l'exemple du Christ qui nous a aimés et s'est livré comme offrande et victime à Dieu [f] », tantôt : « Le Christ nous a rachetés, de la malédiction de la Loi [g] », et beaucoup de phrases de ce genre.

Au moment donc où le pardon de ses fautes lui est accordé, l'homme reçoit de celui qui nous a rachetés, Jésus-Christ notre Seigneur, la libération du péché, afin qu'il puisse s'approcher de la Parole [12]. Et à ce moment-là, on n'est pas encore digne de suivre le Seigneur qui, je le répète, n'a pas dit au jeune homme : « Viens suis-moi » avant de lui dire : « Vends tes biens et donne-les aux pauvres [h]. » Et même cela, il ne l'a pas commandé avant que son interlocuteur n'ait reconnu, en déclarant avoir accompli tout ce que le Seigneur venait de dire, qu'il était pur de toute trangression [13]. Ainsi, il faut en cela aussi observer l'ordre.

Le renoncement aux obligations familiales et sociales

Ce n'est pas seulement le mépris des biens et des nécessités de la vie qui nous est enseigné. Nous apprenons aussi à élever nos sentiments au-dessus des usages de la société considérés selon la loi et selon la nature [14] comme de justes obligations [15]. Notre Seigneur Jésus-Christ en effet nous a dit : « Celui qui aime son père ou sa mère plus que moi n'est pas digne de moi [i]. » Il a parlé de la

14. Examiner les choses κατά τε νόμον καὶ φύσιν : habitude intellectuelle des Grecs, développée dès la première sophistique (p. ex. *Gorgias* 483 a) et jusqu'aux stoïciens ; elle est perceptible chez Basile (voir aussi *Rf* 37 [1013 a]).

15. Cf. Introd., p. 59-60.

λοιπῶν τῶν ἐγγυτάτω οἰκείων, δῆλον δὲ ὅτι πολὺ
πρότερον τῶν πορρωτέρω καὶ ξένων τῆς πίστεως. Οἷς
55 ἐπάγει· « Ὃς οὐ λαμβάνει τὸν σταυρὸν αὐτοῦ καὶ
ἀκολουθεῖ ὀπίσω μου, οὐκ ἔστι μου ἄξιος[j]. » Ὅπερ
1521 κατορθώσας ὁ | Ἀπόστολος εἰς ἡμετέραν διδασκαλίαν
γράφει· « Ἐγὼ τῷ κόσμῳ ἐσταύρωμαι καὶ ὁ κόσμος
ἐμοί. Ζῶ δὲ οὐκέτι ἐγώ, ζῇ δὲ ἐν ἐμοὶ Χριστός[k]. »

4 Πάλιν δὲ τοῦ Κυρίου ἔστιν μνημονεῦσαι, εἰπόντος
κατὰ πρόσωπον ἑκάστῳ, τῷ μὲν εἰπόντι· « Ἐπίτρεψόν
μοι πρῶτον ἀπελθεῖν, καὶ θάψαι τὸν πατέρα μου »·
« Ἄφες τοὺς νεκροὺς θάψαι τοὺς ἑαυτῶν νεκρούς, σὺ δὲ
5 ἀπελθὼν διάγγελλε τὴν βασιλείαν τοῦ Θεοῦ[a] », τῷ δὲ
εἰπόντι· « Ἐπίτρεψόν μοι πρῶτον ἀπελθεῖν καὶ συντά-
ξασθαι τοῖς εἰς τὸν οἶκόν μου[b] », ἐπιπληκτικώτερον
μετὰ ἀπειλῆς σφοδροτέρας εἶπεν· « Οὐδεὶς τὴν χεῖρα
θεὶς ἐπ' ἄροτρον καὶ στραφεὶς εἰς τὰ ὀπίσω εὔθετός ἐστιν
10 εἰς τὴν βασιλείαν τοῦ Θεοῦ[c]. » Οὕτω καὶ τὸ πρὸς ὀλίγον
ἀναβολὴν ἐμποιοῦν τῇ ὀφειλομένῃ τῷ Κυρίῳ ἀμετεω-
b ρίστῳ ὑπ|ακοῇ καθῆκον ἀνθρώπινον, κἂν δοκῇ εὔλογον
εἶναι, ἀλλότριόν ἐστι τοῦ θέλοντος μαθητεῦσαι τῷ Κυρίῳ,
καὶ ἀπειλῆς δεινοτέρας ἄξιον. Καθολικώτερον δὲ νομοθε-
15 τεῖ λέγων· « Εἴ τις ἔρχεται πρός με, ἀπαρνησάσθω
ἑαυτὸν καὶ ἀράτω τὸν σταυρὸν αὐτοῦ, καὶ ἀκολουθείτω
μοι[d]. »

Ἐὰν δὲ ἔλθωμεν εἰς μνήμην τῶν ὑπὸ τοῦ Κυρίου
εἰρημένων πρὸς τὸν εἰπόντα· « Μακάριος ὃς φάγεται
20 ἄριστον ἐν τῇ βασιλείᾳ τοῦ Θεοῦ[e] », φοβερώτερον κρῖμα

j. Matth. 10, 38 || k. Gal. 6, 14 + 2, 20.

4 a. Lc 9, 59-60 || b. Lc 9, 61 || c. Lc 9, 62 || d. Lc 14, 26 + Matth. 16, 24 || e. Lc 14, 15.

---

16. Cf. *supra*, 1516a. Le terme de κατόρθωμα s'applique à la « conduite convenable, parfaite » (τέλειον καθῆκον). Sur toute cette terminologie stoïcienne, cf. *SVF* III, 494-523, p. 134-140.

17. Le texte de Luc porte ἀποτάξασθαι.

même façon aussi pour tous les autres parents les plus proches, et bien davantage, évidemment pour les relations plus éloignées et pour les gens étrangers à la foi. Il ajoute à cela : « Celui qui ne prend pas sa croix et ne marche pas derrière moi n'est pas digne de moi [j]. » Cet effort précisément a été mené à bien [16] par l'Apôtre qui écrit pour notre instruction : « Moi, je suis crucifié au monde et le monde est crucifié pour moi. Ce n'est plus moi, qui vis ; c'est le Christ qui vit en moi [k]. »

L'enseignement du Seigneur dans l'Évangile de Luc

4 Mais revenons au Seigneur qui a parlé à chacun en face. A l'un qui avait dit : « Permets-moi d'abord d'aller enterrer mon père », il a répondu : « Laisse les morts enterrer leurs morts ; pour toi, va-t-en annoncer le royaume de Dieu [a]. » Et à cette parole de l'autre : « Permets-moi d'abord d'aller mettre ordre aux affaires de ma maison [b] [17] », il a donné cette réplique plus frappante, accompagnée d'une plus lourde menace : « Quiconque met la main à la charrue et se retourne en arrière est impropre au royaume de Dieu [c]. » On voit par là que l'obligation humaine, lorsqu'elle fait tant soit peu différer la ferme obéissance due au Seigneur, est incompatible, même si elle semble raisonnable, avec le désir de devenir son disciple et mérite une menace plus redoutable. D'une manière plus générale le Seigneur formule cette loi : « Si quelqu'un vient à moi, qu'il renonce à lui-même, qu'il prenne sa croix et qu'il me suive [d]. »

Si d'autre part, nous nous remettons en mémoire la réponse que fit le Seigneur à celui qui avait dit : « Heureux l'homme qui prend son repas [18] dans le royaume de Dieu [e] », c'est une sentence plus effrayante,

18. Le texte de Luc porte ἄρτον, la majorité des mss de notre traité, ἄριστον.

ὀργῆς καὶ ἀποτομίας μανθάνομεν, καὶ πάσης ἐλπίδος ἀγαθῆς ἀπαλλοτριοῦν τοὺς τοιούτους. Λέγει δὲ οὕτως· « Ἄνθρωπός τις ἐποίησεν δεῖπνον μέγα καὶ ἐκάλεσεν πολλούς. Καὶ ἀπέστειλεν τοὺς δούλους αὐτοῦ τῇ ὥρᾳ τοῦ 25 δείπνου εἰπεῖν τοῖς κεκλημένοις· Ἔρχεσθε ὅτι ἤδη ἕτοιμά c ἐστι πάντα. Καὶ ἤρξαντο ἀπὸ μιᾶς παραιτεῖσθαι | πάντες. Ὁ πρῶτος εἶπεν· Ἀγρὸν ἠγόρασα, καὶ ἔχω ἀνάγκην ἐξελθεῖν καὶ ἰδεῖν αὐτόν· ἐρωτῶ σε, ἔχε με παρῃτημένον. Καὶ ἕτερος εἶπεν· Ζεύγη βοῶν ἠγόρασα πέντε, καὶ 30 πορεύομαι δοκιμάσαι αὐτά· ἐρωτῶ σε, ἔχε με παρῃτημένον. Καὶ ἕτερος εἶπεν· Γυναῖκα ἔγημα, καὶ διὰ τοῦτο οὐ δύναμαι ἐλθεῖν. Καὶ παραγενόμενος ὁ δοῦλος ἀπήγγειλε τῷ κυρίῳ αὐτοῦ ταῦτα. Τότε ὀργισθεὶς ὁ οἰκοδεσπότης εἶπε τῷ δούλῳ αὐτοῦ· Ἔξελθε ταχέως εἰς 35 τὰς πλατείας καὶ ῥύμας τῆς πόλεως, καὶ τοὺς πτωχοὺς καὶ ἀναπήρους καὶ τυφλοὺς καὶ χωλοὺς εἰσάγαγε ὧδε. Καὶ εἶπεν ὁ δοῦλος· Κύριε, γέγονεν ὡς ἐπέταξας, καὶ ἔτι τόπος ἐστίν. Καὶ εἶπεν ὁ κύριος πρὸς τὸν δοῦλον αὐτοῦ· Ἔξελθε εἰς τὰς ὁδοὺς καὶ φραγμοὺς καὶ ἀνάγκασον d 40 εἰσελθεῖν, ἵνα γεμισθῇ ὁ οἶκός μου. Λέγω | γὰρ ὑμῖν ὅτι οὐδεὶς τῶν ἀνδρῶν ἐκείνων γεύσεταί μου τοῦ δείπνου [f]. »

Πάλιν δὲ αὐτὸς ὁ μονογενὴς Υἱὸς τοῦ Θεοῦ τοῦ ζῶντος, ὁ ἀποσταλεὶς παρὰ τοῦ Πατρὸς οὐχ ἵνα κρίνῃ τὸν κόσμον, ἀλλ'ἵνα σώσῃ τὸν κόσμον [g], ἑαυτῷ ἐμμένων καὶ 1524 45 τὸ | θέλημα τοῦ ἀγαθοῦ Θεοῦ καὶ Πατρὸς αὐτοῦ πληρῶν, τῇ ἀποφάσει τῆς ἀποτομίας διδασκαλίαν ἐπάγει τὴν ἀξίους ἡμᾶς ποιοῦσαν μαθητὰς γενέσθαι αὐτοῦ, καί φησιν· « Εἴ τις ἔρχεται πρός με, καὶ οὐ μισεῖ τὸν πατέρα αὐτοῦ καὶ τὴν μητέρα καὶ τὴν γυναῖκα καὶ τὰ τέκνα καὶ 50 τοὺς ἀδελφοὺς καὶ τὰς ἀδελφάς, ἔτι δὲ καὶ τὴν ἑαυτοῦ ψυχήν, οὐ δύναταί μου εἶναι μαθητής [h] »· μῖσος οὐ μελέτην ἐμποιοῦν ἐπιβουλῆς, ἀλλ' ἀρετὴν θεοσεβείας ἐν

f. Lc 14, 16-24 || g. Cf. Jn 12, 47 || h. Lc 14, 26.

---

19. Le texte de Luc porte τὸν δοῦλον. Garnier, en l'adoptant, a

marquée de colère et de sévérité, qui est portée à notre connaissance; elle détache les gens dont nous avons parlé de tout espoir de bien. Voici cette réponse : « Un homme prépara un grand festin auquel il invita beaucoup de monde. Et il envoya ses serviteurs [19] à l'heure du festin pour dire aux invités : Venez, tout est prêt maintenant. Et ils commencèrent tous, unanimement, à chercher des excuses. J'ai acheté un champ, dit le premier, et il faut que je sorte pour aller le voir. Je t'en prie, tiens-moi pour excusé. Un second dit : J'ai acheté cinq couples de bœufs et je vais de ce pas les essayer. Je t'en prie, tiens-moi pour excusé. Je viens de me marier, dit un troisième, et pour cette raison je ne puis y aller. Revenu auprès de son maître le serviteur lui rapporta ces propos. Alors, le maître de maison se mit en colère et il dit à son serviteur : Va-t-en vite par les places et les rues de la ville et amène ici les pauvres, les estropiés, les aveugles et les boiteux! Maître, dit le serviteur tes ordres sont exécutés et il y a encore de la place! Alors le maître dit à son serviteur : Va-t-en par les chemins et le long des clôtures et fais entrer les gens de force afin que ma maison se remplisse, car, je vous le dis, aucun de mes premiers invités ne goûtera de mon festin [f]. »

Lui-même encore, le Fils Monogène du Dieu vivant, qui fut envoyé par le Père non pour juger le monde mais pour sauver le monde [g], restant fidèle à lui-même et accomplissant la volonté du Dieu de bonté son Père, ajoute à cette déclaration sévère l'enseignement qui nous rend dignes de devenir ses disciples. « Si quelqu'un, affirme-t-il, vient à moi sans haïr son père, sa mère, sa femme, ses enfants, ses frères, ses sœurs et jusqu'à sa propre vie, il ne peut être mon disciple [h] » — haine qui met en nous l'idée non de tramer des embûches mais d'exceller dans la piété en nous empêchant d'écouter les

évité une discordance avec la suite du récit où il ne sera plus question que d'un seul serviteur.

παρακοῇ τῶν ἀφελκόντων. Καὶ « Ὅστις, φησίν, οὐ βαστάζει τὸν σταυρὸν αὐτοῦ καὶ ἔρχεται ὀπίσω μου, οὐ
55 δύναταί μου εἶναι μαθητής [i] »· ὅπερ συντεθεῖσθαι δοκοῦμεν διὰ τοῦ ἐν τῷ ὕδατι βαπτίσματος, ὁμολογοῦντες συσταυροῦσθαι, συντεθνηκέναι, συντεθάφθαι [j], καὶ τὰ ἑξῆς, καθὼς γέγραπται.

5 Στοχαζόμενος δὲ τῆς ἡμετέρας ἀσθενείας, καὶ
b δι' | ὑποδειγμάτων ηὐδόκησε βεβαιῶσαι ἡμῶν τὰς καρδίας ἐν πληροφορίᾳ τῆς ἀληθείας, καὶ ἑτοιμοτέρους κατεργάσασθαι πρὸς ὑπακοὴν δι' ὧν φησι· « Τίς γὰρ ἐξ
5 ὑμῶν, θέλων πύργον οἰκοδομῆσαι, οὐχὶ πρῶτον καθίσας ψηφίζει τὴν δαπάνην, εἰ ἔχει πρὸς ἀπαρτισμόν, ἵνα μήποτε, θέντος αὐτοῦ θεμέλιον καὶ μὴ ἰσχύσαντος ἐκτελέσαι, πάντες οἱ θεωροῦντες ἄρξωνται αὐτῷ ἐμπαίζειν, λέγοντες ὅτι οὗτος ὁ ἄνθρωπος ἤρξατο οἰκοδομεῖν
10 καὶ οὐκ ἴσχυσεν ἐκτελέσαι; Ἢ τίς βασιλεύς, πορευόμενος συμβαλεῖν ἑτέρῳ βασιλεῖ εἰς πόλεμον, οὐχὶ καθίσας πρότερον βουλεύεται εἰ δυνατός ἐστιν ἐν δέκα χιλιάσιν ἀπαντῆσαι τῷ μετὰ εἴκοσι χιλιάδων ἐρχομένῳ ἐπ' αὐτόν; Εἰ δὲ μήγε, ἔτι πόρρω αὐτοῦ ὄντος, πρεσβείαν ἀποστεί-
15 λας ἐρωτᾷ τὰ πρὸς εἰρήνην. Οὕτως οὖν πᾶς ἐξ ὑμῶν ὃς
c οὐκ ἀποτάσσεται | πᾶσι τοῖς ἑαυτοῦ ὑπάρχουσιν, οὐ δύναταί μου εἶναι μαθητής. Καλὸν τὸ ἅλας· ἐὰν δὲ τὸ ἅλας μωρανθῇ, ἐν τίνι ἀρτυθήσεται; Οὔτε εἰς γῆν οὔτε εἰς κοπρίαν εὔθετόν ἐστιν· ἔξω βάλλουσιν αὐτό. Ὁ ἔχων
20 ὦτα ἀκούειν ἀκουέτω [a]. »

i. Lc 14, 27 || j. Cf. Rom. 6, 3.

5 a. Lc 14, 28-35.

20. Pour Basile, il y a, semble-t-il, deux sortes de haine, l'une mauvaise et poussant au crime, l'autre capable de produire la piété. A noter que Clément d'Alexandrie (*Quis dives salv.* 22, 7) et Origène (*Exhort. ad mart.* 37), à propos de ce même passage de Luc, parlent le premier d'une « haine inspirée par l'esprit » (πνευματικὴν ἔχθραν), le second d'une « haine belle et utile » (καλὸν καὶ ὠφέλιμον μῖσος).

21. Les exemples donnés par Luc montrent qu'avant de

voix qui en détournent[20]. Et il affirme encore : « Celui qui ne porte pas sa croix et ne marche pas à ma suite ne peut être mon disciple[i] », condition qui se trouve ratifiée, selon nous, au moyen du baptême dans l'eau, puisque nous y professons que nous sommes crucifiés avec le Christ, morts avec lui, ensevelis avec lui[j], etc., selon ce qui est écrit.

5 Tendant la main à notre faiblesse, il a voulu aussi, par des exemples, affermir nos cœurs dans la pleine assurance de la vérité et nous rendre plus prompts à l'obéissance. « Qui de vous, déclare-t-il, s'il veut bâtir une tour ne s'assied tout d'abord pour calculer la dépense et voir s'il a de quoi aller jusqu'au bout ? Il veut éviter, s'il pose les fondations sans être capable d'achever, que tous les gens en le regardant ne commencent à se moquer de lui et ne disent : Voilà un homme qui a commencé à bâtir et qui n'a pas été capable d'achever. Ou bien quel roi, se préparant à partir en guerre contre un autre roi, ne s'assied d'abord pour délibérer s'il est capable avec dix mille hommes d'aller à la rencontre de celui qui vient contre lui avec vingt mille ? Or, s'il ne l'est pas, il envoie une ambassade, tandis que l'autre est encore loin pour demander les conditions de paix. Ainsi donc, quiconque parmi vous ne renonce pas à tous ses biens ne peut être mon disciple. C'est une bonne chose que le sel ; mais si le sel devient insipide, avec quoi lui donnera-t-on de la saveur ? Il n'est bon ni pour la terre, ni pour le fumier : on le jette dehors. Celui qui a des oreilles pour entendre, qu'il entende[a] [21]. »

s'engager dans la voie au terme de laquelle on devient disciple, il faut envisager sérieusement tout ce que cet engagement implique. Ces exemples pourraient laisser croire que lorsqu'on ne se sent pas de taille à aller jusqu'au bout de cette voie difficile, mieux vaut ne pas y persévérer, ni même y entrer. En réalité, ils donnent une leçon de réalisme et de lucidité et ne permettent pas d'autre choix que de se faire disciples. C'est le commentaire qu'en fait Basile en les citant aussi en *Rb* 263 (1261 a).

Εἰ τούτοις πιστεύομεν, ἐλευθερωθέντες πρῶτον τῆς τοῦ διαβόλου καταδυναστείας ἐν τῷ ἀπέχεσθαι παντὸς ἐπιθυμητοῦ πράγματος τῷ διαβόλῳ, χάριτι τοῦ Θεοῦ διὰ Ἰησοῦ Χριστοῦ τοῦ Κυρίου ἡμῶν, εἴ γε μὴ εἰς κενὸν
25 ἐδεξάμεθα τὴν τοιαύτην χάριν [b], ἔπειτα δὲ ἀποταξάμενοι οὐ μόνον τῷ κόσμῳ καὶ ταῖς ἐπιθυμίαις αὐτοῦ, ἀλλὰ καὶ τοῖς πρὸς ἀλλήλους δικαίοις καθήκουσιν, ἔτι δὲ καὶ τῇ ἑαυτῶν ζωῇ ὅταν τι τούτων ἀφέλκῃ ἡμᾶς ἀπὸ τῆς ὀφειλομένης τῷ Θεῷ ἀμετεωρίστου καὶ ταχείας ὑπακοῆς,
30 οὕτω καταξιούμεθα μαθηταὶ τοῦ Κυρίου γενέσθαι.

d Παι|δευόμενοι λοιπὸν ὑπό τε Μωϋσέως καὶ τῶν προφητῶν, εὐαγγελιστῶν τε καὶ ἀποστόλων, τήν τε ἐν ἀρχῇ τοῦ Θεοῦ διὰ τοῦ μονογενοῦς αὐτοῦ Υἱοῦ τοῦ Κυρίου καὶ Θεοῦ ἡμῶν Ἰησοῦ Χριστοῦ ποίησιν πάντων,
35 ὁρατῶν τε καὶ ἀοράτων [c], τά τε ἱστορούμενα ἐν ταῖς θεοπνεύστοις Γραφαῖς τῆς τοῦ Θεοῦ χρηστότητος καὶ ἀποτομίας [d] ἐν πολλῇ μακροθυμίᾳ, πρὸς ἔνδειξιν τῆς δικαιοσύνης αὐτοῦ [e] καὶ παιδείαν ἡμετέραν, τάς τε
1525 προφητείας | τῆς ἐνανθρωπήσεως τοῦ Κυρίου ἡμῶν Ἰησοῦ
40 Χριστοῦ καὶ τῶν τότε συνεμπιπτόντων ἐναντίων ἀλλήλοις πραγμάτων, καὶ περὶ τῆς ἐκ νεκρῶν ἐνδόξου ἀναστάσεως καὶ ἀναλήψεως, καὶ τῆς ἐνδοξοτάτης ἐπιφανείας ἐν τῇ συντελείᾳ τοῦ αἰῶνος· τά τε δόγματα τῆς κατὰ τὸ Εὐαγγέλιον ὁλοκλήρου καὶ εὐπροσδέκτου τῷ Θεῷ
45 εὐσεβείας ἐν ἀγάπῃ Χριστοῦ Ἰησοῦ τοῦ Κυρίου ἡμῶν, ἐπ' ἐλπίδι ζωῆς αἰωνίου [f] καὶ ἐπουρανίου βασιλείας, καὶ τὰ

b. Cf. II Cor. 6, 1 || c. Cf. Col. 1, 16 || d. Cf. Rom. 11, 22 || e. Cf. Rom. 3, 25 || f. Cf. Tite 1, 2.

---

22. Ces deux derniers renoncements s'imposent seulement quand le service de Dieu l'exige. Une première récapitulation avait déjà été présentée (1520 a), en des termes voisins. C'est seulement après cet effort de détachement et de pénitence qu'on est apte, selon Basile, à recevoir l'instruction. ORIGÈNE pensait de

Si nous avons foi en ces paroles, nous nous libérons d'abord de la tyrannie du diable dans la mesure où nous évitons toute action désirée par lui — et nous y parvenons avec la grâce de Dieu octroyée par l'intermédiaire de Jésus-Christ notre Seigneur, si du moins nous n'avons pas reçu en vain une telle grâce [b] —; ensuite nous renonçons non seulement au monde et à ses désirs, mais encore aux justes obligations sociales et même à notre propre vie quand l'un de ces soins nous détourne de l'obéissance ferme et rapide que nous devons à Dieu [22] ; et ainsi, nous sommes jugés dignes de devenir disciples du Seigneur.

Après la préparation morale, l'instruction

Nous recevons alors l'instruction tant de Moïse et des prophètes que des évangélistes et des apôtres [23]. Cette instruction porte sur l'œuvre que Dieu fit au commencement, en créant, par la médiation de son Fils Monogène notre Seigneur et notre Dieu Jésus-Christ, toutes les choses visibles et invisibles [c] ; sur ce que les Écritures divinement inspirées rapportent concernant la bonté et la sévérité d'un Dieu [d] à la longue patience, afin de démontrer sa justice [e] et de nous instruire ; sur les prophéties concernant l'incarnation de notre Seigneur Jésus-Christ et la rencontre entre réalités opposées [24] qui s'opéra alors, concernant sa glorieuse résurrection des morts, son ascension et sa très glorieuse épiphanie à la fin des temps. L'instruction porte aussi sur les doctrines de la piété, parfaite, agréable à Dieu selon l'Évangile, se manifestant dans l'amour du Christ Jésus notre Seigneur, faisant espérer la vie éternelle [f] et

même qu'il est trop tôt, lorsqu'on a l'âme encore remplie d'épines, pour demander sciences et semences spirituelles (*Hom. in Jer.* V, 13).

23. L'Ancien et le Nouveau Testament.

24. La nature humaine et la nature divine.

κρίματα τῆς δικαίας ἀνταποδόσεως, τῶν τε ποιούντων τὰ ἀπηγορευμένα ἢ ἀθετούντων τὰ ἐγκεκριμένα εἰς κόλασιν αἰώνιον [g], καὶ τῶν ἀξίως τοῦ εὐαγγελίου τοῦ Χριστοῦ
50 πολιτευομένων [h] ἐν ὑγιαινούσῃ πίστει δι' ἀγάπης Θεοῦ ἐνεργουμένῃ [i] ἐπ' ἐλπίδι ζωῆς αἰωνίου καὶ ἐπουρανίου βασιλείας, ἐν Χριστῷ Ἰησοῦ τῷ Κυρίῳ ἡμῶν.

g. Cf. Matth. 25, 46 || h. Cf. Phil. 1, 27 || i. Cf. Gal. 5, 6.

le royaume céleste. Elle porte également sur les décrets de la juste rétribution : à ceux qui font les choses défendues ou qui refusent de faire celles qui sont approuvées, châtiment éternel [g] ; à ceux qui se conduisent d'une façon digne de l'évangile du Christ [h], avec une foi vigoureuse opérant par l'amour de Dieu [i], espérance de la vie éternelle et du royaume céleste, dans le Christ Jésus, notre Seigneur [25].

25. Neri (p. 154 n. 242) signale à bon droit plusieurs rapprochements de forme et de pensée entre ce texte et la *Profession de foi* (*De fid* 685 a-c).

b

β'.

Πῶς βαπτίζεταί τις τὸ ἐν τῷ εὐαγγελίῳ τοῦ Κυρίου ἡμῶν Ἰησοῦ Χριστοῦ βάπτισμα.

1 Τοῦ Κυρίου ἡμῶν Ἰησοῦ Χριστοῦ ἐντολὴν δεδωκότος ἡμῖν ἀγαπᾶν ἀλλήλους καθὼς αὐτὸς ἠγάπησεν ἡμᾶς [a], καὶ διὰ Παύλου τοῦ ἀποστόλου διδάσκοντος ἡμᾶς ἀνέχεσθαι ἀλλήλων ἐν ἀγάπῃ [b], τὸ ἐπίταγμα τῆς ὑμετέ-
5 ρας ἐν Χριστῷ εὐλαβείας, τὸ περὶ τοῦ κατὰ τὸ εὐαγγέλιον τοῦ Κυρίου ἡμῶν Ἰησοῦ Χριστοῦ ἐνδοξοτάτου βαπτίσματος προθύμως ἐδεξάμην, οὐχ ὡς πρὸς ἀξίαν εἰπεῖν τι δυνάμενος, ἀλλ' ὡς ἡ τὰ δύο λεπτὰ βαλοῦσα χήρα συνεισφερόμενος [c]. Καὶ ἐν τούτῳ δὲ τῆς παρὰ τῶν
10 ἀγαπώντων τὸν Κύριον εὐχῆς μοι χρεία, ἵνα Θεοῦ τοῦ ἀγαθοῦ χάριτι καὶ τοῦ Χριστοῦ αὐτοῦ, τὸ ἅγιον καὶ
c ἀγαθὸν Πνεῦμα | ὑπομιμνῆσκον καὶ διδάσκον ἡμᾶς ἃ ἂν παρὰ τοῦ Κυρίου ἀκούσῃ [d], κατευθύνῃ τόν τε νοῦν ἡμῶν εἰς ὁδὸν εἰρήνης [e], καὶ τὸν ὑγιῆ λόγον εἰς τὴν τῆς πίστεως
15 οἰκοδομήν, ὥστε πληρωθῆναι ἐν ἡμῖν τε καὶ ὑμῖν τό· « Δίδου σοφῷ ἀφορμήν, καὶ σοφώτερος ἔσται [f]. »

Πλὴν εἰδέναι χρὴ ὅτι πρῶτον μαθητευθῆναι δεῖ, καὶ οὕτως τοῦ θαυμασιωτάτου βαπτίσματος καταξιωθῆναι· οὕτως γὰρ αὐτὸς ὁ Κύριος καὶ Θεὸς ἡμῶν Ἰησοῦς
20 Χριστός, ὁ μονογενὴς Υἱὸς τοῦ Θεοῦ τοῦ ζῶντος,

1 a. Cf. Jn 13, 34 || b. Cf. Éphés. 4, 2 || c. Cf. Lc 21, 2 || d. Cf. Jn 14, 26 + 16, 13 || e. Cf. Lc 1, 79 || f. Prov. 9, 9.

---

1. Τῆς ὑμετέρας ἐν Χριστῷ εὐλαβείας : formule de politesse

Chapitre II

Comment on est baptisé du baptême qui est dans l'évangile de notre Seigneur Jésus-Christ.

Préambule 1 Puisque notre Seigneur Jésus-Christ nous a donné le commandement de nous aimer les uns les autres comme lui-même nous a aimés[a] et qu'il nous apprend par l'intermédiaire de l'apôtre Paul à nous supporter les uns les autres dans l'amour[b], j'ai accueilli avec empressement l'ordre de votre piété dans le Christ[1] relatif au très glorieux baptême selon l'évangile de notre Seigneur Jésus-Christ; non que je sois capable d'en parler dignement, mais j'apporte ma contribution comme la veuve qui jeta ses deux piécettes[c]. Et dans cette tâche, j'ai besoin de la prière de ceux qui aiment le Seigneur afin que par la grâce du Dieu de bonté et de son Christ, l'Esprit saint et bon nous rappelle et nous enseigne ce qu'il a appris du Seigneur[d], qu'il dirige notre âme sur un chemin de paix[e] et la saine parole vers l'édification de la foi. Ainsi pourra s'accomplir en nous et en vous ce proverbe : « Donne l'occasion au sage et il sera plus sage[f 2]. »

Toutefois on doit savoir qu'il faut d'abord se faire disciple avant d'être admis au baptême très admirable. Tel est en effet le commandement que Jésus-Christ luimême, notre Seigneur et notre Dieu, le Fils Monogène

très courante à l'époque tardive, employée pour le bas clergé comme pour les évêques. Cf. Introd., p. 17 et n. 1.

2. Ce verset des Proverbes apparaît souvent chez Basile comme une formule de courtoisie (*Ep* 159 [621 b]; 260 [964 b]; etc.).

ἐνετείλατο τοῖς ἑαυτοῦ μαθηταῖς [g]. Παραδεδώκαμεν οὖν ὑμῖν ἀναγκαίως κατ' ἰδίαν καὶ τὰ περὶ τῶν θελόντων γενέσθαι Χριστοῦ μαθητῶν παρ' αὐτοῦ τοῦ Κυρίου εἰρημένα, ὀλίγων γοῦν ἐκ πολλῶν μνημονεύσαντες.

25 Ἐπειδὴ δὲ τὸ μὲν ἄνωθεν γεννηθῆναι ἰδεῖν τὴν d βασιλείαν τοῦ Θεοῦ ἐπαγγέλλεται [h], τὸ | δὲ ἐξ ὕδατος καὶ Πνεύματος γεννηθῆναι εἰσελθεῖν εἰς τὴν βασιλείαν τοῦ Θεοῦ [i], λογίζομαι ἀναγκαῖον εἶναι ὀλίγα ἐκ πολλῶν τῶν περὶ τῆς βασιλείας τῶν οὐρανῶν εἰρημένων παραθέσθαι, 30 ἵνα κατὰ μηδένα τρόπον ἀπολειφθῶμεν ταύτης· « Οὐ 1528 γὰρ μικρὸν ἐν βίῳ | τὸ παρὰ μικρόν », εἶπέ τις τῶν παρ' ἡμῖν σοφῶν, καὶ τοῖς πλείστοις δῆλον ἐξ αὐτῶν τῶν πραγμάτων. Πλέον δὲ καὶ βεβαιότερον ἐκ τῆς περὶ τῶν ἱερέων [j] καὶ τῶν προσφερομένων ζῴων εἰς θυσίαν [k] 35 ἀκριβολογίας ἔστι πληροφορηθῆναι, ἐν οἷς εἰ μικρός τις μῶμος ἐφευρέθη, ἢ λώβησις οὐχὶ παντὸς μέλους, ἀλλὰ τούτου τοῦ μέρους, ὥσπερ γέγραπται, λοβὸς ὠτίου, οὔτε ὁ ἄνθρωπος ἐνεκρίνετο εἰς ἱερωσύνην, οὔτε τὸ ζῷον εὐπρόσδεκτον ἦν εἰς θυσίαν, τοῦ μὲν Ἀποστόλου εἰπόν- 40 τος· « Ταῦτα μὲν τυπικῶς συνέβαινεν ἐκείνοις, ἐγράφη δὲ πρὸς νουθεσίαν ἡμῶν, εἰς οὓς τὰ τέλη τῶν αἰώνων

g. Cf. Matth. 28, 18 || h. Cf. Jn 3, 3 || i. Cf. Jn 3, 5 || j. Cf. Lév. 21, 1-23 || k. Cf. Lév. 22, 21-22.

---

3. L'adverbe ἄνωθεν peut signifier « d'en haut » ou « de nouveau ». Fronton du Duc (*PG* 31, *ad loc.*) choisit *iterato*. En fait, ces deux sens ne s'excluent pas : la naissance d'en haut est bien une seconde naissance. Mais « d'en haut » ajoute une précision importante et annonce l'idée de filiation divine que Basile va développer.

4. Le « nous » est ici un véritable pluriel. Si les auditeurs ne connaissent pas le royaume de Dieu ils ne pourront y entrer, et si Basile ne les instruit pas à ce sujet, il encourt une condamnation qui risque de l'en exclure lui-même : cf. *De rel ex inf* 1512 a.

5. Cet aphorisme figure textuellement dans le recueil des

du Dieu vivant a donné à ses disciples [g]. Nous avons donc été forcés de vous transmettre séparément les paroles mêmes dites par le Seigneur en personne au sujet de ceux qui veulent devenir disciples du Christ; du moins, sur un grand nombre en avons-nous mentionné quelques-unes.

Or, puisque la naissance d'en haut [3] implique la promesse de voir le royaume de Dieu [h], tandis que la naissance de l'eau et de l'esprit implique celle d'entrer dans ce royaume [i], il me paraît nécessaire de vous présenter quelques-unes des nombreuses paroles qui concernent le royaume des cieux, afin qu'en aucune façon nous n'en soyons exclus [4]. C'est que « dans la vie, l'à peu de chose près n'est pas peu de chose » comme l'a dit un de nos sages [5], et l'expérience même le prouve à la plupart des gens. Mais on peut s'en assurer davantage et plus sûrement d'après l'examen attentif auquel étaient soumis les prêtres [j] ainsi que les animaux apportés en offrande [k]. Si on trouvait en eux un petit sujet de blâme, une mutilation affectant non pas un membre entier mais une partie de celui-ci, un lobe d'oreille, comme on l'a écrit [6], ni l'homme n'était admis au sacerdoce, ni l'animal n'était accepté pour le sacrifice. « Ces choses-là, a dit l'Apôtre, arrivaient à nos pères en figures et elles ont été écrites pour notre instruction à nous qui

Sentences de Sextus (Chadwick, p. 12, n° 10). Il est opportun de l'évoquer à propos du royaume des cieux, ce bien suprême qu'une petite chose ou un léger manque pourrait nous faire perdre. En désignant l'auteur de cet aphorisme par τις τῶν παρ' ἡμῖν σοφῶν, Basile lui assigne une origine chrétienne. On sait aujourd'hui que la collection dite des *Sentences de Sextus* est, en réalité, une compilation faite à partir de maximes empruntées à la sagesse païenne.

6. Le lobe de l'oreille intervient parfois dans les lois cultuelles de l'A.T. (cf. *Ex.* 29, 20; *Lév.* 8, 23), mais il n'est pas question de mutilation affectant cette partie du corps.

κατήντησε[l] »·Τοῦ δὲ Κυρίου φανερῶς τὴν ὑπεροχὴν δείξαντος ἐν τῷ εἰπεῖν· « Τοῦ ἱεροῦ μεῖζον ὧδε[m] », καὶ περισσοτέρως δείξαντος τὴν ἐπιμέλειαν τῆς ψυχῆς ἀκρι-
45 βεστέραν ποιεῖσθαι ἡμᾶς ἐν τῷ εἰπεῖν· « Ὧι παρέθεντο πολύ, περισσότερον ἀπαιτήσουσιν αὐτόν[n] ».

b | **2** Μνημονεύσωμεν οὖν περὶ τῆς βασιλείας τῶν οὐρανῶν. Ὁ Κύριος ἡμῶν Ἰησοῦς Χριστός, ὅτε ἀνέβη εἰς τὸ ὄρος καὶ τὴν ἀρχὴν τῆς διδασκαλίας διὰ τῶν μακαρισμῶν ἐποιεῖτο, πρῶτον μακαρισμὸν ἐκήρυξε τὸν ἐπαγγελίαν
5 ἔχοντα βασιλείας οὐρανῶν. Εἶπε γάρ· « Μακάριοι οἱ πτωχοὶ τῷ πνεύματι, ὅτι αὐτῶν ἐστιν ἡ βασιλεία τῶν οὐρανῶν[a]. » Ἐν δὲ τῷ ὀγδόῳ μακαρισμῷ φησι· « Μακάριοι οἱ δεδιωγμένοι ἕνεκεν δικαιοσύνης, ὅτι αὐτῶν ἐστιν ἡ βασιλεία τῶν οὐρανῶν[b]. » Καὶ πάλιν τὴν ἐν τῷ
10 καιρῷ τῆς ἀνταποδόσεως εὐλογίαν διὰ τῆς παραβολῆς τοῦ ποιμένος προφητεύων, λέγει· « Δεῦτε οἱ εὐλογημένοι τοῦ Πατρός μου, κληρονομήσατε τὴν ἡτοιμασμένην ὑμῖν βασιλείαν ἀπὸ καταβολῆς κόσμου. Ἐπείνασα γὰρ καὶ
c ἐδώκατέ μοι φαγεῖν[c] », καὶ τὰ ἑξῆς. Ἐν δὲ τῷ | κατὰ
15 Λουκᾶν εὐαγγελίῳ, ἐν ἑτέρῳ καιρῷ καὶ τόπῳ, καθὼς τὰ γεγραμμένα δηλοῖ, πάλιν μακαρισμοὺς ἐκτιθέμενος, φησί. « Μακάριοι οἱ πτωχοὶ τῷ πνεύματι, ὅτι ὑμετέρα ἐστὶν ἡ βασιλεία τῶν οὐρανῶν[d]. » Καὶ πάλιν· « Μὴ φοβοῦ τὸ μικρὸν ποίμνιον, ὅτι ηὐδόκησεν ὁ Πατὴρ ὑμῶν
20 ὁ οὐράνιος δοῦναι ὑμῖν τὴν βασιλείαν. Πωλήσατε τὰ ὑπάρχοντα ὑμῶν καὶ δότε ἐλεημοσύνην. Ποιήσατε ἑαυτοῖς βαλάντια μὴ παλαιούμενα, θησαυρὸν ἀνέκλειπτον ἐν

l. I Cor. 10, 11 || m. Matth. 12, 6 || n. Lc 12, 48.

2 a. Matth. 5, 3 || b. Matth. 5, 10 || c. Matth. 25, 34 || d. Lc 6, 20.

7. Basile, qui se méfie habituellement des interprétations allégoriques de l'Écriture, s'appuie ici sur S. Paul qui donne un sens « typique » à des faits rapportés dans l'A.T. Mais le ταῦτα initial renvoie aux interdictions cultuelles du *Lévitique*, alors que dans *I Cor.* 10, 11 il représentait les péchés des Israélites et les châtiments qui s'ensuivirent.

touchons à la fin des temps[17]. » Le Seigneur a clairement montré qu'il était supérieur à elles en disant : « Il y a ici plus grand que le temple[m] » et, allant plus loin, il nous a montré la nécessité de nous occuper plus attentivement de notre âme, en nous disant : « A qui on a confié beaucoup, on réclamera davantage[n 8]. »

Le royaume des cieux : a) A qui il appartient

2 Parlons donc du royaume des cieux. Notre Seigneur Jésus-Christ, ayant gravi la montagne, commençait son enseignement par les béatitudes. La première béatitude qu'il proclama fut celle qui comporte la promesse du royaume des cieux. « Bienheureux, dit-il, les pauvres en esprit parce que le royaume des cieux est à eux[a]. » Et dans la huitième il affirme : « Bienheureux ceux qui sont persécutés pour la justice, parce que le royaume des cieux est à eux[b]. » Une autre fois, prophétisant au moyen de la parabole du berger la bénédiction qui sera donnée au temps de la rétribution, il déclare : « Venez les bénis de mon Père, recevez en héritage le royaume qui vous a été préparé depuis la fondation du monde, car j'ai eu faim et vous m'avez donné à manger[c] », etc. Dans l'évangile selon Luc, le temps et le lieu étant différents comme l'indique le texte, il expose de nouveau les béatitudes. « Bienheureux, dit-il, vous qui êtes pauvres en esprit, car le royaume des cieux est à vous[d]. » Et encore : « Soyez sans crainte, petit troupeau, car il a plu à votre Père céleste de vous donner le royaume. Vendez vos biens et donnez-les en aumônes. Faites-vous des bourses qui ne vieillissent pas,

8. Basile met au-dessus de l'intégrité physique, exigée en des circonstances déterminées par la loi ancienne, l'intégrité de l'âme et il applique le verset de Luc au passage de l'ancienne à la nouvelle alliance. « On est plus coupable, remarque-t-il (*Rb* 47 [1116 a]), de mépriser le Seigneur que d'enfreindre la loi de Moïse. » Voir aussi *Mor* 1, 1 (700 b) ; *Rb* 236 (1241 a) ; etc.

τοῖς οὐρανοῖς[e]. » Ταῦτα μὲν οὖν καὶ τὰ τοιαῦτα, δι' ὧν βασιλείας οὐρανῶν καταξιοῦταί τις.

25 Ὧν δὲ ἄνευ ἀδύνατον εἰς τὴν βασιλείαν τῶν οὐρανῶν εἰσελθεῖν, ἐν μὲν τῷ κατὰ Ματθαῖον εὐαγγελίῳ ἀποφαίνεται ὁ Κύριος καί φησιν· « Ἐὰν μὴ περισσεύσῃ ὑμῶν ἡ d δικαιοσύνη πλέον τῶν γραμματέων καὶ | φαρισαίων, οὐ μὴ εἰσέλθητε εἰς τὴν βασιλείαν τῶν οὐρανῶν[f]. » Καὶ 1529 30 πάλιν· « Ἐὰν μὴ στραφῆτε καὶ | γένησθε ὡς τὰ παιδία, οὐ μὴ εἰσέλθητε εἰς τὴν βασιλείαν τῶν οὐρανῶν[g]. »Καὶ πάλιν· « Ὃς ἐὰν μὴ δέξηται τὴν βασιλείαν τοῦ Θεοῦ ὡς παιδίον, οὐ μὴ εἰσέλθῃ εἰς αὐτήν[h]. » Ἐν δὲ τῷ κατὰ Ἰωάννην, πρὸς Νικόδημον λέγει· « Ἐὰν μή τις γεννηθῇ 35 ἄνωθεν, οὐ δύναται ἰδεῖν τὴν βασιλείαν τοῦ Θεοῦ[i] »· καὶ πάλιν· « Ἐὰν μή τις γεννηθῇ ἐξ ὕδατος καὶ Πνεύματος, οὐ μὴ εἰσέλθῃ εἰς τὴν βασιλείαν τοῦ Θεοῦ[j]. »

3 Καθ' ὧν δὴ ἡ ἀπόφασις μία, δηλονότι ἴσος καὶ ὁ κίνδυνος τοῖς πᾶσιν, ἑνὸς ἐλλειφθέντος. Εἰ γὰρ λέγει ὁ Κύριος· « Ἰῶτα ἓν ἢ μία κεραία οὐ μὴ παρέλθῃ ἀπὸ τοῦ νόμου, ἕως ἂν πάντα γένηται[a] », πόσῳ μᾶλλον ἀπὸ τοῦ 5 Εὐαγγελίου, αὐτοῦ τοῦ Κυρίου λέγοντος· « Ὁ οὐρανὸς καὶ ἡ γῆ παρελεύσονται, οἱ δὲ λόγοι μου οὐ μὴ b παρέλθωσιν[b]. » Ὅθεν | τεθαρσηκὼς Ἰάκωβος ὁ ἀπόστολος ἀπεφήνατο εἰπών· « Ὃς ἐὰν ποιήσῃ ὅλον τὸν νόμον, πταίσῃ δὲ ἐν ἑνί, γέγονε πάντων ἔνοχος[c]. » Ἔμαθε δὲ 10 εἰπεῖν τοῦτο ἐξ ὧν ὁ Κύριος, μετὰ τοὺς μακαρισμοὺς καὶ τὰς ὑπὲρ ἄνθρωπον μαρτυρίας καὶ ἐπαγγελίας τῷ Πέτρῳ

e. Lc 12, 32-33 || f. Matth. 5, 20 || g. Matth. 18, 3 || h. Mc 10, 15 || i. Jn 3, 3 || j. Jn 3, 5.

3 a. Matth. 5, 18 || b. Matth, 24, 35 || c. Jac. 2, 10.

9. Verset de Marc, bien qu'il semble attribué, comme les deux précédents, à Matthieu.

10. La sentence unique dans les 5 cas cités, c'est le non-accès au royaume de Dieu.

un trésor qui ne vous manque jamais dans les cieux[e]. » C'est donc en se conduisant de cette manière ou de manière semblable qu'on se rend digne du royaume des cieux.

b) Dans quels cas on en est exclu

Mais les conditions qu'il faut remplir nécessairement pour entrer dans ce royaume, le Seigneur nous les montre dans l'évangile selon Matthieu. Il déclare en effet : « Si votre justice ne dépasse pas celle des scribes et des pharisiens, non certes, vous n'entrerez pas dans le royaume des cieux[f]. » Et encore : « Si vous ne vous convertissez pas et ne devenez pas comme les petits enfants, non certes, vous n'entrerez pas dans le royaume des cieux[g]. » Et encore : « Quiconque n'accueille pas le royaume de Dieu comme un petit enfant n'y entrera certes pas[h][9]. » D'autre part dans l'évangile selon Jean, il dit à Nicodème : « Si quelqu'un ne naît pas d'en haut, il ne peut voir le royaume de Dieu[i]. » Et il ajoute : « Si quelqu'un ne naît pas de l'eau et de l'Esprit, non certes, il n'entrera pas dans le royaume de Dieu[j]. »

3 Quand des conditions font ainsi l'objet d'une sentence unique[10], il est évident qu'à en négliger une, on encourt un risque aussi grand qu'à les négliger toutes. Si en effet le Seigneur déclare : « Un seul iota, un seul trait de lettre ne passera point de la Loi que tout ne soit accompli[a] », combien plus cette déclaration est-elle applicable à l'Évangile, puisque lui-même, le Seigneur, nous dit : « Le ciel et la terre passeront ; mes paroles, elles, ne passeront point[b] ! » De là vient que l'apôtre Jacques osa exprimer cette opinion : « Celui qui accomplit toute la Loi, mais commet un écart sur un seul point est coupable comme l'ayant toute violée[c]. » Il s'est exprimé de la sorte, instruit par cette menace que le Seigneur avait adressée à Pierre, après l'avoir proclamé bienheureux et l'avoir honoré de témoignages et de

δούς, ἠπείλησεν ὅτι « Ἐὰν μὴ νίψω σε, οὐκ ἔχεις μέρος μετ' ἐμοῦ[d] ».

Παῦλος δὲ ὁ ἀπόστολος, ἀνταναπληρῶν τὰ ὑστερήμα-
15 τα τῶν θλίψεων τοῦ Χριστοῦ ὑπὲρ τοῦ σώματος αὐτοῦ, ὅ ἐστιν ἡ Ἐκκλησία[e], ἐν Χριστῷ λαλῶν[f] διαμαρτύρεται δι' ἃ μάλιστα βασιλείας οὐρανῶν οὐκ ἀξιοῦταί τις, καὶ κρίματι θανάτου ὑποπίπτει, ποτὲ μὲν εἰπὼν ὁριστικῶς ὅτι · « Οἱ τὰ τοιαῦτα πράσσοντες ἄξιοι θανάτου εἰσίν[g] »
20 — διὰ τί δὲ οὐκ εἶπεν ὅτι « οἱ ταῦτα », ἀλλ' « οἱ τὰ τοιαῦτα », ἕκαστος ὀφθαλμοὺς ἔχει —, ποτὲ δέ · « Οἱ τὰ
c τοιαῦτα πράσσοντες βασιλείαν οὐρανῶν οὐ | κληρονομήσουσιν[h] », καὶ πάλιν καθολικώτερον ὅτι « Ἄδικοι βασιλείαν Θεοῦ οὐ κληρονομήσουσι[i] », καὶ ἀλλαχοῦ
25 ὁμοίως.

Αὐτὸς ὁ Κύριος ἡμῶν Ἰησοῦς Χριστὸς ἐν τῷ κατὰ Λουκᾶν εὐαγγελίῳ ἀπεφήνατο εἰπών · « Οὐδεὶς τὴν χεῖρα θεὶς ἐπ' ἄροτρον καὶ στραφεὶς εἰς τὰ ὀπίσω, εὔθετός ἐστιν εἰς τὴν βασιλείαν τοῦ Θεοῦ[j]. » Ἐπιτηρητέον δὲ ἐνταῦθα
30 ἀναγκαίως ὅτι οὐ κατὰ ἁμαρτημάτων οὔτε κατὰ πολλῶν, ἀλλὰ καθ' ἑνός ἐστι τὸ οὕτω φοβερὸν καὶ ἀπαράβατον κρῖμα, καὶ ταῦτα ἐκ τῶν συγκεχωρημένων, κἂν μόνην καὶ πρὸς ὀλίγον γοῦν ἀναβολὴν ἐμποιῇ τῇ κατὰ πολλοὺς λόγους ἀναγκαίως ὀφειλομένῃ ἀπροφασίστῳ ταχυτάτῃ τε
35 καὶ ἀμετεωρίστῳ ὑπακοῇ τῷ Δεσπότῃ.

Ἐκ τούτων οὖν πάντων καὶ τῶν τοιούτων παιδευόμεθα
d ὅτι χρή, πάντα ὁλοκλήρως καὶ νομίμως πλη|ρώσαντα οἷς

d. Jn 13, 8 || e. Cf. Col. 1, 24 || f. Cf. II Cor. 13, 3 || g. Rom. 1, 32 || h. Gal. 5, 21 || i. I Cor. 6, 9 || j. Lc 9, 62.

---

11. Le cas de Pierre a souvent été évoqué par Basile (en particulier *De jud* 672 a-b).

12. En soulignant le τοιαῦτα de S. Paul, Basile veut faire comprendre que tous les vices sans exception entraînent le châtiment : idolâtrie, passions infâmes, meurtres, cupidité, orgies, disputes, etc. Même insistance dans le *De jud* 669 a-b.

promesses dépassant l'humain : « Si je ne te lave pas, tu n'as pas de part avec moi [d] [11]. »

De son côté, l'apôtre Paul, qui complète ce qui manque aux épreuves du Christ pour son corps qui est l'Église [e], dit avec solennité, parlant dans le Christ [f], pour quelles raisons principalement on n'est pas jugé digne du royaume des cieux et on encourt la condamnation à mort. Tantôt, il déclare sous forme d'aphorisme : « Ceux qui font de telles actions méritent la mort [g] » — quant à savoir pourqoi il n'a pas dit : « ceux qui font ces actions » mais « ceux qui font de telles actions », chacun a des yeux pour le voir —, tantôt : « Ceux qui font de telles actions n'hériteront pas du royaume des cieux [h] [12]. » Une autre fois, il dit de façon plus générale : « Les hommes injustes n'hériteront point du royaume de Dieu [i] », et en d'autres endroits il s'exprime de façon semblable.

Quant à notre Seigneur Jésus-Christ, il a fait connaître ainsi sa pensée, dans l'évangile selon Luc : « Quiconque met la main à la charrue et se retourne en arrière est impropre au royaume de Dieu [j]. » Or il faut nécessairement faire ici une observation. Ce n'est pas à des fautes, ni à des actions nombreuses, mais à une seule que s'applique son infaillible et si redoutable jugement, et cela, même si, étant de celles qui sont permises, cette action n'entraîne qu'un simple retard et encore léger à l'obéissance sans excuse, très rapide et inébranlable due nécessairement au Maître pour beaucoup de raisons [13].

Ainsi, toutes ces paroles et celles qui leur sont semblables nous enseignent qu'il faut remplir entièrement et selon les règles [14] toutes les conditions auxquel-

13. Cf. *supra*, 1521 a.

14. Deux notions que Basile associe volontiers. Dans le prologue des *Grandes Règles* (*Rf* 892 c), il explique que combattre selon les règles, c'est agir selon les commandements donnés, sans en omettre le moindre.

ἡ ἐπαγγελία τῆς βασιλείας τῶν οὐρανῶν ἐπήγγελται καὶ ὧν ἄνευ ἡ τῆς βασιλείας ἀπαγορεύεται χάρις, καὶ
40 φυλαξάμενον ἀπὸ πάντων δι' ἃ οὐδεὶς βασιλείαν οὐρανῶν κληρονομεῖ, οὕτω προσδοκᾶν καταξιοῦσθαι τῆς ἐπαγγε-
1532 λίας. Δεῖ γὰρ τὸν | ἀγῶνα τῆς πρὸς Θεὸν εὐαρεστήσεως οὐ μόνον κακίας πάσης ἀπηλλάχθαι, ἀλλὰ καὶ ἀλώβητον εἶναι καὶ ἄμωμον ἐν παντὶ ῥήματι Θεοῦ, Παύλου τοῦ
45 ἀποστόλου, μετὰ τὴν θεωρίαν τῆς μεγάλης καὶ ἀνεκδιηγήτου εἰς ἡμᾶς ἀγάπης τοῦ Θεοῦ καὶ τοῦ Χριστοῦ αὐτοῦ ὑπὲρ τῆς ἡμετέρας δικαιοσύνης τε καὶ σωτηρίας, ἐπαγαγόντος· « Μηδεμίαν ἐν μηδενὶ διδόντες προσκοπήν, ἵνα μὴ μωμηθῇ ἡ διακονία ἡμῶν, ἀλλ' ἐν παντὶ
50 συνιστῶντες ἑαυτοὺς ὡς Θεοῦ διάκονοι[k]. »

4 Ὥσπερ γὰρ ὁ πτωχὸς τῷ πνεύματι, ἐὰν μὴ γεννηθῇ ἐξ ὕδατος καὶ Πνεύματος, οὐ δύναται εἰσελθεῖν εἰς τὴν βασιλείαν τῶν οὐρανῶν[a] διὰ τὴν ἀπόφασιν, οὕτως πάλιν ἐὰν μὴ περισσεύσῃ ἡ δικαιοσύνη πλέον τῶν γραμματέων
5 καὶ φαρισαίων[b], ἢ ἄλλο τι τῶν τοιούτων ἐλλειφθῇ, διὰ
b τὴν ὁμοίαν ἀπόφασιν | οὐ καταξιοῦται τῆς βασιλείας. Γέγραπται γάρ· « Ἵνα παραστήσῃ αὐτὸς ἑαυτῷ ἔνδοξον τὴν Ἐκκλησίαν, μὴ ἔχουσαν σπῖλον ἢ ῥυτίδα ἤ τι τῶν τοιούτων, ἀλλ' ἵνα ᾖ ἁγία καὶ ἄμωμος[c] », καὶ πολλὰ
10 τοιαῦτα. Ἅπερ σπουδαιότερόν τις ἀναγνούς, σφοδρότερον βεβαιοῦται ὅτι χρὴ πάντα πληρῶσαι ἵνα βασιλείας οὐρανῶν καταξιωθῇ.

Ὅτι δὲ ὁ τῇ δικαιοσύνῃ περισσεύων ἢ γεννηθεὶς ἄνωθεν πάντων ὁμοῦ τῶν κατορθωμάτων ἐφ' ὧν τε οἱ
15 μακαρισμοὶ κεῖνται καὶ τῶν λοιπῶν τὴν τελείωσιν ἐπλήρωσε, καὶ ἐργάτης εἶναι τούτων καὶ τῶν τοιούτων

k. II Cor. 6, 3-4.

4 a. Cf. Matth. 5, 3 + Cf. Jn 3, 5 || b. Cf. Matth. 5, 20 || c. Éphés. 5, 27.

15. « Dieu et son Christ » : expression familière à Basile (cf. *Mor* 708 c ; *De Sp Sanct* 197 a ; etc.).

les est liée la promesse du royaume des cieux, et dont le non-respect fait refuser la grâce de ce royaume, et qu'il faut prendre soin d'éviter tout ce qui empêche d'en hériter. Alors on peut espérer être jugé digne de la promesse. Car le combat qu'on livre en vue de plaire à Dieu ne doit pas seulement être exempt de toute malice ; il doit être aussi sans défaut et sans reproche par rapport à toute parole de Dieu. L'apôtre Paul, en effet, après avoir considéré le grand et indescriptible amour que Dieu et son Christ[15] nous ont manifesté pour nous justifier et nous sauver, a déclaré ensuite : « Ne donnons en rien aucun motif de scandale, de peur que notre ministère ne soit décrié et affirmons-nous en tout comme des ministres de Dieu[k]. »

4 De même en effet que le pauvre en esprit, s'il ne naît pas de l'eau et de l'Esprit ne peut, à cause de la sentence, entrer dans le royaume des cieux[a], de même encore, si sa justice ne dépasse pas celle des scribes et des pharisiens[b], ou s'il ne remplit pas quelque autre des conditions susdites, il est, à cause de la sentence, pareille dans tous les cas, jugé indigne du royaume. Il est écrit, en effet, que le Christ voulait « faire paraître devant lui son Église toute glorieuse, n'ayant ni tache ni ride ni rien de tel, mais sainte et irréprochable[c] », et l'Écriture renferme beaucoup de paroles de ce genre ; plus attentivement on les lit, plus fortement on se persuade qu'il faut remplir toutes les conditions pour être jugé digne du royaume des cieux.

Mais que celui qui abonde en justice ou qui est né d'en haut ait réalisé à la perfection toutes les bonnes actions[16] à la fois, celles sur lesquelles reposent les béatitudes ainsi que toutes les autres, et qu'il soit reconnu comme l'auteur de ces actions et des actions du

16. Cf. *supra*, p. 94, n. 16.

ὡμολόγηται, ὁ λόγος ὁ περὶ τοῦ ἄνωθεν γεννηθῆναι μικρὸν ὕστερον ἀποδείξει Θεοῦ χάριτι.

Ἐπειδὴ δέ, ὡς προείρηται, τὸ ἐπίταγμα τῆς ὑμετέρας
20 εὐλαβείας τὸν λόγον τοῦ κατὰ τὸ Εὐαγγέλιον θαυμασιω-
c τάτου βαπτίσμα|τος ἐπεζήτησε παρ' ἡμῶν, πρὸς τοῖς προειρημένοις περὶ τῆς βασιλείας τῶν οὐρανῶν ἀκόλουθον εἶναι λογίζομαι καταμαθεῖν ἡμᾶς ἐν βραχεῖ καὶ τὴν διαφορὰν τοῦ κατὰ Μωϋσέα βαπτίσματος πρὸς τὸ
25 Ἰωάννου, καὶ τότε χάριτι Θεοῦ ἀξίους γενέσθαι κατανοῆσαι τὸ ἐν τῷ βαπτίσματι τοῦ Κυρίου ἡμῶν Ἰησοῦ Χριστοῦ περιέχον θαῦμα ἐν ἀσυγκρίτῳ ὑπερβολῇ τῆς δόξης. « Μεῖζον γὰρ τοῦ ἱεροῦ [d] » ἀπεφήνατο εἶναι ὁ μονογενὴς Υἱὸς τοῦ Θεοῦ τοῦ ζῶντος, καὶ « μεῖζον τοῦ
30 Σολομῶντος ὧδε [e] », καὶ « μεῖζον τοῦ Ἰωνᾶ ὧδε [f] ». Καὶ ὁ Ἀπόστολος, προδιηγήσαμενος τὴν τοῦ Μωϋσέως ἐν τῇ διακονίᾳ τοῦ νόμου τοῖς Ἰουδαίοις ἀπρόσιτον δόξαν [g], διαμαρτύρεται ἐπαγαγών· « Καὶ γὰρ οὐ δεδόξασται τὸ
d δεδοξασμένον ἐν | τούτῳ τῷ μέρει, ἕνεκεν τῆς ὑπερβαλ-
35 λούσης δόξης [h]. » Καὶ Ἰωάννης ὁ βαπτιστής, οὗ μείζων ἐν γεννητοῖς γυναικῶν οὐδείς [i], μαρτυρεῖ λέγων ποτὲ μέν· « Ἐκεῖνον δεῖ αὐξάνειν, ἐμὲ δὲ ἐλαττοῦσθαι [j] », ποτὲ δέ· « Ἐγὼ μὲν ὑμᾶς βαπτίζω ἐν ὕδατι εἰς μετάνοιαν, ἐκεῖνος δὲ ὑμᾶς βαπτίσει ἐν Πνεύματι ἁγίῳ καὶ πυρί [k] », καὶ
40 πολλὰ τοιαῦτα. Ὅσον δὲ διαφέρει τὸ Πνεῦμα τὸ ἅγιον τοῦ ὕδατος, τοσοῦτον ὑπερέχει δηλονότι ὅ τε βαπτίζων ἐν
1533 Πνεύματι ἁγίῳ τοῦ βαπτίζοντος ἐν | ὕδατι, καὶ αὐτὸ τὸ βάπτισμα· ὥστε αὐτὸν τὸν Ἰωάννην, τὸν τοσοῦτον καὶ

d. Matth. 12, 6 || e. Matth. 12, 42 || f. Matth. 12, 41 || g. Cf. II Cor. 3, 7 || h. II Cor. 3,10 || i. Cf. Matth. 11, 11 || j. Jn 3, 30 || k Matth. 3, 11.

---

17. S. Paul établit ici la supériorité éminente de l'Évangile sur la Loi. La gloire qui enveloppa le visage de Moïse descendant du mont Sinaï où il avait reçu les tables de la Loi n'est rien, comparée à la gloire suréminente attachée au ministère de l'esprit représenté par Jésus-Christ.

18. L'effusion de l'Esprit-Saint qui fait l'originalité du baptême

même genre, mon discours sur la nouvelle naissance le montrera bientôt avec la grâce de Dieu.

Supériorité du baptême de Jésus-Christ sur celui de Moïse et sur celui de Jean

Puisque votre piété, comme nous l'avons dit précédemment, nous a demandé et nous a donné l'ordre de vous expliquer le très admirable baptême selon l'Évangile, je pense qu'il est logique après ce que nous venons de dire sur le royaume des cieux, d'étudier aussi de façon rapide la différence entre le baptême selon Moïse et le baptême de Jean. Alors, avec la grâce de Dieu, on devient digne de comprendre la merveille du baptême de notre Seigneur Jésus-Christ qui les dépasse l'un et l'autre, dans l'incomparable supériorité de sa gloire. Plus grand en effet que le temple [d], s'est déclaré le Fils Monogène du Dieu vivant, et il a ajouté : « Il y a ici plus grand que Salomon [e] », et « Il y a ici plus grand que Jonas [f]. » Et l'Apôtre, après avoir décrit la gloire qui enveloppa Moïse tandis qu'il accomplissait le ministère de la Loi, gloire qui le rendit inabordable aux Juifs [g], ajoute cette protestation solennelle : « Non, ce qui a été glorifié en ce premier ministère n'est pas gloire à côté de la gloire suréminente [h] [17]. » Jean-Baptiste, le plus grand parmi les enfants des femmes [i], apporte aussi son témoignage en disant, tantôt : « Il faut que celui-là croisse et que moi je diminue [j] », tantôt : « Moi je vous baptise dans l'eau pour la conversion, mais lui vous baptisera dans l'Esprit-Saint et dans le feu [k] », et plus d'une parole de ce genre. Or, autant l'Esprit-Saint diffère de l'eau, autant évidemment celui qui baptise dans l'Esprit-Saint surpasse celui qui baptise dans l'eau, et cette remarque vaut pour le baptême lui-même [18], de sorte que Jean,

chrétien le rend infiniment supérieur à celui de Moïse et à celui de Jean.

τοιοῦτον καὶ οὕτως μαρτυρηθέντα ὑπὸ τοῦ Κυρίου,
45 ἀνεπαισχύντως προειπεῖν ὅτι « Οὐκ εἰμὶ ἱκανὸς λῦσαι τὸν ἱμάντα τοῦ ὑποδήματος[1] ». **5** Ὡς ἐκ πάντων φανερὸν εἶναι τὴν ὑπερβολὴν τοῦ κατὰ τὸ εὐαγγέλιον τοῦ Χριστοῦ βαπτίσματος· ἣν εἰ καὶ πρὸς ἀξίαν κατανοῆσαι ἀδύνατον, κατὰ δύναμιν γοῦν, καὶ ταύτην ὡς ἂν ὁ Θεὸς ἱκανώσῃ[a],
5 ἐξ αὐτῶν τῶν γεγραμμένων εἰπεῖν εὐσεβὲς καὶ ὠφέλιμον.

Τὸ μὲν οὖν διὰ Μωϋσέως παραδοθὲν βάπτισμα πρῶτον μὲν ἐπεγίνωσκε διαφορὰν ἁμαρτημάτων· οὐ γὰρ πάντα τὰ ἁμαρτήματα εἶχε τὴν χάριν τῆς ἀφέσεως· ἔπειτα θυσίας ἐπεζήτει διαφόρους, ἠκριβολογεῖτο περὶ ἁγνισμοῦ,
b 10 ἀφώριζεν ἕως καιροῦ | τὸν ἐν ἀκαθαρσίᾳ καὶ μολυσμῷ, παρατήρησιν ἐποιεῖτο ἡμερῶν καὶ ὡρῶν, καὶ τότε τὸ βάπτισμα παρελαμβάνετο ἐφ᾽ ὧν παρελαμβάνετο, ὥσπερ ἐπισφράγισμα τοῦ καθαρισμοῦ.

Τὸ δὲ Ἰωάννου βάπτισμα πολυπλάσιον εἶχε τὸ πλέον.
15 Οὐδεμίαν γὰρ ἐποιεῖτο διάκρισιν ἁμαρτημάτων, οὐ διαφορὰν ἐπεζήτει θυσιῶν, οὐκ ἀκρίβειαν ἐποιεῖτο ἁγνισμοῦ, οὐ παρατήρησιν εἶχεν ἡμερῶν ἢ ὡρῶν. Καὶ κατ᾽ οὐδὲν εἰς μηδὲν ἀναβολῆς γενομένης ἐπὶ τῇ χάριτι τοῦ Θεοῦ καὶ τοῦ Χριστοῦ αὐτοῦ, ἅμα τε προσῆλθέ τις
20 ἐξομολογούμενος τὰς ἁμαρτίας, ὅσας δήποτ᾽ οὖν καὶ οἵας δήποτ᾽ οὖν, ἐβαπτίζετο ἐν τῷ Ἰορδάνῃ ποταμῷ καὶ εὐθὺς ἐλάμβανε τὴν ἄφεσιν τῶν ἁμαρτημάτων.

Τὸ δὲ τοῦ Κυρίου βάπτισμα λόγον μὲν ἔχει κρείττονα

1. Lc 3, 16.
5 a. Cf. II Cor. 3, 6.

---

19. C'est au baptiseur qu'il incombe de délier les sandales du candidat au baptême, qui doit se présenter pieds nus. La déclaration de Jean-Baptiste signifie donc : « Je ne suis pas digne de le baptiser. » Cf. J. Daniélou, *Platonisme et théologie mystique*, Paris 1944, p. 28.

20. Deux mots grecs dans ce passage évoquent la pureté : ἁγνισμός et καθαρισμός. Le premier implique le respect du sacré,

pour en revenir à lui, cet homme d'une telle grandeur, d'un tel caractère, sur qui le Seigneur a donné un tel témoignage, avait pu dire précédemment sans honte : « Je ne suis pas digne de délier la courroie de sa chaussure[1] [19]. » 5 Tout montre donc la supériorité du baptême selon l'évangile du Christ. Et quoiqu'il nous soit impossible de l'estimer à sa juste valeur, il est cependant pieux et utile que, selon nos possibilités, c'est-à-dire dans la mesure où Dieu nous en rendra capables[a], nous en parlions d'après les Écritures elles-mêmes.

Eh bien donc, le baptême qui nous a été transmis par Moïse reconnaissait d'abord une différence entre les fautes, car toutes ne comportaient pas la grâce du pardon. Ensuite, il exigeait des sacrifices différents. Il était rigoureux sur l'observation des rites. Il excluait jusqu'au temps favorable celui qui était en état d'impureté et de souillure, il imposait l'observation constante de jours et d'heures. Et alors ceux qui recevaient le baptême le recevaient comme le sceau de leur purification[20].

Le baptême de Jean était à bien des égards supérieur. Il ne faisait en effet aucune distinction entre les fautes, il n'exigeait pas une diversité de sacrifices, il ne regardait pas rigoureusement au respect des rites, il ne comportait pas une observation constante de jours ou d'heures et sans que rien, en aucune façon, ne vienne retarder la grâce de Dieu et de son Christ, la personne ne s'était pas plus tôt présentée confessant ses péchés, si nombreux et si graves qu'ils fussent, qu'elle était baptisée dans le fleuve du Jourdain et recevait aussitôt le pardon de ses fautes.

Mais le baptême du Seigneur a plus de valeur que

lié à l'observation des rites, le second moins large désigne la simple purification. Le « baptême » vétéro-testamentaire est bien une purification rituelle.

παντὸς ἀνθρωπίνου, δόξαν δὲ ἀνωτέραν πάσης ἐπιθυμίας
c 25 καὶ εὐχῆς ἀνθρωπίνης, ὑπερβο|λὴν δὲ χάριτος καὶ δυνάμεως πλείονα ἢ ὅσον ἥλιος ἀστέρων. Μᾶλλον δὲ τὰ μνημονευθέντα τῶν ἁγίων ῥήματα σφοδρότερον παρίστησι τὴν ἀσύγκριτον ὑπεροχήν. Ἀλλ' οὐ διὰ τοῦτο σιωπῆσαι χρή, αὐτοῖς δὲ τοῖς ῥητοῖς τοῦ Κυρίου ἡμῶν
30 Ἰησοῦ Χριστοῦ ὁδηγοῖς χρώμενοι, καὶ ὥσπερ δι' ἐσόπτρου ἐν αἰνίγματι [b] ὁδηγούμενοι, εἰπεῖν ἀναγκαῖον, οὐχ ἵνα τῇ ἡμετέρᾳ ἑρμηνείᾳ ἐν ἀσθενείᾳ σώματος καὶ λόγῳ ἐξουθενημένῳ [c] σμικρυνθῇ ἡ δόξα, ἀλλ' ἵνα καὶ ἐν τούτῳ θαυμαστωθῇ τὸ μέγεθος τῆς μακροθυμίας καὶ τῆς
35 φιλανθρωπίας τοῦ ἀγαθοῦ Θεοῦ, ὅτι ἀνέχεται ψελλιζόντων τὰ μεγαλεῖα τῆς ἐν Χριστῷ Ἰησοῦ ἀγάπης καὶ χάριτος αὐτοῦ.

6 Εἰπὼν τοίνυν ὁ Κύριος ἡμῶν Ἰησοῦς Χριστός·|
d « Ἐὰν μή τις γεννηθῇ ἄνωθεν οὐ δύναται ἰδεῖν τὴν βασιλείαν τοῦ Θεοῦ [a] », καὶ πάλιν· « Ἐὰν μή τις γεννηθῇ ἐξ ὕδατος καὶ Πνεύματος οὐ δύναται εἰσελθεῖν εἰς τὴν
5 βασιλείαν τοῦ Θεοῦ [b] », μετὰ δὲ τὴν ἐκ νεκρῶν ἀνάστασιν, πληρουμένης εἰς αὐτὸν τῆς διὰ τοῦ Δαβὶδ ἐκ προσώπου τοῦ Θεοῦ καὶ Πατρὸς προφητείας εἰπόντος· « Υἱός μου εἶ σύ, ἐγὼ σήμερον γεγέννηκά σε· αἴτησαι
1536 παρ' ἐμοῦ, καὶ δώσω σοι ἔθνη | τὴν κληρονομίαν σου, καὶ

b. Cf. I Cor. 13, 12 || c. Cf. II Cor. 10, 10.
6 a. Jn 3, 3 || b. Jn 3, 5.

---

21. Au nombre de ces « saints », il est permis de ranger Origène, qui a montré à plusieurs reprises (*Exegetica in Ps. 50* [*PG* 12, 1456 b]; *Comm. in ep. ad Rom.* 5, 8 [*PG* 14, 1039 c]) la supériorité du baptême de Jésus-Christ sur celui de Jean et sur les ablutions vétéro-testamentaires. La hiérarchie des trois baptêmes présentée par Basile est conforme à l'ensemble de la tradition théologique.

22. Le baptême chrétien est une réalité si haute qu'on risque de ne pas trouver de mots pour en rendre compte dignement. Faut-il

toute chose humaine. Il s'élève en gloire au-dessus de tout ce que l'homme peut désirer et souhaiter. Sous le rapport de la grâce et de la puissance, il a une supériorité qui dépasse celle du soleil sur les étoiles. Qu'on se rappelle plutôt les paroles des saints : elles présentent avec plus de force cette prééminence incomparable [21]. Eh bien ! ce n'est pas une raison pour nous taire [22], mais prenant pour guides les mots mêmes de notre Seigneur Jésus-Christ et nous laissant guider par eux comme au travers d'un miroir et en énigme [b], nous devons parler, non pour rapetisser cette gloire, par nos explications données avec notre corps chétif et notre parole méprisée [c] [23], mais pour faire admirer sur ce point aussi la grandeur de la longanimité et de la philanthropie du Dieu de bonté, qui supporte nos balbutiements quand nous disons les magnificences de son amour et de sa grâce dans le Christ Jésus.

Le baptême de Jésus-Christ

6 Notre Seigneur Jésus-Christ a donc dit : « Si quelqu'un ne naît pas d'en haut, il ne peut voir le royaume de Dieu [a] », et il a ajouté : « Si quelqu'un ne naît pas de l'eau et de l'Esprit, il ne peut entrer dans le royaume de Dieu [b]. » D'autre part, après sa résurrection d'entre les morts, comme s'accomplissait pour lui cette prophétie faite par David de la part de Dieu le Père : « Toi, tu es mon fils, moi, aujourd'hui je t'ai engendré ; demande-moi et je te donnerai les nations pour ton héritage et tu

se contenter de l'honorer en silence selon le conseil donné dans le traité *Sur le Saint-Esprit* (149 a) pour les choses indicibles ? Mais nous avons aussi le devoir de louer Dieu et donc de chercher dans la mesure de nos moyens à exprimer par la parole les mystères divins. Basile souvent partagé entre ces deux attitudes opte généralement pour la seconde (cf. *hom. de fide* 1, *PG* 31, 464 b - 465 c).

23. Cf. Introd., p. 45.

10 τὴν κατάσχεσίν σου τὰ πέρατα τῆς γῆς[c] », ὅπερ καὶ γέγονε καὶ ἔστιν ἐν ὀφθαλμοῖς πάντων, λοιπὸν τοῖς ἑαυτοῦ μαθηταῖς, ὥσπερ ἀντιδιαστελλόμενος τῇ πρώτῃ ἐντολῇ κωλυούσῃ εἰς ὁδὸν ἐθνῶν ἀπελθεῖν[d], ἐντέλλεται εἰπών· « Πορευθέντες μαθητεύσατε πάντα τὰ ἔθνη, 15 βαπτίζοντες αὐτοὺς εἰς τὸ ὄνομα τοῦ Πατρὸς καὶ τοῦ Υἱοῦ καὶ τοῦ ἁγίου Πνεύματος[e]. »

Ἀναγκαῖον δὲ εἶναι λογίζομαι ἑκάστου ῥητοῦ τὴν δύναμιν διὰ τῆς πίστεως συνιέναι τε καὶ κατανοῆσαι, καὶ εἰπεῖν καθόσον ἂν κατ' εὐχὰς κοινὰς δοθῇ ἡμῖν λόγος ἐν 20 ἀνοίξει τοῦ στόματος ἡμῶν[f]. Γέγραπται γὰρ ὅτι « Ἐὰν μὴ πιστεύσητε, οὐδὲ μὴ συνῆτε[g] », καὶ πάλιν « Ἐπίστευσα, δι' ὃ καὶ ἐλάλησα[h] ».

Ἐπειδὴ δὲ τῶν τε ὀνομάτων καὶ τῶν ῥημάτων καὶ τῶν b πραγμάτων | ἐν τῇ συνηθείᾳ οὐχ ἁπλῶς καὶ ὡς ἔτυχε 25 κατὰ τὸ συμβὰν τὴν χρῆσιν παραλαμβάνεσθαι δοκῶ ἐν τῇ θεοπνεύστῳ Γραφῇ παρά τε Θεοῦ καὶ τοῦ Χριστοῦ αὐτοῦ καὶ τῶν ἁγίων προφητῶν τε καὶ εὐαγγελιστῶν καὶ ἀποστόλων, ἀλλὰ δεδοκιμασμένως ἐν ἁγίῳ Πνεύματι πρὸς τὸν σκοπὸν τῆς εὐσεβοῦς φρονήσεως, καὶ τούτων 30 οὐκ ἐξ ὁλοκλήρων, ἐν μέρει δὲ καὶ καθόσον ἂν ἕκαστον συμβάλληται μὲν τῷ προκειμένῳ ὑγιεῖ λόγῳ, φρονεῖν τε εὐσεβῶς ὁδηγῇ τὸν νοῦν εἰς κατανόησιν τῶν τε κριμάτων καὶ δογμάτων τῆς εὐσεβείας, ἀναγκαῖον καὶ ἡμᾶς ἐξητασμένως καὶ ἐπιτετηρημένως προσέχειν ἑκάστῳ ῥητῷ, καὶ

c. Ps. 2, 7 || d. Cf. Matth. 10, 5 || e. Matth. 28, 19 || f. Cf. Éphés. 6, 19 || g. Is. 7, 9 || h. Ps. 115, 1.

---

24. Allusion à la diffusion universelle du christianisme favorisée par l'édit de Milan en 313 (cf. *De jejun* II, 185 c).

25. Basile n'examine pas immédiatement et dans leur totalité les 3 paroles de Jésus qu'il vient de citer, comme il semble l'annoncer. Mais il en commente, avec de nombreux détours, quelques expressions essentielles. Cf. Introd., p. 15 et n. 8.

possèderas les extrémités de la terre [c] » — promesse devenue réalité, visible à tous les yeux [24] —, alors donc, s'adressant à ses disciples et contrecarrant en quelque sorte son premier commandement qui interdisait de prendre le chemin des païens [d], il leur donne l'ordre suivant : « Allez, faites disciples tous les peuples, baptisez-les au nom du Père, du Fils et du Saint-Esprit [e]. »

Je pense qu'il faut avec le secours de la foi comprendre la valeur de chacune de ces paroles et s'en pénétrer, puis la dire [25], dans la mesure où, en réponse aux prières de tous, il nous sera donné d'ouvrir la bouche et de parler [f] [26]. Il est écrit en effet : « Si vous ne croyez pas, il n'y a pas de danger non plus que vous compreniez [g] », et aussi : « J'ai cru et voilà pourquoi j'ai parlé [h]. »

Mais, en ce qui concerne les mots et expressions ainsi que les faits de l'usage courant, qu'ils soient de Dieu et de son Christ, des saints prophètes et évangélistes, des apôtres, l'Écriture divinement inspirée les utilise, à mon avis, non pas tout bonnement, ni au hasard, comme ils viennent, mais d'une façon sanctionnée par l'Esprit-Saint, en vue de la piété ; au surplus, elle les utilise non dans la totalité de leur sens, mais avec une partie seulement [27], et dans la mesure où chacun, contribuant à la saine doctrine proposée, conduit l'âme à de pieuses dispositions, afin qu'elle se pénètre des lois et des dogmes de la piété. Il est donc nécessaire que nous-mêmes nous examinions avec une attention vigilante chaque passage que nous citons et que nous en

26. Expression paulinienne inspirée de l'A.T. C'est Dieu qui ouvre la bouche de son prophète.

27. Basile explique cet usage de l'Écriture dans la *Profession de foi* (*De fid* 684 b) en prenant comme exemples les mots « père » et « constructeur » : le premier implique pour nous passion, sperme, ignorance, faiblesse, etc., le second, temps, matériaux, outils, aides ; or l'Écriture les débarrasse de toutes ces notions quand elle les applique à Dieu.

35 κατὰ σκοπὸν τῆς ἄνω κλήσεως ἐκλέγεσθαι τὴν διάνοιαν. Καὶ τοῦτο ποιοῦμεν ἐὰν κατ' εὐχὰς κοινὰς ἐνδυναμώσῃ ἡμᾶς Χριστὸς Ἰησοῦς, ὁ μονογενὴς Υἱὸς τοῦ Θεοῦ τοῦ ζῶντος, ἵνα γένηται καὶ ἐν ἡμῖν καθῶς εἶπεν ὁ Ἀπόστολος· « Πάντα ἰσχύω ἐν τῷ ἐνδυναμοῦντί με Χριστῷ[i]. »

c | **7** Τὸ μὲν οὖν « ἄνωθεν[a] » εἰπεῖν δηλοῦν δοκῶ τὴν ἐπανόρθωσιν τῆς προλαβούσης ἐν ῥυπαρίᾳ τῶν ἁμαρτημάτων γενέσεως, τοῦ μὲν Ἰὼϐ εἰπόντος· « Οὐδεὶς καθαρὸς ἀπὸ ῥύπου, οὐδ' ἂν μία ἡμέρα ὁ βίος αὐτοῦ[b] »,
5 καὶ τοῦ Δαϐὶδ ὀδυρομένου ὅτι « Ἐν ἀνομίαις συνελήφθην καὶ ἐν ἁμαρτίαις ἐκίσσησέ με ἡ μήτηρ μου[c] », τοῦ δὲ Ἀποστόλου διαμαρτυρομένου ὅτι « Πάντες ἥμαρτον καὶ ὑστεροῦνται τῆς δόξης τοῦ Θεοῦ, δικαιούμενοι δωρεὰν τῇ αὐτοῦ χάριτι διὰ τῆς ἀπολυτρώσεως τῆς ἐν Χριστῷ
10 Ἰησοῦ, ὃν προέθετο ὁ Θεὸς ἱλαστήριον διὰ πίστεως ἐν τῷ αὐτοῦ αἵματι[d]. » Δι' οὗ καὶ ἡ ἄφεσις τῶν ἁμαρτημάτων δίδοται τοῖς πιστεύουσι, αὐτοῦ τοῦ Κυρίου εἰπόντος· « Τοῦτό ἐστι τὸ αἷμά μου τὸ τῆς καινῆς διαθήκης, τὸ
d περὶ πολλῶν ἐκχυννόμενον εἰς | ἄφεσιν ἁμαρτιῶν[e]. »
15 Καθὼς μαρτυρεῖ πάλιν ὁ Απόστολος λέγων· « Κατὰ τὴν
1537 εὐδοκίαν τοῦ θελήματος | αὐτοῦ, εἰς ἔπαινον δόξης τῆς χάριτος αὐτοῦ, ἐν ᾗ ἐχαρίτωσεν ἡμᾶς ἐν τῷ ἠγαπημένῳ, ἐν ᾧ ἔχομεν τὴν ἀπολύτρωσιν διὰ τοῦ αἵματος αὐτοῦ, τὴν ἄφεσιν τῶν παραπτωμάτων, κατὰ τὸν πλοῦτον τῆς
20 χάριτος αὐτοῦ ἧς ἐπερίσσευσεν εἰς ἡμᾶς[f]. »

Ἵνα ὥσπερ ἀνδριὰς συντριϐείς, συνθλασθείς τε καὶ ἀφανίσας τὴν ἔνδοξον μορφὴν τοῦ βασιλέως, ἄνωθεν μορφοῦται ὑπὸ τοῦ σοφοῦ τεχνίτου καὶ ἀγαθοῦ δημιουρ-

i. Phil. 4, 13.

7 a. Cf. Jn 3, 3 || b. Job 14, 4 || c. Ps. 50, 7 || d. Rom. 3, 23-25 || e. Matth. 26, 28 || f. Éphés. 1, 5-8.

---

28. Origène avait déjà rapproché *Job* 14, 4 et *Ps.* 50, 7 pour montrer que toute âme, étant née dans la chair, est souillée par le péché originel (*Hom. in Lev.* VIII, 3 ; *Comm. in ep. ad Rom.* 5, 9).

déterminions le sens en fonction de notre vocation céleste. Et ce devoir, nous le remplirons si, répondant aux prières communes, le Christ Jésus, Fils Monogène du Dieu vivant, nous en donne la force, afin que se réalise en nous aussi la parole de l'Apôtre : « Je peux tout dans le Christ qui me fortifie[i]. »

La nouvelle naissance

7 Venons-en donc à « naître d'en haut[a] ». Selon moi cette expression indique le redressement de la naissance précédente qui a eu lieu dans la souillure des fautes. Job, en effet, l'a dit : « Aucun homme n'est indemne de souillure, pas même si sa vie se réduisait à un seul jour[b]. » Et David se lamentait en disant : « Dans l'iniquité j'ai été conçu et dans les péchés ma mère m'a porté[c 28]. » L'Apôtre de son côté affirme solennellement : « Tous les hommes ont péché et sont privés de la gloire de Dieu, mais ils sont justifiés par un don gracieux de sa bienveillance, en vertu de la rédemption accomplie dans le Christ Jésus, que Dieu a établi d'avance comme victime propitiatoire expiant les péchés dans son sang, moyennant la foi[d]. » C'est encore par lui que le pardon des fautes est accordé à ceux qui croient, puisque le Seigneur lui-même a dit : « Ceci est mon sang, le sang de la nouvelle alliance versé pour la multitude en rémission des péchés[e]. » Et cette autre parole de l'Apôtre en témoigne aussi : « Selon le bon plaisir de sa volonté, Dieu, pour que nous exaltions sa gloire, nous a gratifiés de sa grâce dans le bien-aimé, en qui nous avons la rédemption par son sang, le pardon des transgressions selon la richesse de la grâce qu'il a répandue abondamment sur nous[f]. »

De même qu'une statue brisée réduite en morceaux, ayant perdu la forme glorieuse du roi, reprend forme entre les mains du sage artisan et habile ouvrier qui revendique la gloire de son propre ouvrage, et qu'elle

γοῦ ἀντιποιουμένου τῆς δόξης τοῦ ἰδίου πλάσματος, καὶ
25 εἰς τὴν ἀρχαίαν δόξαν ἀποκαθίσταται, οὕτως καὶ ἡμεῖς, παθόντες διὰ τὴν παρακοὴν τῆς ἐντολῆς τὸ γεγραμμένον· « Ἄνθρωπος ἐν τιμῇ ὢν οὐ συνῆκε, παρασυνεβλήθη τοῖς κτήνεσι τοῖς ἀνοήτοις καὶ ὡμοιώθη αὐτοῖς [g] », ἀνακληθῶμεν εἰς τὴν πρώτην δόξαν τῆς εἰκόνος τοῦ Θεοῦ.
b 30 « Κατ' εἰκόνα γάρ, φησί, | καὶ ὁμοίωσιν Θεοῦ ἐποίησεν ὁ Θεὸς τὸν ἄνθρωπον [h]. »

Πῶς δὲ τοῦτο γένηται Παῦλος ὁ ἀπόστολος ἐδίδαξεν εἰπών· « Χάρις τῷ Θεῷ, ὅτι ἦτε δοῦλοι τῆς ἁμαρτίας, ὑπηκούσατε δὲ ἐκ καρδίας εἰς ὃν παρεδόθητε τύπον
35 διδαχῆς [i] », ἵνα ὥσπερ ὁ κηρός, παραδιδόμενος τῷ τύπῳ τῆς γλυφῆς, μορφοῦται πρὸς ἀκρίβειαν τὴν ἐγκειμένην τῇ γλυφῇ μορφήν, οὕτω καὶ ἡμεῖς, παραδόντες ἑαυτοὺς τῷ τύπῳ τῆς κατὰ τὸ Εὐαγγέλιον διδασκαλίας, μορφωθῶμεν τὸν ἔσω ἄνθρωπον, πληροῦντες τὸ ὑπὸ τοῦ αὐτοῦ
40 εἰρημένον προστακτικῶς. Φησὶ γάρ· « Ἀπεκδυσάμενοι τὸν παλαιὸν ἄνθρωπον σὺν ταῖς πράξεσιν αὐτοῦ, καὶ ἐνδυσάμενοι τὸν νέον, τὸν ἀνακαινούμενον εἰς ἐπίγνωσιν κατ' εἰκόνα τοῦ κτίσαντος αὐτόν [j] », καὶ πολλὰ τοιαῦτα.

c | **8** Τοῦ μὲν ἐξ ὕδατος γεννηθῆναι [a] τὸν λόγον Παῦλος, ὁ ἐν Χριστῷ λαλῶν, δογματικῶς παραδίδωσι λέγων· « Ἢ ἀγνοεῖτε, ἀδελφοί, ὅτι ὅσοι ἐβαπτίσθημεν εἰς Χριστὸν Ἰησοῦν εἰς τὸν θάνατον αὐτοῦ ἐβαπτίσθημεν;
5 Συνετάφημεν οὖν αὐτῷ διὰ τοῦ βαπτίσματος εἰς τὸν θάνατον ἵνα, ὥσπερ ἠγέρθη Χριστὸς ἐκ νεκρῶν διὰ τῆς δόξης τοῦ Πατρός, οὕτω καὶ ἡμεῖς ἐν καινότητι ζωῆς περιπατήσωμεν. Εἰ γὰρ σύμφυτοι γεγόναμεν τῷ ὁμοιώματι τοῦ θανάτου αὐτοῦ, ἀλλὰ καὶ τῆς ἀναστάσεως

g. Ps. 48, 13 || h. Cf Gen. 1, 26 || i. Rom. 6, 17 || j. Col. 3, 9.
8 a. Cf. Jn 3, 5.

est restaurée dans sa gloire première, de même nous aussi, après avoir subi à cause de notre désobéissance au commandement ce qui est marqué dans l'Écriture — « L'homme qui était objet d'honneur n'a pas compris ; il a été comparé aux animaux sans raison et leur est devenu semblable [g] » —, il fallait que nous soyons rappelés à notre première gloire, celle de l'image de Dieu, car, dit l'Écriture, c'est à l'image et à la ressemblance de Dieu, que Dieu a fait l'homme [h].

Comment ce retour à l'image peut-il s'effectuer ? L'apôtre Paul nous l'a enseigné : « Grâces soient rendues à Dieu, a-t-il dit, vous qui étiez esclaves du péché, vous avez accepté du fond du cœur l'empreinte de l'enseignement à laquelle vous avez été confiés [i]. » Ainsi, comme la cire confiée à l'empreinte de la gravure prend exactement la forme incluse dans cette gravure, de même, nous aussi, en nous confiant à l'empreinte de l'enseignement évangélique nous y serons conformés dans notre être intérieur et nous accomplirons ce qui a été dit par le même apôtre sous forme impérative. Il déclare en effet : « Dépouillez-vous du vieil homme avec ses pratiques et revêtez l'homme nouveau, celui qui se renouvelle pour connaître à l'image de son créateur [j] », et il formule beaucoup de préceptes de cette sorte.

Naître de l'eau

8 Que signifie « naître de l'eau [a] » ? Paul qui parle dans le Christ nous l'enseigne en nous disant sur le mode doctrinal : « Ignorez-vous, frères, que nous tous qui avons été baptisés dans le Christ Jésus, c'est dans sa mort que nous avons été baptisés ? Nous avons donc été ensevelis avec lui par le baptême dans la mort, afin que, comme le Christ est ressuscité des morts par la gloire du Père, nous marchions de même nous aussi dans une vie nouvelle, car si nous sommes enracinés avec lui en lui ressemblant dans la mort, nous le serons aussi en lui ressemblant

10 ἐσόμεθα· τοῦτο γινώσκοντες, ὅτι ὁ παλαιὸς ἡμῶν ἄνθρωπος συνεσταυρώθη ἵνα καταργηθῇ τὸ σῶμα τῆς ἁμαρτίας, τοῦ μηκέτι δουλεύειν ἡμᾶς τῇ ἁμαρτίᾳ. Ὁ γὰρ ἀποθανὼν δεδικαίωται ἀπὸ τῆς ἁμαρτίας. Εἰ δὲ ἀπεθάνο-
d μεν σὺν Χριστῷ, πιστεύομεν ὅτι καὶ | συζήσομεν αὐτῷ·
15 εἰδότες ὅτι Χριστὸς ἐγερθεὶς ἐκ νεκρῶν οὐκέτι ἀποθνήσκει, θάνατος αὐτοῦ οὐκέτι κυριεύει. Ὃ γὰρ ἀπέθανεν, τῇ ἁμαρτίᾳ ἀπέθανεν ἐφάπαξ· ὃ δὲ ζῇ, ζῇ τῷ Θεῷ. Οὕτω καὶ ὑμεῖς λογίζεσθε ἑαυτοὺς νεκροὺς μὲν εἶναι τῇ ἁμαρτίᾳ, ζῶντας δὲ τῷ Θεῷ ἐν Χριστῷ
20 Ἰησοῦ [b]. » Ἐξ ὧν ἁπάντων καὶ ὁ λόγος τῆς ἄνωθεν γεννήσεως καθ' ὁμοιότητα θεωρεῖται.

1540 Ἀδύνατον δὲ ἦν ἄνωθεν γεννηθῆναι [c] | μὴ προλαβούσης χάριτος Θεοῦ, ὡς ἔκ τε τῶν προτεταγμένων καὶ τῶν ἐπιφερομένων περὶ τοῦ βαπτίσματος κεφαλαίων αὐτὸς ὁ
25 Ἀπόστολος δηλοῖ. Ἀρξάμενος γὰρ ἀπὸ τοῦ· « Συνίστησι δὲ τὴν ἑαυτοῦ ἀγάπην εἰς ἡμᾶς ὁ Θεὸς ὅτι, ἔτι ἁμαρτολῶν ὄντων ἡμῶν, Χριστὸς ὑπὲρ ἡμῶν ἀπέθανεν· πολλῷ οὖν μᾶλλον, δικαιωθέντες νῦν ἐν τῷ αἵματι αὐτοῦ, σωθησόμεθα δι' αὐτοῦ ἀπὸ τῆς ὀργῆς. Εἰ γὰρ ἐχθροὶ
30 ὄντες κατηλλάγημεν τῷ Θεῷ διὰ τοῦ θανάτου τοῦ Υἱοῦ αὐτοῦ, πολλῷ οὖν μᾶλλον καταλλαγέντες σωθησόμεθα ἐν τῇ ζωῇ αὐτοῦ [d]. » **9** Καὶ πολλὰ τοιαῦτα σαφῶς καὶ μεγαλοπρεπῶς παριστῶντα τὴν μεγάλην καὶ ἀνεκδιήγητον φιλανθρωπίαν τοῦ Θεοῦ ἐν τῇ δωρεᾷ τῆς ἀφέσεως τῶν ἁμαρτημάτων καὶ τῆς ἐξουσίας καὶ δυνάμεως
b 5 τῶν | εἰς δόξαν τοῦ Θεοῦ καὶ τοῦ Χριστοῦ αὐτοῦ κατορθουμένων ἐπ' ἐλπίδι ζωῆς αἰωνίου διὰ Ἰησοῦ Χριστοῦ τοῦ Κυρίου ἡμῶν, δι' οὗ « Ὥσπερ, φησί, δι' ἑνὸς παραπτώ-

b. Rom. 6, 3-10 || c. Cf. Jn 3, 3 || d. Rom. 5, 8-10.

---

29. Dans cette citation de *Rom.* 6, 3-12 destinée à expliquer « naître de l'eau », le mot « eau » ne figure pas, mais il est fortement présent à l'esprit de S. Paul qui envisage le baptême par immersion et dégage le sens spirituel des deux moments qui le constituent : la descente dans l'eau, puis la remontée.

dans la résurrection. Comprenons-le, notre vieil homme a été crucifié avec lui, afin d'annihiler notre corps de péché, pour que nous ne soyons plus asservis au péché, car celui qui est mort est quitte du péché. Mais si nous sommes morts avec le Christ, nous croyons que nous vivrons aussi avec lui : nous savons que le Christ une fois ressuscité des morts ne meurt plus, que la mort n'a plus de pouvoir sur lui ; sa mort, en effet, fut une mort au péché une fois pour toutes, mais sa vie, c'est une vie pour Dieu. De même, vous aussi, considérez que vous êtes morts au péché, mais vivants pour Dieu dans le Christ Jésus[b] [29]. » Toutes ces paroles font voir par ressemblance ce que signifie précisément la naissance d'en haut.

Nécessité de la grâce prévenante

Mais, il était impossible de « naître d'en haut[c] » sans la grâce prévenante de Dieu, comme lui-même, l'Apôtre, le montre par ses premières déclarations et par les chapitres qu'il ajoute sur le baptême. Il a commencé en effet par dire : « Dieu prouve son amour à notre égard par le fait que le Christ, alors que nous étions encore pécheurs, est mort pour nous. A plus forte raison donc, maintenant que nous avons été justifiés dans son sang, serons-nous préservés par lui de la colère. Ennemis, nous avons été réconciliés avec Dieu par la mort de son fils ; à plus forte raison, une fois réconciliés, serons-nous sauvés par sa vie[d]. »
9 Et il exprime plusieurs pensées de cette sorte : celles-ci présentent clairement et magnifiquement la grandeur ineffable de la philanthropie divine, qui nous accorde le pardon des fautes ainsi que le pouvoir et la force des actions droites accomplies pour la gloire de Dieu et de son Christ dans l'espoir de la vie éternelle, par l'intermédiaire de Jésus-Christ notre Seigneur — médiation à propos de laquelle il affirme : « De même que la

ματος εἰς πάντας ἀνθρώπους εἰς κατάκριμα, οὕτω καὶ δι' ἑνὸς δικαιώματος εἰς πάντας ἀνθρώπους εἰς δικαίωσιν 10 ζωῆς[a] »· καὶ τὰ ἐφεξῆς δογματικῶς ἐκθέμενος, τότε λέγει· « Ἢ ἀγνοεῖτε, ἀδελφοί, ὅτι ὅσοι ἐβαπτίσθημεν εἰς Χριστὸν Ἰησοῦν εἰς τὸν θάνατον αὐτοῦ ἐβαπτίσθημεν[b] ; ».

Διὰ τί ; Ἵνα τῆς χάριτος προλαβούσης, τὰ παρ' ἡμῶν 15 ὀφειλόμενα καὶ κατὰ πίστιν δι' ἀγάπης ἐνεργούμενα συνεισενεγκώμεθα, καὶ οὕτω τελειωθῇ εἰς ἡμᾶς ἡ εὐδοκία τοῦ Θεοῦ τῆς ἐν Χριστῷ ἀγάπης[c]. Καὶ ἀγῶνος οὖν χρεία μεγάλου, καὶ τούτου νομίμου, ἵνα τὴν τοιαύτην καὶ c τοσαύτην χάριν τῆς ἐν Χριστῷ | ἀγάπης τοῦ Θεοῦ μὴ εἰς 20 κενὸν δεξώμεθα, τοῦ αὐτοῦ ἀποστόλου λέγοντος· « Τὸν γὰρ μὴ γνόντα ἁμαρτίαν, ὑπὲρ ἡμῶν ἁμαρτίαν ἐποίησεν, ἵνα ἡμεῖς γενώμεθα δικαιοσύνη Θεοῦ ἐν αὐτῷ. Συνεργοῦντες δὲ καὶ παρακαλοῦμεν μὴ εἰς κενὸν τὴν χάριν τοῦ Θεοῦ δέξασθαι ὑμᾶς[d]. » Ὅτι δὲ « Ὧι παρέθεντο πολύ, 25 περισσότερον ἀπαιτήσουσιν αὐτον[e] », ἐστηριγμένως ἀπεφήνατο ὁ Κύριος.

Ὅπερ γίνεται καὶ ἀνεγκλήτως, ἐὰν τά τε ἐπενεχθέντα τοῖς προειρημένοις καὶ τὰ εἰς τὴν αὐτὴν ὑπόθεσιν τοῦ βαπτίσματος συνημμένως εἰρημένα, ταῦτα ἀκριβῶς φυ- 30 λαχθῇ, καὶ τὰ τούτοις συναφθέντα, ἐν δυνάμει τῆς αὐτῆς χάριτος τοῦ Θεοῦ διὰ Ἰησοῦ Χριστοῦ τοῦ Κυρίου ἡμῶν ἐν Πνεύματι ἁγίῳ πιστῶς δεξώμεθα, ἵνα πιστεύσαντες d συνῶμεν[f] | χάριτι Θεοῦ, καὶ ἅπερ συνιέναι κατηξιώθημεν, ἐν ἀγάπῃ Χριστοῦ ποιήσωμεν, τοῦ εἰπόντος· « Εἰ ταῦτα 35 οἴδατε, μακάριοί ἐστε ἐὰν ποιῆτε αὐτά[g]. » « Σύνεσις γὰρ 1541 ἀγαθὴ πᾶσι τοῖς ποιοῦσιν αὐτά[h] », | μαρτυρεῖ ὁ

9 a. Rom. 5, 18 || b. Rom. 6. 3 || c. Cf. II Thess. 1, 11 || d. II Cor. 5, 21 + 6, 1 || e. Lc 12, 48 || f. Cf. Is. 7, 9 || g. Jn 13, 17 || h. Ps, 110, 10.

---

30. Procédé de la diatribe dont Basile se sert assez volontiers (cf. *Rf prooem* 896 c).

31. Formule trinitaire.

transgression d'un seul a entraîné sur tous les hommes une condamnation, de même l'œuvre de justice d'un seul procure à tous une justification qui donne la vie [a]. » Et après avoir exposé la suite sur le mode doctrinal, c'est alors qu'il déclare : « Ignorez-vous, frères, que nous tous qui avons été baptisés dans le Christ Jésus, c'est dans sa mort que nous avons été baptisés [b] ? »

Pourquoi ces paroles [30] ? Afin que prévenus par la grâce, nous apportions la contribution que nous devons, c'est-à-dire nos actes exécutés dans un esprit de foi et par amour, et qu'ainsi Dieu se complaise à porter jusqu'à la perfection son amour pour nous dans le Christ [c]. Il faut donc un grand combat — et soutenu selon les règles — pour ne pas recevoir en vain une telle, une si grande grâce, l'amour de Dieu dans le Christ. Le même apôtre dit en effet : « Celui qui n'avait pas connu le péché, Dieu l'a fait péché pour nous afin que nous devenions justice de Dieu en lui. Et puisque nous coopérons à son œuvre, nous vous exhortons aussi à ne pas recevoir en vain la grâce de Dieu [d]. » D'autre part, le Seigneur a déclaré fermement qu' « à celui auquel on aura confié beaucoup on réclamera davantage [e] ».

Cette contribution, on l'apporte et de façon irréprochable si on observe exactement les paroles sur le baptême que l'Apôtre ajouta à ses premières déclarations ainsi que ses déclarations conjointes sur le même sujet et si nous accueillons avec foi, en vertu de la même grâce de Dieu donnée par Jésus-Christ notre Seigneur dans l'Esprit-Saint [31], les paroles qu'il a jointes à celles-là. Ainsi, après avoir cru, nous pourrons comprendre [f] avec la grâce de Dieu, et ce que nous aurons été jugés dignes de comprendre, nous pourrons l'accomplir dans l'amour du Christ, qui a dit : « Puisque vous savez ces choses, heureux êtes-vous si vous les faites [g]. » « Bien avisés sont, en effet, tous ceux qui les font [h] », atteste le

προφήτης, αὐτοῦ τοῦ μονογενοῦς Υἱοῦ τοῦ Θεοῦ τοῦ ζῶντος φοβερὸν καὶ ἀπαράβατον κρῖμα ἐκθεμένου ἐν τῷ εἰπεῖν· « Ὁ γνοὺς τὸ θέλημα τοῦ Κυρίου αὐτοῦ, καὶ μὴ
40 ποιήσας πρὸς τὸ θέλημα αὐτοῦ, δαρήσεται πολλάς[i] »· ἀλλ' οὐδὲ τὸν ἐν ἀγνοίᾳ πλημμελήσαντα ἀτιμώρητον ἀφέντος[j].

10 Καὶ ἵνα, ὡς προείρηται, διὰ τῶν γνωριμωτέρων ῥητῶν τε καὶ πραγμάτων ὁδηγηθῶμεν εἰς κατανόησιν τοῦ σωτηρίου καὶ ἐν τῷ βαπτίσματι δόγματος, ἐν πληροφορίᾳ τῆς ἀληθείας, ἐσπουδασμένως προσέχωμεν τοῖς σημαινο-
5 μένοις, καὶ πρὸς τὸν σκοπὸν τῆς εὐσεβείας πᾶν νόημα λαμβάνωμεν.

« Ἐβαπτίσθημεν[a] » φησίν. Ἵνα ἐκ τούτου ἐκεῖνο παιδευθῶμεν ὅτι ὥσπερ τὸ ἔριον, βαπτισθὲν ἐν βάμματι,
b μεταποιεῖται κατὰ τὸ χρῶμα, μᾶλλον | δέ, ἵνα τῷ βαπ-
10 τιστῇ Ἰωάννῃ προφητεύσαντι περὶ τοῦ Κυρίου ὅτι « Αὐτὸς ὑμᾶς βαπτίσει ἐν Πνεύματι ἁγίῳ καὶ πυρί[b] » ὁδηγῷ χρησάμενοι, φωτισθῶμεν τὸ φῶς τῆς γνώσεως πρὸς κατανόησιν τοῦ μεγάλου φωτός, τοῦτο εἴπωμεν ὅτι ὥσπερ ὁ σίδηρος, βαπτιζόμενος ἐν τῷ πυρὶ ἀναζωπυρου-
15 μένῳ ὑπὸ πνεύματος, εὐγνωστότερος μὲν γίνεται εἴ τινα ἔχει ἐν ἑαυτῷ κακίαν, ἑτοιμότερος δὲ πρὸς τὸ καθαρισθῆναι, ἀλλοιοῦται δὲ οὐ μόνον τὸ χρῶμα, ἀλλὰ καὶ τὸ σκληρὸν καὶ δύσεικτον μεταβαλὼν πρὸς τὸ ἁπαλώτερον ἐπιτηδειότερος μὲν γίνεται καὶ τῇ τῶν χειρῶν τοῦ
20 τεχνίτου ἐνεργείᾳ, ῥυθμίζεται δὲ ἀξιολόγως πρὸς τὸ βούλημα τοῦ δεσπότου· ἀπὸ δὲ τῆς μελανίας λαμπρότερος ἑαυτοῦ γινόμενος, οὐ μόνον αὐτὸς πυρακτοῦται καὶ

i. Lc 12, 47 || j. Cf. Lc 12, 48.

10 a. Cf. Rom. 6, 3 || b. Matth. 3, 11.

---

32. Cette grande lumière est la lumière de la vérité c'est-à-dire Dieu. On ne peut la contempler ni la comprendre si on n'est pas déjà éclairé par la connaissance. L'illumination de la connaissance (τὸ φῶς τῆς γνώσεως) nous vient de la Loi ou des Prophètes : cf. *De Sp sanct* 128 a.

prophète. Lui-même, le Fils Monogène du Dieu vivant, avait énoncé un jugement redoutable et infaillible en disant : « Celui qui a connu la volonté de son maître et ne s'est pas conformé à cette volonté recevra un grand nombre de coups [i] », et il n'a même pas laissé impuni celui qui a mal agi par ignorance [j].

Le baptême de feu

10 Et afin que les paroles et les faits plus connus soient, comme je l'ai dit précédemment, les guides qui nous conduisent à comprendre le dogme salutaire avec pleine assurance de la vérité dans le cas précis du baptême, faisons bien attention à ce qu'ils indiquent et accueillons toute pensée s'accordant avec la piété qui est notre but.

« Nous avons été plongés dans le baptême [a] », déclare l'Apôtre. Pour que cette parole nous instruise de la manière qui a été dite, servons-nous d'une comparaison. La laine, quand on la plonge dans la teinture, change de couleur... Mais plutôt, puisque Jean-Baptiste a prophétisé au sujet du Seigneur : « Lui vous plongera dans le baptême d'Esprit-Saint et de feu [b] », prenons ce prophète pour guide ; qu'il nous illumine de la lumière de la connaissance, afin que la grande lumière nous devienne intelligible [32], et exprimons-nous de la manière suivante. Voici un morceau de fer. Si on le plonge dans un feu qui se ranime sous l'action du vent, il est plus facile de distinguer les défauts qu'il peut avoir en lui et il s'en laisse plus aisément purifier ; ce n'est pas seulement sa couleur qui change, il passe aussi de la dureté et de la résistance à un état plus tendre, il devient plus propre également aux opérations manuelles de l'artisan et il se laisse façonner de manière remarquable au gré de son propriétaire ; de noir qu'il était il devient plus brillant, et non seulement lui-même rougeoie et lance des éclairs, mais de plus il illumine et échauffe les objets qui

c ἀστράπτει, ἀλλὰ καὶ τὰ ἐγγί|ζοντα φωτίζει καὶ θερμαίνει, οὕτως ἀκόλουθον καὶ ἀναγκαῖον τὸν βαπτισθέντα ἐν τῷ
25 πυρί, τουτέστιν ἐν τῷ λόγῳ τῆς διδασκαλίας [c], ἐλέγχοντι μὲν τῶν ἁμαρτημάτων τὴν κακίαν, φανεροῦντι δὲ τῶν δικαιωμάτων τὴν χάριν, μισῆσαι μὲν καὶ βδελύξασθαι τὴν ἀδικίαν [d], καθὼς γέγραπται, εἰς ἐπιθυμίαν δὲ ἐλθεῖν τοῦ καθαρισθῆναι διὰ τῆς πίστεως ἐν δυνάμει τοῦ αἵματος
30 τοῦ Κυρίου ἡμῶν Ἰησοῦ Χριστοῦ, αὐτοῦ εἰπόντος· « Τοῦτό μού ἐστι τὸ αἷμα, τὸ τῆς καινῆς διαθήκης, τὸ περὶ πολλῶν ἐκχυννόμενον εἰς ἄφεσιν ἁμαρτιῶν [e] », καὶ τοῦ Ἀποστόλου μαρτυροῦντος· « Ἐν ᾧ ἔχομεν τὴν ἀπολύτρωσιν διὰ τοῦ αἵματος αὐτοῦ, τὴν ἄφεσιν τῶν
35 παραπτωμάτων [f]. » Καὶ οὐ μόνον ἀπὸ πάσης ἀνομίας καὶ ἁμαρτίας καθαρισθῆναι [g], ἀλλὰ καὶ ἀπὸ παντὸς μολυσμοῦ
d σαρκὸς καὶ | πνεύματος [h].

Καὶ τότε, βαπτισθέντα εἰς τὸν θάνατον τοῦ Κυρίου [i], συνδιατεθῆναι τῷ θανάτῳ, ὅπερ ἐστὶ νεκρωθῆναι τῇ
40 ἁμαρτίᾳ ἑαυτῷ τε καὶ τῷ κόσμῳ ἵνα, καὶ τῷ κατὰ τὴν ἐνανθρώπησιν βίῳ κατά τε καρδίαν καὶ λόγον καὶ πρᾶξιν ἐντυπωθεὶς καὶ ἐμμορφωθείς, ὥσπερ ὁ κηρὸς τῇ γλυφῇ, τῇ διδασκαλίᾳ τοῦ Κυρίου ἡμῶν Ἰησοῦ Χριστοῦ,
1544 πληρώσῃ τὸ γε|γραμμένον· « Χάρις τῷ Θεῷ ὅτι ἦτε
45 δοῦλοι τῆς ἁμαρτίας, ὑπηκούσατε δὲ ἐκ καρδίας εἰς ὃν παρεδόθητε τύπον διδαχῆς [j] », καὶ οὕτω τὸ συνημμένως

c. Cf. I Tim. 4, 6 || d. Cf. Ps. 118, 163 || e. Matth. 26, 28 || f. Éphés. 1, 7 || g. Cf. Tite 2, 14 || h. Cf. II Cor. 7, 1 || i. Cf. Rom. 6, 3 || j. Rom. 6, 17.

---

33. « Être plongé dans », « laine », « fer » ces mots et objets familiers entrent dans la composition des paraboles qui conduisent l'esprit à l'intelligence de réalités plus hautes. Mais Basile abandonne, sans la développer, la comparaison de la laine pour prendre l'image du fer qui, sous l'action du feu, subit des transformations plus nombreuses et plus profondes, transforma-

l'environnent [33]. De même, c'est une conséquence nécessaire, lorsqu'on a été plongé dans le baptême de feu, c'est-à-dire dans la parole enseignante [c] qui accuse la malice des fautes et révèle la grâce des actions justes [34], qu'on éprouve haine et horreur pour l'injustice [d], selon les mots de l'Écriture, et qu'on en vienne à désirer passionnément être purifié dans la vertu du sang de notre Seigneur Jésus-Christ grâce à la foi. Lui-même en effet a dit : « Ceci est mon sang, le sang de la nouvelle alliance versé pour la multitude en rémission des péchés [e] », et l'Apôtre l'atteste : « C'est en lui que nous avons la rédemption par son sang, le pardon de nos trangressions [f]. » Et il ne s'agit pas seulement d'être purifié de toute espèce de dérèglement et de péché [g], mais encore de toute souillure de la chair et de l'esprit [h].

Le baptisé meurt avec le Christ

Et alors, quand on a été plongé par le baptême dans la mort du Seigneur [i], on doit nécessairement se disposer à la mort avec lui, c'est-à-dire mourir au péché, à soi-même et au monde afin que, ayant d'une part reçu l'empreinte de la vie selon l'incarnation dans son cœur, dans sa parole et dans ses actes, s'étant d'autre part conformé à l'enseignement de notre Seigneur Jésus-Christ comme la cire à la gravure, on accomplisse ce qui est écrit : « Grâces soient rendues à Dieu : vous qui étiez esclaves du péché, vous avez accepté du fond du cœur l'empreinte de l'enseignement à laquelle vous avez été confiés [j] », et qu'ainsi on soit jugé digne d'obser-

tions souvent décrites par les Pères grecs et par Basile lui-même (cf. *In Christi gen* 1461 a ; *Eun* 660 b).

34. Le baptême de feu, selon le *De Sp sanct* 132 c, est l'épreuve du jugement (τὴν ἐν τῇ κρίσει δοκιμασίαν). Il est défini ici comme la parole de l'Écriture qui dévoile la nature bonne ou mauvaise de nos actes, deux définitions proches l'une de l'autre.

ἐπενεχθὲν φυλάξαι καταξιωθῇ, τό· « Συνετάφημεν οὖν αὐτῷ διὰ τοῦ βαπτίσματος εἰς τὸν θάνατον ». Διὰ τί; « Ἵνα ὥσπερ ἠγέρθη Χριστὸς ἐκ νεκρῶν διὰ τῆς δόξης
50 τοῦ Πατρός, οὕτω καὶ ἡμεῖς ἐν καινότητι ζωῆς περιπατήσωμεν [k]. »

Ἀνάγκη γὰρ τὸν ἀποθανόντα ταφῆναι, καὶ τὸν ταφέντα ἐν τῷ ὁμοιώματι τοῦ θανάτου [l] ἀναστῆναι διὰ τῆς ἐν Χριστῷ τοῦ Θεοῦ χάριτος, καὶ μηκέτι διὰ τὰς ἁμαρτίας
55 τὸ πρόσωπον τοῦ ἔσω ἀνθρώπου ὡς πρόσκαυμα χύτρας ἔχειν [m], ἀλλ' ἐν τῷ πυρὶ φανερωθέντων τῶν ἁμαρτημάτων καὶ διὰ τοῦ αἵματος τοῦ Χριστοῦ τὴν ἄφεσιν λαβόντα, λοιπὸν διὰ τῆς ἐν καινότητι ζωῆς ἀπαστράπτειν τὰ ἐν Χριστῷ δικαιώματα ὑπὲρ πάντα λίθον τίμιον
60 πολύν [n].

b | **11** Ἀποθέμενοι οὖν τὴν σκληρότητα τῆς ἀπειθείας, ἐπιδειξώμεθα μὲν εὐπείθειαν καὶ ὑπακοὴν ἐν τοῖς προστάγμασι, τῷ δὲ πνεύματι ζέοντες ἀναλάμψωμεν, καὶ τῆς μὲν τοῦ σκότους ἐξουσίας [a] καθελκούσης εἰς θάνατον
5 ῥυσθῶμεν· « Τὰ γὰρ ὀψώνια τῆς ἁμαρτίας θάνατος [b] », ἵνα καὶ ἐν ἡμῖν γένηται τὸ εἰρημένον ὑπὸ τοῦ Ἀποστόλου· « Κατεπόθη ὁ θάνατος εἰς νῖκος. Ποῦ σου, θάνατε, τὸ κέντρον; Ποῦ σου, Ἅιδη, τὸ νῖκος [c]; » Τῷ δὲ Κυρίῳ, τῷ ἡλίῳ τῆς δικαιοσύνης [d], πειθόμενοι, φωτισθῶμεν ὑπ'
10 αὐτοῦ καταξιούμενοι συνέσεως καὶ δυνάμεως ὥστε ἐν αὐτῷ δικαιωθῆναι. Καὶ μὴ μόνον αὐτοὶ λαμπρυνθῶμεν ὑπὲρ τὴν χιόνα [e]· ἀψευδὴς γὰρ ὁ ἐπαγγειλάμενος Θεὸς ὅτι « Ἐὰν ὦσιν αἱ ἁμαρτίαι ὑμῶν ὡς φοινικοῦν, ὡς χιόνα

k. Rom. 6, 4 || l. Cf. Rom. 6, 5 || m. Cf. Joel 2, 6 || n. Cf. Ps. 18, 11.

11 a. Cf. Col. 1, 13 || b. Rom. 6, 23 || c. I Cor. 15, 54 || d. Cf. Mal. 4, 2 || e. Cf. Ps. 50, 7.

---

35. Il s'agit de la parole ajoutée non à *Rom.* 6, 17, qu'on vient de lire, mais à *Rom.* 6, 3.

36. La comparaison se trouve dans la Septante (*Joël* 2, 6; *Nah.* 2, 10), où elle exprime l'effroi. Basile s'en sert pour signifier la

ver la parole que l'Apôtre ajouta conjointement[35] : « Nous avons donc été ensevelis avec lui par le baptême dans la mort. » Pourquoi ? « Afin que, comme le Christ est ressuscité des morts par la gloire du Père, nous marchions de même nous aussi dans une vie nouvelle[k]. »

Vie nouvelle du baptisé

C'est en effet une nécessité : celui qui est mort, on l'ensevelit et celui qui a été enseveli dans la ressemblance de la mort[l], ressuscite par la grâce de Dieu dans le Christ ; il n'aura plus à cause de ses péchés son visage d'homme intérieur semblable au côté brûlé d'une marmite[m 36], mais puisque le feu a révélé ses fautes et qu'il en a reçu le pardon grâce au sang du Christ, désormais tout au long de sa vie nouvelle, il fera resplendir ses œuvres de justice dans le Christ plus que toute pierre très précieuse[n].

11 Renonçons donc à la dureté de la désobéissance. Manifestons obéissance et soumission dans les commandements qui nous sont donnés et faisons briller la ferveur de l'esprit. Préservons-nous de la puissance des ténèbres[a] qui entraîne à la mort — « car le salaire du péché c'est la mort[b] » —, pour que se réalise en nous aussi la parole de l'Apôtre : « La mort a été engloutie dans la victoire. Où est-il, ô mort, ton aiguillon ? Où est-elle, ô Hadès, ta victoire[c] ? » Obéissant au Seigneur, soleil de la justice[d], recevons de lui la lumière ; qu'il nous honore des dons d'intelligence et de force, de manière à être justifiés en lui. Et qu'il ne nous suffise pas de briller nous-mêmes plus que la neige[e] — car il est étranger au mensonge, Dieu qui nous a fait cette promesse : « Si vos péchés sont comme l'écarlate, je les

noirceur de l'âme souillée par le péché. Quant à l'expression « homme intérieur », il l'emprunte à S. Paul. Elle remonte en fait aux stoïciens.

c λευκανῶ[f] », ἀλλὰ καὶ τοὺς ἐγ|γίζοντας ἡμῖν φωτίζωμεν,
15 ποτὲ μὲν ἀκούοντες τοῦ Κυρίου· « Ὑμεῖς ἐστε τὸ φῶς
τοῦ κόσμου[g] », ποτὲ δὲ ἀκούοντες καὶ ποιοῦντες τό·
« Οὕτως λαμψάτω τὸ φῶς ὑμῶν ἔμπροσθεν τῶν
ἀνθρώπων, ὅπως ἴδωσιν ὑμῶν τὰ καλὰ ἔργα καὶ δοξάσωσι τὸν Πατέρα ὑμῶν τὸν ἐν τοῖς οὐρανοῖς[h]. » Τότε
20 πάντως καὶ ὁ Ἀπόστολος μαρτυρήσει ἡμῖν λέγων· « Ἐν
οἷς φαίνεσθε ὡς φωστῆρες ἐν κόσμῳ, λόγον ζωῆς
ἐπέχοντες εἰς καύχημα ἐμοὶ εἰς ἡμέραν Χριστοῦ[i]. »

Πῶς δὲ οὐ περισσοτέρως ἐπιφανὲς τὸ καινότερον τῆς
ζωῆς, οὐκ ἐν συγκρίσει τῶν Ἑλλήνων καὶ κοσμικῶν
25 ἀνθρώπων μόνον, ἀλλὰ καὶ ἐν συγκρίσει καθ' ὑπερβολὴν
τῶν κατὰ νόμον δικαιουμένων, ὅταν μὴ μόνον προσθήκης
καὶ τοῦ πλείονος μὴ ὀρεγώμεθα ὡς καὶ οἱ τοῦ κόσμου
d ἄνθρωποι, ἀλλὰ μήτε τῶν προσόντων τε | καὶ ἰδίων
ἀντιποιώμεθα, φιλοτιμώμεθα δὲ ἐπ' εὐεργεσίᾳ τῶν δεο-
30 μένων ὑπὲρ τὸν νόμον; Οὐ μόνον γὰρ εἰς τοὺς πλησίον
φέρομεν τὸ ἀγαθόν, ἀλλὰ καὶ ἐπὶ τοὺς ἐχθροὺς καὶ
πονηροὺς ἐκτείνομεν τὸ χρηστόν, ποιοῦντες κατ' ἐντολὴν
τοῦ Κυρίου ἡμῶν Ἰησοῦ Χριστοῦ τό· « Γίνεσθε οἰκτίρ-
μονες καθὼς ὁ Πατὴρ ὑμῶν ὁ οὐράνιος οἰκτίρμων
35 ἐστί[j]. »

Πῶς δὲ οὐκ ἐν καινότητι ζωῆς[k] περιπατοῦμεν καὶ
ὑπὲρ τοὺς γραμματεῖς καὶ φαρισαίους τὴν δικαιοσύνην
1545 τε|λειοῦμεν, ὅταν ἀνασχώμεθα τοῦ Κυρίου λέγοντος·
« Ἐρρήθη τοῖς ἀρχαίοις· ὀφθαλμὸν ἀντὶ ὀφθαλμοῦ καὶ
40 ὀδόντα ἀντὶ ὀδόντος. Ἐγὼ δὲ λέγω ὑμῖν μὴ ἀντιστῆναι
τῷ πονηρῷ, ἀλλ' ὅστις σε ῥαπίσῃ ἐπὶ τὴν δεξιὰν σιαγόνα,

f. Is. 1, 18 || g. Matth. 5, 14 || h. Matth. 5, 16 || i. Phil. 2, 15-16 || j. Lc 6, 36 || k. Cf. Rom. 6, 4.

---

37. Sur κόσμος et κοσμικός chez Basile, cf. GRIBOMONT, *Mélanges* II, p. 322-362 : « Le renoncement au monde dans l'idéal ascétique de saint Basile ».

rendrai blancs comme la neige[f]. » Illuminons encore les gens qui nous approchent, soit que nous écoutions cette parole du Seigneur : « Vous êtes la lumière du monde[g] », soit que nous écoutions et accomplissions cette autre parole : « Que votre lumière brille devant les hommes afin qu'ils voient vos bonnes œuvres et rendent gloire à votre Père qui est dans les cieux [h]. » Alors, sans aucun doute, l'Apôtre aussi nous rendra ce témoignage : « Au milieu des hommes vous brillez comme des astres dans l'univers, leur présentant la parole de vie et me préparant un sujet de fierté pour le jour du Christ[i]. »

Justice évangélique et justice légale

Et comment notre vie nouvelle n'apparaît-elle pas dans une lumière supérieure, non seulement quand on la compare à la vie des païens et des gens qui sont dans le monde[37], mais quand on pousse la comparaison plus loin jusqu'à ceux qui se veulent justes selon la Loi? Car, loin de chercher à augmenter nos biens ou à obtenir plus, comme on le fait précisément dans le monde, nous ne renvendiquons même pas ce qui est à nous et qui nous est personnel ; nous mettons notre gloire à aider ceux qui sont dans le besoin et dépassons la Loi. Ce n'est pas seulement à nos proches en effet que nous faisons le bien : nous étendons encore notre obligeance jusqu'à nos ennemis et aux méchants, nous conformant à ce commandement de notre Seigneur Jésus-Christ : « Montrez-vous miséricordieux comme votre Père céleste est miséricordieux[j]. »

Comment ne marchons-nous pas dans une vie nouvelle [k] et ne dépassons-nous pas les scribes et les pharisiens dans l'accomplissement de la justice, alors que nous acceptons ces paroles du Seigneur : « Il a été dit aux anciens : œil pour œil et dent pour dent. Mais moi je vous dis de ne pas résister au méchant. Au contraire, qu'un individu te frappe sur la joue droite, tourne aussi

στρέψον αὐτῷ καὶ τὴν ἄλλην, καὶ τῷ θέλοντί σοι κριθῆναι καὶ τὸν χιτῶνά σου λαβεῖν, ἀφήσεις αὐτῷ καὶ τὸ ἱμάτιον, καὶ ὃς ἐάν σε ἀγγαρεύσῃ μίλιον ἕν, ὕπαγε μετ' αὐτοῦ
45 δύο[1] » ; Οὐ μόνον γὰρ οὐκ ἐκδικοῦμεν τὰ προγενόμενα ἁμαρτήματα εἰς ἡμᾶς, ὥσπερ παρακελεύονται οἱ γραμματεῖς καὶ φαρισαῖοι ἐπιτρέποντος τοῦ διὰ Μωϋσέως νόμου, ἀλλὰ καὶ μείζονα ἀνεξικακίαν ἐπιδεικνύμεθα, προθυμίαν ὑπομονῆς τῶν ἴσων ἢ καὶ δεινοτέρων προβαλ-
50 λόμενοι.

Καὶ οὕτως ἀμφότερα ἡμῖν συγκατορθοῦται· θάνατος
b μὲν ἐν τῷ μὴ συγκινεῖσθαι εἰς | ἀγανάκτησιν κατὰ τοῦ τὴν πρώτην ἡμῖν ἐπενεγκόντος πληγήν, καινότης δὲ ζωῆς ἐν Κυρίῳ ἐν τῷ παρατιθέναι καὶ τὴν ἄλλην. **12** Πῶς δὲ οὐ νεκρός τίς ἐστι καὶ τῷ νόμῳ ὁ μὴ ἀντιποιούμενος τοῦ αἰρομένου, ζῇ δὲ ἐν Χριστῷ ὁ προσαφιεὶς καὶ τὸ ἱμάτιον ; Καὶ πάσης δὲ τῆς κατὰ τὸν νόμον δικαιοσύνης τὴν
5 περισσείαν φυλάσσειν ὁμοίως διδασκόμεθα.

Ὅτι δὲ οὐ μόνον τῷ κόσμῳ ἐσταυρῶσθαι, ἀλλὰ καὶ τῷ νόμῳ ἀποθανεῖν ἡμᾶς χρή, παρὰ τοῦ αὐτοῦ ἀποστόλου ἐστὶ δογματικῶς μαθεῖν. Ποτὲ μὲν γὰρ λέγει· « Ἐγὼ τῷ κόσμῳ ἐσταύρωμαι καὶ ὁ κόσμος ἐμοί· ζῶ δὲ οὐκέτι ἐγώ,
10 ζῇ δὲ ἐν ἐμοὶ Χριστός[a] », ποτὲ δέ· « Ἐγὼ διὰ νόμου νόμῳ ἀπέθανον, ἵνα Θεῷ ζήσω. Χριστῷ συνεσταύρωμαι· ζῶ δὲ οὐκέτι ἐγώ, ζῇ δὲ ἐν ἐμοὶ Χριστός[b] », ποτὲ δέ, μετὰ πολλὴν καύχησιν τῶν ἐν τῷ νόμῳ ἀνωτάτω εὐδοκιμήσεων, φησίν· « Ἀλλὰ μὲν οὖν καὶ ἡγοῦμαι τὰ
c 15 πάντα | ζημίαν εἶναι, ἵνα Χριστὸν κερδήσω καὶ εὑρεθῶ ἐν

1. Matth. 5, 38-41.

12 a. Gal. 6, 14 + 2, 20. || b. Gal. 2, 19-20.

38. Συγκατορθοῦται : terme stoïcien appliqué à des valeurs chrétiennes.

39. L'emploi pour la 3e fois du tour interrogatif πῶς δὲ οὐ pour commencer une phrase accentue le caractère oratoire de la page.

vers lui l'autre joue. A celui qui veut te faire un procès et te prendre ta tunique, tu abandonneras aussi ton manteau ; et si quelqu'un te réquisitionne pour une course d'un mille, fais-en deux avec lui[l] » ? Non seulement, en effet, nous ne tirons pas vengeance des torts que nous avons déjà subis, comme les scribes et les pharisiens prescrivent de le faire avec la permission de la loi de Moïse, mais encore nous montrons une plus grande patience en nous armant d'un ardent courage pour supporter des torts semblables ou même pires.

C'est ainsi que nous accomplissons[38] à la fois les deux choses : la mort puisque nous ne laissons pas la colère nous soulever contre celui qui nous a porté le premier coup, la vie nouvelle dans le Seigneur puisque nous présentons aussi l'autre joue. **12** Comment n'est-il pas mort à la Loi même, celui qui ne revendique pas ce qu'on lui enlève, et ne vit-il pas dans le Christ s'il abandonne aussi son manteau[39] ? Et c'est toute la justice selon la Loi, que nous apprenons de la même façon à observer en la dépassant.

Nécessité de mourir à la Loi

Que nous devions non seulement être crucifiés au monde mais encore mourir à la Loi, c'est encore l'Apôtre qui par son enseignement peut nous instruire sur ce point. Il nous dit, en effet, tantôt : « Moi je suis crucifié au monde et le monde est crucifié pour moi ; ce n'est plus moi qui vis, c'est le Christ qui vit en moi[a] », tantôt : « Par la Loi, je suis mort à la Loi afin de vivre pour Dieu. J'ai été crucifié avec le Christ ; ce n'est plus moi qui vis, c'est le Christ qui vit en moi[b] », tantôt encore, après s'être abondamment glorifié de ses plus hauts titres de renommée selon la Loi, il affirme : « Eh bien ! tout cela, je vais jusqu'à le regarder comme un dommage, quand il s'agit de gagner le Christ et d'être

αὐτῷ μὴ ἔχων ἐμὴν δικαιοσύνην τὴν ἐκ νόμου, ἀλλὰ τὴν διὰ πίστεως Ἰησοῦ Χριστοῦ, τὴν ἐκ Θεοῦ δικαιοσύνην ἐπὶ τῇ πίστει, τοῦ γνῶναι αὐτὸν καὶ τὴν δύναμιν τῆς ἀναστάσεως αὐτοῦ καὶ τὴν κοινωνίαν τῶν παθημάτων
20 αὐτοῦ, συμμορφούμενος τῷ θανάτῳ αὐτοῦ, εἴ πως καταντήσω εἰς τὴν ἐξανάστασιν τὴν ἐκ νεκρῶν [c]. » Καὶ μετ' ὀλίγα, διδάσκων ἡμᾶς τὸ αὐτὸ φρονεῖν αὐτῷ, ἀποφαντικώτερόν φησιν· « Ὅσοι οὖν τέλειοι, τοῦτο φρονῶμεν [d]. »

13 Καὶ ἀλλαχοῦ σφοδρότερον, ὥσπερ δόγμα ἀναγκαῖον ἐκτιθέμενος, λέγει· « Ὥστε καὶ ὑμεῖς ἐθανατώθητε τῷ νόμῳ διὰ τοῦ σώματος τοῦ Χριστοῦ, εἰς τὸ γενέσθαι ὑμᾶς ἑτέρῳ, τῷ ἐκ νεκρῶν ἐγερθέντι, ἵνα καρποφορήσω-
d 5 μεν τῷ Θεῷ. Ὅτε γὰρ ἦμεν ἐν τῇ | σαρκί, τὰ παθήματα τῶν ἁμαρτιῶν τὰ διὰ τοῦ νόμου ἐνηργεῖτο ἐν τοῖς μέλεσιν ἡμῶν εἰς τὸ καρποφορῆσαι τῷ θανάτῳ· νυνὶ δὲ κατηργήθημεν ἀπὸ τοῦ νόμου, ἀποθανόντες ἐν ᾧ κατειχόμεθα, ὥστε δουλεύειν ἡμᾶς ἐν καινότητι πνεύματος, καὶ οὐ
10 παλαιότητι γράμματος [a]. » « Τὸ γὰρ γράμμα » τουτέσ-
1548 τιν ὁ | νόμος « ἀποκτέννει· τὸ δὲ πνεῦμα » τουτέστι τὸ ῥῆμα τοῦ Κυρίου « ζωοποιεῖ [b] », καθὼς αὐτός φησιν, ὅτι « Ἡ σὰρξ οὐκ ὠφελεῖ οὐδέν, τὸ πνεῦμά ἐστι τὸ ζωοποιοῦν· τὰ ῥήματά μου πνεῦμά ἐστι καὶ ζωή ἐστι [c] ».
15 Μαρτυρεῖ δὲ καὶ ὁ ἔγκριτος τῶν ἀποστόλων, εἰπών· « Πρὸς τίνα ἀπελευσόμεθα; Ῥήματα ζωῆς αἰωνίου ἔχεις· καὶ ἡμεῖς πεπιστεύκαμεν καὶ ἐγνώκαμεν ὅτι σὺ εἶ ὁ Χριστός, ὁ Υἱὸς τοῦ Θεοῦ τοῦ ζῶντος [d]. »

Ὅπερ ἐν πληροφορίᾳ ἀληθείας δι' ἐπιμελείας σπου-
20 δαιοτέρας φυλάσσοντες, φυγεῖν δυνάμεθα τὸ φοβερὸν ἐκεῖνο κρῖμα τὸ ὑπὸ τοῦ Μωϋσέως μὲν μετὰ ἀπειλῆς

c. Phil. 3, 8-11 || d. Phil. 3, 15.

13 a. Rom. 7, 4-6 || b. II Cor. 3, 6 || c. Jn 6, 63 || d. Jn 6, 68-69.

---

40. Les « parfaits » sont ici les chrétiens déjà formés, guidés par l'Esprit et capables d'accéder à la connaissance des mystères.

trouvé en lui non pas avec ma justice propre, celle qui vient de la Loi, mais avec la justice qui s'obtient par la foi en Jésus-Christ, celle qui vient de Dieu et s'appuie sur la foi. Mon but est de le connaître lui et la puissance de sa résurrection et de communier à ses souffrances en me conformant à lui dans la mort, avec l'espoir d'arriver, de quelque manière, à ressusciter d'entre les morts [c]. » Et peu après, voulant nous apprendre à penser comme lui, il affirme plus catégoriquement : « Nous tous, les parfaits, ayons des pensées de cette sorte [d 40]. »

13 Ailleurs encore il déclare avec plus de véhémence, en homme qui expose une doctrine contraignante : « Ainsi, vous, par le corps du Christ, vous avez été mis à mort à la Loi, pour appartenir à un autre, à celui qui est ressuscité des morts afin que nous portions des fruits pour Dieu. Car, lorsque nous étions dans la chair, les passions pécheresses qui se servent de la Loi agissaient en nos membres de manière à leur faire porter des fruits pour la mort. Mais maintenant que nous avons été libérés de la Loi, étant morts à ce qui nous tenait captifs, nous pouvons servir dans la nouveauté de l'esprit et non plus dans la vétusté de la lettre [a]. » « Car la lettre », c'est-à-dire la Loi, « tue, mais l'esprit », c'est-à-dire la parole du Seigneur, « fait vivre [b] ». Le Seigneur lui-même le dit : « La chair ne sert de rien, c'est l'esprit qui fait vivre. Mes paroles sont esprit et elles sont vie [c]. » L'apôtre choisi en témoigne aussi : « A qui irons-nous ? dit-il, tu as les paroles de la vie éternelle ; et nous, nous avons cru et nous avons reconnu que toi tu es le Christ, le Fils du Dieu vivant [d]. »

Si, bien convaincus de la vérité de ces paroles, nous mettons plus de soin et d'ardeur à les observer, nous pouvons échapper d'une part à cette redoutable sentence, accompagnée de menace, écrite prophétiquement par Moïse : « Le Seigneur votre Dieu fera lever pour vous

προφητικῶς γεγραμμένον· « Προφήτην ὑμῖν ἀναστήσει Κύριος ὁ Θεὸς ὑμῶν ὡς ἐμέ· αὐτοῦ ἀκούσεσθε κατὰ πάντα ὅσα ἂν λαλήσῃ πρὸς ὑμᾶς. Ἔσται δέ, πᾶσα ψυχὴ
b 25 ἥτις ἐὰν μὴ ἀκούσῃ τοῦ προ|φήτου ἐκείνου ἐξολοθρευθήσεται ἐκ τοῦ λαοῦ [e]. » Ὑπὸ δὲ Ἰωάννου τοῦ βαπτιστοῦ, οὗ μείζων ἐν γεννητοῖς γυναικῶν οὐδείς [f], φοβερώτερον ἀποφαντικῶς εἰρημένον ὅτι « Ὁ πιστεύων εἰς τὸν Υἱὸν ἔχει ζωὴν αἰώνιον, ὁ δὲ ἀπειθῶν τῷ Υἱῷ οὐκ ὄψεται τὴν
30 ζωήν, ἀλλ' ἡ ὀργὴ τοῦ Θεοῦ μενεῖ ἐπ' αὐτόν [g] ».

Ἵνα δὲ ὁ μὲν ἐν τῷ βαπτίσματι τοιοῦτος θάνατος καὶ ἡ ἐν τῷ αὐτῷ τοιαύτη ταφὴ μὴ ἐν προσδοκίᾳ φθορᾶς καὶ ἀπωλείας παράσχῃ λύπην, ἡ δὲ καινότης τῆς ζωῆς σπέρματος καταβολὴν ὑπερβάλῃ, τῆς ἐνδόξου ἀναστά-
35 σεως τὴν ἐλπίδα βεβαιουμένη, ἐπιφέρει λέγων· « Εἰ γὰρ σύμφυτοι γεγόναμεν τῷ ὁμοιώματι τοῦ θανάτου αὐτοῦ, ἀλλὰ καὶ τῆς ἀναστάσεως ἐσόμεθα [h]. » Ἐὰν γὰρ ἐν τῷ τοιούτῳ ὁμοιώματι τοῦ θανάτου ἀποθανόντες καὶ
c συνταφέντες τῷ Χριστῷ ἐν καινό|τητι ζωῆς περιπατήσω-
40 μεν [i], οὐ νεκρότητος φθορὰν ἐκδεχόμεθα, ταφὴν δὲ καὶ ὥσπερ φυτείαν σπερμάτων μιμούμεθα· νεκροῦντες μὲν ἑαυτοὺς τοῖς ἀπηγορευμένοις καὶ τὴν πίστιν δι' ἀγάπης ἐνεργουμένην ἐπιδεικνύμενοι, γινόμεθα ἄξιοι τὰ αὐτὰ τῷ Ἀποστόλῳ εἰπεῖν, μετ' ἐλπίδος τῶν αὐτῶν· « Ἡμῶν γὰρ
45 τὸ πολίτευμα ἐν οὐρανοῖς ὑπάρχει, ἐξ οὗ καὶ σωτῆρα ἀπεκδεχόμεθα Κύριον Ἰησοῦν, ὃς μετασχηματίσει τὸ

e. Act. 3, 22-23 || f. Cf. Matth. 11, 11 || g. Jn 3, 36 || h. Rom. 6, 5 || i. Cf. Rom. 6, 4.

41. Basile cite souvent dans son œuvre ascétique ce verset de *Jean* 3, 36, mais le présente habituellement comme une parole du Christ lui-même. Ici, au contraire, il le met bien dans la bouche de Jean-Baptiste. On peut admettre que le texte du *De baptismo* a été corrigé très tôt par un compilateur de la Vulgate et que la correction s'est transmise à tous les mss qui nous sont parvenus. Sur cette question, voir J. Gribomont, *Histoire du texte*, p. 231 s. et p. 285, n. 11.

un prophète comme moi ; vous l'écouterez en tout ce qu'il vous dira ; et il arrivera ceci : toute personne qui refusera d'écouter ce prophète-là sera exterminée du milieu du peuple[e]. » Nous échapperons, d'autre part, à cette sentence plus redoutable, énoncée en termes catégoriques par Jean-Baptiste, le plus grand parmi les enfants des femmes[f] : « Qui croit au Fils a la vie éternelle ; qui désobéit au Fils ne verra pas la vie ; la colère de Dieu demeurera sur lui[g 41]. »

L'espérance chrétienne

Mais pour éviter qu'une telle mort et qu'une telle sépulture dans le baptême ne nous placent dans une perspective de corruption et d'anéantissement et ne nous causent de la tristesse, et pour que la vie nouvelle au contraire, projetant au-delà son jet de semences, fortifie notre espoir en la glorieuse résurrection, l'Apôtre ajoute cette parole : « Si nous sommes enracinés avec le Christ en lui ressemblant dans la mort, nous le serons aussi en lui ressemblant dans la résurrection[h 42]. » Si en effet, étant morts dans une telle ressemblance avec la mort du Christ et ayant été ensevelis avec lui, nous marchons dans la vie nouvelle[i], ce qui nous attend n'est pas la corruption propre au cadavre ; et, quant à la sépulture, nous la reproduisons comme si précisément elle était semailles. Oui, en nous faisant mourir nous-mêmes à l'égard des choses défendues et en manifestant notre foi par des actes d'amour, nous devenons dignes de prononcer les mêmes paroles que l'Apôtre avec la même espérance : « Notre cité est dans les cieux, d'où nous attendons comme sauveur le Seigneur Jésus qui changera notre

42. Avec cette phrase Basile poursuit son commentaire du « discours sur le baptême ». Après *Rom.* 6, 4, cité en 1544 a, voici maintenant *Rom.* 6, 5.

σῶμα τῆς ταπεινώσεως ἡμῶν εἰς τὸ γενέσθαι αὐτὸ σύμμορφον τῷ σώματι τῆς δόξης αὐτοῦ, κατὰ τὴν ἐνέργειαν τοῦ δύνασθαι αὐτὸν καὶ ὑποτάξαι ἑαυτῷ τὰ
50 πάντα [j] »· « καὶ οὕτως πάντοτε σὺν Κυρίῳ ἐσόμεθα [k]. »

Αὐτοῦ μὲν τοῦ Κυρίου ἡμῶν Ἰησοῦ Χριστοῦ αἰτοῦντος
d μὲν παρὰ τοῦ Πατρὸς | καὶ λέγοντος· « Δός, Πάτερ, ἵνα ὅπου εἰμὶ ἐγὼ καὶ αὐτοὶ μετ' ἐμοῦ ὦσι [l] », παραγγέλλοντος δὲ ἡμῖν καὶ ἐπαγγελλομένου ἐν τῷ εἰπεῖν· « Ὁ ἐμοὶ
55 διακονῶν ἐμοὶ ἀκολουθείτω, καὶ ὅπου εἰμὶ ἐγώ, ἐκεῖ καὶ ὁ διάκονος ὁ ἐμὸς ἔσται [m] », μαρτυροῦντος δὲ Παύλου τοῦ
1549 ἀποστόλου καὶ ἐν Χριστῷ προφητεύοντος διὰ | τοῦ γράψαι ταῦτα· « Τοῦτο γὰρ ὑμῖν λέγομεν ἐν λόγῳ Κυρίου, ὅτι ἡμεῖς οἱ ζῶντες, οἱ περιλειπόμενοι ἐν τῇ παρουσίᾳ τοῦ
60 Κυρίου, οὐ μὴ φθάσομεν τοὺς κοιμηθέντας, ὅτι αὐτὸς ὁ Κύριος ἐν κελεύσματι, ἐν φωνῇ ἀρχαγγέλου καὶ ἐν σάλπιγγι Θεοῦ καταβήσεται ἀπ' οὐρανοῦ, καὶ οἱ νεκροὶ ἐν Χριστῷ ἐγερθήσονται πρῶτοι· ἔπειτα ἡμεῖς οἱ ζῶντες, οἱ περιλειπόμενοι, ἅμα σὺν αὐτοῖς ἁρπαγησόμεθα ἐν νεφέ-
65 λαις εἰς ἀπάντησιν τοῦ Κυρίου εἰς ἀέρα, καὶ οὕτω πάντοτε σὺν Κυρίῳ ἐσόμεθα [n]. »

14 Καὶ οὕτως πληροῦται εἰς τοὺς φυλάξαντας νῦν τό « Εἰ γὰρ σύμφυτοι γεγόναμεν τῷ ὁμοιώματι τοῦ θανάτου αὐτοῦ », τότε πληροῦται ἡ ἐπαγγελία· « ἀλλὰ καὶ τῆς ἀναστάσεως ἐσόμεθα [a] », καθὼς καὶ ἀλλαχοῦ φησιν·
b 5 « Εἰ γὰρ συναπεθάνομεν, καὶ συζή|σομεν· εἰ ὑπομένομεν, καὶ συμβασιλεύσομεν [b]. »

j. Phil. 3, 20-21 || k. I Thess. 4, 17 || l. Jn 17, 24 || m. Jn 12, 26 || n. I Thess. 4, 15-17.

14 a. Rom. 6, 5 || b. II Tim. 2, 11-12.

---

43. Ce passage de l'*Épître aux Thessaloniciens* comporte, outre l'emphase, plusieurs traits (voix, trompette, nuées) de la littérature apocalyptique. Mais l'essentiel en est la phrase finale, qui exprime l'objet même de l'espérance chrétienne : « Nous serons pour toujours avec le Seigneur. » Basile la cite 2 fois.

corps de misère pour le rendre conforme à son propre corps de gloire, en vertu de la puissance active qui lui permet aussi de ranger toutes choses sous sa domination[j]. » « Et ainsi, pour toujours nous serons avec le Seigneur[k]. »

Ce bonheur, notre Seigneur Jésus-Christ lui-même le demande à son Père par cette prière : « Permets, Père, que là où moi je suis, eux aussi soient avec moi[l] », et il en fait aussi pour nous l'objet d'un ordre et d'une promesse quand il dit : « Celui qui me sert, qu'il me suive, et là où moi je suis, sera aussi mon serviteur[m]. » De son côté, l'apôtre Paul, apportant son témoignage et prophétisant dans le Christ, écrit : « Voici ce que nous vous déclarons sur la parole du Seigneur : Nous, les vivants, qui serons encore de ce monde à la parousie du Seigneur, nous ne devancerons certes pas ceux qui se seront endormis, car le Seigneur en personne, au signal donné, à la voix de l'archange, au son de la trompette divine, descendra du ciel et les morts qui sont dans le Christ se réveilleront tout d'abord ; ensuite nous les vivants, qui serons encore de ce monde, nous serons emportés ensemble avec eux sur des nuées pour rencontrer le Seigneur dans les airs. Et ainsi pour toujours nous serons avec le Seigneur[n 43]. »

14 Voilà comment pour ceux qui ont dès maintenant observé la parole : « Si nous sommes enracinés avec le Christ en lui ressemblant dans la mort », s'accomplit alors cette promesse : « nous le serons aussi en lui ressemblant dans la résurrection[a] », selon ce qui est affirmé encore dans cet autre passage : « Si nous sommes morts avec lui, avec lui aussi nous vivrons ; si nous tenons ferme, nous règnerons aussi avec lui[b]. »

Εἰδὼς δὲ ὁ Ἀπόστολος ὅτι ἡ ταὐτολογία ὠφελιμωτέρα ἐστὶ τοῖς ἀκούουσι πρὸς αὐτὴν τὴν ἀσφάλειαν, καὶ βεβαιοτέραν ἐμποιεῖ διὰ τῆς ἐπαναλήψεως τῶν αὐτῶν τὴν
10 πληροφορίαν τῆς ἀληθείας — παρ' αὐτοῦ γὰρ ἀκούομεν λέγοντος· « Τὰ αὐτὰ γράφειν ὑμῖν ἐμοὶ μὲν οὐκ ὀκνηρόν, ὑμῖν δὲ ἀσφαλές[c] » —, καθὼς καὶ παρὰ τοῦ Ἰωσὴφ μεμαθήκαμεν ἐπικρίναντος τὸ ἐνύπνιον τῷ βασιλεῖ Φαραώ[d], οὗ ὥσπερ τὴν ἱστορίαν τοῦ ἐνυπνίου μιμούμενος,
15 τὸ αὐτὸ δόγμα τοῦ βαπτίσματος ὁμοίως τοῖς πρώτοις θεωρήμασι παραδίδωσιν εἰπών· « Τοῦτο γινώσκοντες, ὅτι ὁ παλαιὸς ἡμῶν ἄνθρωπος συνεσταυρώθη, ἵνα καταργηθῇ τὸ σῶμα τῆς ἁμαρτίας τοῦ μηκέτι δουλεύειν ἡμᾶς τῇ ἁμαρτίᾳ[e] ». Ἄρα οὖν καὶ διὰ τούτων τῶν
c 20 ῥημάτων διδασκόμεθα ὅτι | ὁ βαπτισθεὶς ἐν Χριστῷ, εἰς τὸν θάνατον βαπτίζεται· καὶ οὐ μόνον συνθάπτεται τῷ Χριστῷ καὶ συμφυτεύεται, ἀλλὰ πρῶτον συσταυροῦται, ἵνα καὶ ἐν τούτῳ παιδευθῶμεν ὅτι, ὥσπερ ὁ σταυρούμενος ἀπαλλοτριοῦται τῶν ζώντων, οὕτω καὶ ὁ ἐν τῷ ὁμοιώμα-
25 τι τοῦ θανάτου συσταυρωθεὶς τῷ Χριστῷ ἀπαλλοτριοῦται πάντάπασι τῶν κατὰ τὸν παλαιὸν ἄνθρωπον ζώντων, τοῦ μὲν Κυρίου ἐντελλομένου προσέχειν ἀπὸ τῶν ψευδοπροφητῶν[f], τοῦ δὲ Ἀποστόλου λέγοντος « Στέλλεσθαι ἀπὸ παντὸς ἀδελφοῦ ἀτάκτως περιπατοῦντος, καὶ μὴ
30 κατὰ τὴν παράδοσιν ἣν παρελάβοσαν παρ' ἡμῶν[g] ». Ὁ γὰρ παλαιὸς ἄνθρωπος ὀνομασθεὶς πάντα ὁμοῦ τὰ κατὰ

c. Phil. 3, 1 || d. Cf. Gen. 41, 14-36 || e. Rom. 6, 6 || f. Cf. Matth. 7, 15 || g. II Thess. 3, 6.

---

44. Ταὐτολογία et ἐπαναλήψεως, termes techniques de la rhétorique, soulignent la confiance de Paul dans les vertus de la répétition. Basile la partage largement.

45. Pharaon a rêvé de sept vaches grasses dévorées par sept vaches maigres, puis de sept épis pleins et beaux engloutis par

Retour sur la crucifixion

Mais l'Apôtre savait qu'il est plus utile aux auditeurs pour leur sûreté même d'entendre répéter les mêmes choses, et qu'en reprenant les mêmes pensées on fait naître une assurance plus ferme de la vérité [44] — nous l'entendons en effet nous dire : « Vous écrire les mêmes choses, pour moi, je n'hésite pas à le faire, et pour vous, c'est une sécurité [c]. » Et nous l'avons appris aussi de Joseph quand il s'est prononcé sur le songe devant le roi Pharaon [d] [45]. C'est pourquoi, comme s'il prenait pour modèle le récit du songe fait par ce roi, il enseigne la même doctrine du baptême en reproduisant ses premières considérations : « Comprenons-le, dit-il, notre vieil homme a été crucifié avec le Christ afin d'annihiler notre corps de péché, pour que nous ne soyons plus asservis au péché [e]. » Ainsi donc, nous apprenons par ces paroles qu'être baptisé dans le Christ, c'est être baptisé dans sa mort ; non seulement le baptisé s'ensevelit avec le Christ, pour s'enraciner avec lui, mais d'abord il se fait crucifier avec lui, chose qui doit aussi nous instruire ; car, comme celui que l'on crucifie devient étranger aux vivants, de même aussi, quand on a été crucifié avec le Christ dans la ressemblance de sa mort, on devient entièrement étranger à ceux qui vivent selon le vieil homme. Le Seigneur, en effet, prescrit de prendre garde aux faux prophètes [f] ; et, de son côté, l'Apôtre nous dit : « Tenez-vous à l'écart de tout frère qui vit dans le désordre et ne se conforme pas à la tradition reçue de nous [g]. » L'individu, en effet, qu'il a appelé le vieil homme fait voir,

sept épis desséchés. Joseph explique qu'il s'agit là d'un seul et même songe. S'il s'est renouvelé, « c'est que la chose est bien décidée de la part de Dieu ». Exemple de répétition instructive dans l'A.T.

μέρος ἁμαρτήματά τε καὶ μολύσματα, ὥσπερ μέλη ἑαυτοῦ, δηλοῖ.

d |**15** Καὶ ὥσπερ ὁ ἐσταυρωμένος, κρῖμα θανάτου ὑποδεξάμενος, τῶν πάλαι συζώντων αὐτῷ ἀφέστηκεν, ὑψηλότερος τῶν ἐπὶ τῆς γῆς ἑρπόντων γενόμενος, οὕτω καὶ ὁ τῷ Χριστῷ συσταυρωθεὶς διὰ τοῦ βαπτίσματος,
5 πάντων ὁμοῦ τῶν κατὰ τὸν αἰῶνα τοῦτον ζώντων
1552 ἀπήλλακται, ὑψώσας ἑαυτοῦ τὸ φρό|νημα πρὸς τὴν ἐπουράνιον πολιτείαν, ὥστε δύνασθαι εἰπεῖν μετὰ ἀληθείας καὶ παρρησίας τῆς ἐν Χριστῷ· « Ἡμῶν γὰρ τὸ πολίτευμα ἐν οὐρανοῖς ὑπάρχει[a]. »

10 Καὶ πάλιν ἐπιφέρει· « Ὁ γὰρ ἀποθανὼν δεδικαίωται ἀπὸ τῆς ἁμαρτίας[b] »· τουτέστιν ἀπήλλακται, ἠλευθέρωται, κεκάθαρται πάσης ἁμαρτίας τῆς οὐκ ἐν ἔργοις καὶ λόγοις μόνον, ἀλλὰ καὶ προσπαθοῦς ἐνθυμήσεως. Καὶ ἐν ἑτέρῳ τόπῳ ἀπεφήνατο γράψας· « Οἱ δὲ τοῦ Χριστοῦ
15 Ἰησοῦ τὴν σάρκα ἐσταύρωσαν σὺν τοῖς παθήμασι καὶ ταῖς ἐπιθυμίαις[c]. » Σταυροῦμεν δὲ δηλονότι οἱ ἐν τῷ ὕδατι βαπτιζόμενοι· ὅπερ ἐστὶν ὁμοίωμα τοῦ σταυροῦ καὶ τοῦ θανάτου, τῆς τε ταφῆς καὶ τῆς ἐκ νεκρῶν ἀναστάσεως, καθὼς γέγραπται. Καὶ πάλιν· « Νεκρώσα-
20 τε, φησί, τὰ μέλη ὑμῶν τὰ ἐπὶ τῆς γῆς » — πάντως
b τὰς | ἐν τῷ βαπτίσματι συνθήκας κἂν ὕστερον φυλάξαντες — « πορνείαν, ἀκαθαρσίαν, πάθος, ἐπιθυμίαν κακήν, καὶ τὴν πλεονεξίαν ἥτις ἐστὶν εἰδωλολατρεία, δι' ἃ ἔρχεται ἡ ὀργὴ τοῦ Θεοῦ », οὐ μόνον δέ, ἀλλὰ καθολικώτερον

15 a. Phil. 3, 20 || b. Rom. 6, 7 || c. Gal. 5, 24.

46. Allusion aux « membres terrestres » de *Col.* 3, 5-10. Déjà ORIGÈNE (*Comm. in ep. ad Rom.* 5, 9 [*PG* 14, 1046 a-b]) avait remarqué que ces « membres terrestres » s'identifiaient aux péchés énumérés par l'Apôtre et constituaient un « corps de péché », appelé à bon droit le « vieil homme ».

toutes à la fois, comme ses propres membres, les fautes commises tour à tour avec leur souillure[46].

15 Et de même que le crucifié, quand il eut accueilli la sentence de mort, s'est définitivement séparé de ses anciens compagnons de vie, ayant pris de la hauteur par rapport aux êtres qui vont et viennent sur la terre, de même celui qui a été crucifié avec le Christ par le baptême se trouve détaché de toutes les personnes à la fois qui vivent selon ce siècle[47], ayant élevé ses sentiments à la hauteur de la citoyenneté céleste, de manière à pouvoir dire avec la vérité et l'assurance qui sont dans le Christ : « Pour nous, notre cité se trouve dans les cieux[a]. »

L'Apôtre ajoute encore: « Celui qui est mort est quitte du péché[b][48]. » Cela veut dire qu'il est détaché, libéré, purifié non seulement de tout péché en acte ou en parole, mais encore de toute imagination passionnée. Et dans un autre texte il avait déclaré : « Ceux qui appartiennent au Christ Jésus ont crucifié la chair avec ses passions et ses convoitises[c]. » Nous la crucifions évidemment, nous qui recevons le baptême d'eau, puisqu'il est image de la croix, de la mort, du tombeau et de la résurrection des morts, ainsi qu'il est écrit. L'Apôtre dit encore : « Faites mourir vos membres terrestres » — et nous le faisons sans aucun doute, si nous observons, même tardivement, le pacte baptismal — ; « la fornication, continue-t-il, l'impureté, les passions, les mauvais désirs, la cupidité qui est idolâtrie, ces fautes attirent la colère de Dieu. » Et, allant plus loin, il avait ajouté de manière plus générale : « sur les

47. Sur αἰών chez Basile, cf. GRIBOMONT, *Mélanges* II, p. 290 : « Le renoncement au monde dans l'idéal ascétique de saint Basile ».

48. Citation de Paul entendue au sens mystique et spirituel, et non selon l'axiome du droit que la mort du coupable éteint l'action de la justice.

25 ἐπήγαγεν· « Ἐπὶ τοὺς υἱοὺς τῆς ἀπειθείας[d] », ὡς μηκέτι μηδὲ τῆς προσκαίρου ἡδονῆς τῆς καταρυπούσης τὴν διάνοιαν παρενοχλούσης τῷ συμφυτευθέντι τῷ Χριστῷ ἐν τῷ ὁμοιώματι τοῦ θανάτου, διὰ δὲ τὸ μισεῖν καὶ βδελύσσεσθαι πᾶσαν κακίαν[e] ἄχρι καὶ τῆς προσπαθοῦς
30 ἐνθυμήσεως τὸ καθαρὸν τῆς καρδίας ἐνδεικνυμένῳ, καθώς φησιν ὁ Δαβίδ· « Οὐκ ἐκολλήθη μοι καρδία σκαμβή, ἐκκλίνοντος ἀπ' ἐμοῦ τοῦ πονηροῦ οὐκ ἐγίνωσκον[f] », ἐπειδὴ πάντως οὐδὲ ἐγγίζοντος αὐτοῦ ἐπεστράφη.

35 Συμφυτευθέντες δὲ ἐν τῷ ὁμοιώματι τοῦ θανάτου,
c πάν|τως συνεγειρόμεθα τῷ Χριστῷ[g]· τῆς γὰρ φυτείας τὸ ἀκολούθως σημαινόμενον τοιοῦτον. Νῦν μὲν κατὰ τὸ μέτρον τῆς ἐνανθρωπήσεως συμμορφούμενοι τὸν ἔσω ἄνθρωπον ἐν τῇ καινότητι τῆς ζωῆς[h] μέχρι θανάτου, ἐν
40 πληροφορίᾳ τῆς ἀληθείας τῶν ῥημάτων αὐτοῦ, ἵνα ἄξιοι γενώμεθα μετὰ ἀληθείας εἰπεῖν· « Ζῶ δὲ οὐκέτι ἐγώ, ζῇ δὲ ἐν ἐμοὶ Χριστός[i] », εἰς δὲ τὸ μέλλον, καθὼς διεβεβαιώσατο αὐτὸς ὁ Ἀπόστολος εἰπὼν ὅτι « Εἰ γὰρ συναπεθάνομεν, καὶ συζήσομεν· εἰ ὑπομένομεν, καὶ
45 συμβασιλεύσομεν[j] », ἐπίσης δὲ τούτοις πληροφορεῖ ἡμᾶς ἐν τῷ εἰπεῖν· « Εἰ γὰρ σύμφυτοι γεγόναμεν τῷ ὁμοιώματι τοῦ θανάτου αὐτοῦ, ἀλλὰ καὶ τῆς ἀναστάσεως ἐσόμεθα[k]. » Καὶ πάλιν τὸ αὐτὸ δόγμα τοῦ τοιούτου
d βαπτίσματος δυσωπητικώτερον καὶ ἀναγκαστικώτε|ρον
50 παιδεύων ἡμᾶς, ἐπιφέρει λέγων ὅτι « Χριστός, ἐγερθεὶς

d. Col. 3, 5-6 || e. Cf. Ps 118, 163 || f. Ps. 100, 4 || g. Cf. Rom. 6, 5 || h. Cf. Rom. 6, 4 || i. Gal. 2, 20 || j. II Tim. 2, 11-12 || k. Rom. 6, 5.

---

49. Parallélisme remarquable de ce passage avec *Rb* 296 (1289 c). Dans les deux textes : 1) *Col.* 3, 5-6 est cité selon la leçon SR[t] (c. à d. avec l'addition de « sur les fils de la désobéissance »). 2) Les 2 membres de cette citation sont séparés par une remarque concernant le caractère plus général du second. 3) Les mêmes allusions sont faites aux psaumes 118 et 100.

fils de la désobéissance[d] ». Il estime que le plaisir passager qui souille la pensée ne trouble même plus celui qui s'est enraciné avec le Christ en lui ressemblant dans la mort et qui par sa haine et son horreur pour toute malice[e], voire pour la simple imagination passionnée, montre la pureté de son cœur ; un tel homme peut dire avec David : « Cœur pervers ne s'est pas attaché à moi, le mauvais s'éloignait de moi et je ne le connaissais pas[f] », puisque même quand il s'approchait, il ne s'est en aucune façon retourné vers lui[49].

La résurrection baptismale

Ayant pris racine avec le Christ dans la ressemblance de sa mort, nous ressuscitons certainement avec lui[g] — telle est en effet la signification logique de cet enracinement. Pour le temps présent, nous conformons notre être intérieur au Christ, dans les limites de son incarnation[50], marchant dans la nouveauté de la vie[h] jusqu'à la mort et pleinement assurés de la vérité de ses paroles, afin de nous rendre dignes de dire en vérité : « Ce n'est plus moi, qui vis, c'est le Christ qui vit en moi[i]. » Pour le temps futur, il en sera comme lui-même, l'Apôtre, nous l'a confirmé quand il a dit : « Si nous sommes morts avec lui, avec lui aussi nous vivrons ; si nous tenons ferme, nous régnerons aussi avec lui[j] », et, de la même façon, il nous donne pleine assurance en nous disant : « Si nous sommes enracinés avec le Christ en lui ressemblant dans la mort, nous le serons aussi en lui ressemblant dans la résurrection[k]. » Et reprenant la même doctrine pour nous instruire sur un tel baptême de façon qui nous touche et nous contraigne davantage, il ajoute ces mots : « Le Christ, une fois ressuscité des

50. Τὸ μέτρον τῆς ἐνανθρωπήσεως : Garnier trouvait l'expression mal venue et y voyait un indice contre l'authenticité de notre traité (*Praefatio* XII, col. 140, 152 b). On la retrouve en fait en *Rf* 43 (1028 b).

ἐκ νεκρῶν, οὐκέτι ἀποθνήσκει, θάνατος αὐτοῦ οὐκέτι κυριεύει. Ὃ γὰρ ἀπέθανε, τῇ ἁμαρτίᾳ ἀπέθανεν ἐφάπαξ, ὃ δὲ ζῇ, ζῇ τῷ Θεῷ. Οὕτω καὶ ὑμεῖς λογίζεσθε ἑαυτοὺς νεκροὺς μὲν εἶναι τῇ ἁμαρτίᾳ, ζῶντας δὲ τῷ Θεῷ ἐν
55 Χριστῷ Ἰησοῦ [1] ».

1553 | **16** Τὴν τοίνυν αὐτοῦ τοῦ Κυρίου ἡμῶν Ἰησοῦ Χριστοῦ περὶ τῆς ἀφέσεως τῶν ἡμετέρων ἁμαρτημάτων οἰκονομίαν διὰ τῆς μέχρι θανάτου ἐνανθρωπήσεως προσθείς, ὁ Ἀπόστολος δυσωπητικώτερον καὶ ἀναγκαστικώ-
5 τερον ἡμᾶς παιδεύει κεκριμένως « Νεκροὺς μὲν εἶναι τῇ ἁμαρτίᾳ, ζῶντας δὲ τῷ Θεῷ ἐν Χριστῷ Ἰησοῦ [a] », ἵνα, ὥσπερ ὁ Χριστὸς ἀποθανὼν δι' ἡμᾶς καὶ ἐγερθεὶς ἐκ νεκρῶν ὑπὲρ ἡμῶν οὐκέτι ἀποθνήσκει [b], οὕτω καὶ ἡμεῖς, βαπτισθέντες εἰς τὸν θάνατον ἐν τῷ ὁμοιώματι, ἀποθά-
10 νωμεν τῇ ἁμαρτίᾳ καὶ διὰ τῆς ἐκ τοῦ βαπτίσματος ἀνόδου ὥσπερ ἐκ νεκρῶν ἐγερθέντες, ζήσωμεν τῷ Θεῷ ἐν Χριστῷ Ἰησοῦ καὶ μηκέτι ἀποθάνωμεν, τουτέστι μηκέτι ἁμαρτήσωμεν, διότι « ψυχὴ ἡ ἁμαρτάνουσα αὕτη ἀποθανεῖται [c] ».

b 15 Καὶ ὥσπερ ἐκείνου ὁ θάνατος οὐκέτι κυ|ριεύει [d] οὕτω καὶ ἡμῶν μηκέτι κυριεύσῃ ἡ ἁμαρτία, τουτέστι μηκέτι αὐτὴν ποιῶμεν. Καὶ ὅτι « ὁ ποιῶν τὴν ἁμαρτίαν δοῦλός ἐστι τῆς ἁμαρτίας [e] », ἀπαλλοτριωθέντες δὲ τῆς τοιαύτης δουλείας κατὰ πάντα τρόπον, ὡς ἐδήλωσεν ὁ Ἀπόστολος
20 εἰπών· « Οἱ δὲ τοῦ Χριστοῦ Ἰησοῦ τὴν σάρκα ἐσταύρωσαν σὺν τοῖς παθήμασι καὶ ταῖς ἐπιθυμίαις [f] », ζήσωμεν τῷ Θεῷ ἐν Χριστῷ Ἰησοῦ τῷ ἐλευθερώσαντι ἡμᾶς, καθὼς γέγραπται· « Χριστὸς ἡμᾶς ἠλευθήρωσεν ἐκ τῆς κατάρας τοῦ νόμου, γενόμενος ὑπὲρ ἡμῶν κατάρα [g] »·

l. Rom. 6, 9-11.

16 a. Rom. 6, 11 || b. Cf. Rom. 6, 9 || c. Éz. 18, 4 || d. Cf. Rom. 6, 9 || e. Jn 8, 34 || f. Gal. 5, 24 || g. Gal. 3, 13.

51. Avec ce verset de Paul prend fin le commentaire suivi du « discours sur le baptême » entrepris en 1537c.

morts ne meurt plus, la mort n'a plus de pouvoir sur lui. Sa mort, en effet, fut une mort au péché une fois pour toutes, mais sa vie est une vie pour Dieu. De même vous aussi considérez que vous êtes morts au péché, mais vivants pour Dieu dans le Christ Jésus[1] [51]. »

16 Ainsi donc, après nous avoir présenté l'économie de notre Seigneur Jésus-Christ lui-même[52], concernant le pardon de nos fautes, grâce à l'incarnation assumée jusqu'à la mort, l'Apôtre, pour nous toucher et nous contraindre davantage nous donne cette judicieuse instruction : « Soyez morts au péché mais vivants pour Dieu dans le Christ Jésus[a]. » Il veut qu'à l'image du Christ qui, mort à cause de nous et ressuscité des morts pour nous, ne meurt plus[b], nous aussi, baptisés dans la ressemblance de sa mort, nous mourions au péché et que, remontant de la fontaine baptismale, ressuscités des morts en quelque sorte, nous vivions pour Dieu dans le Christ Jésus et que nous ne mourions plus, c'est-à-dire que nous péchions plus, car « l'âme qui pèche, c'est celle-là qui mourra[c] [53] ».

Et de même que la mort n'a plus de pouvoir sur lui[d], de même, que le péché n'ait plus de pouvoir sur nous, c'est-à-dire ne le commettons plus. Et puisque « celui qui commet le péché est esclave du péché[e] », détachons-nous d'un tel esclavage par tous les moyens, comme l'Apôtre l'a montré quand il a dit : « Ceux qui sont au Christ Jésus ont crucifié la chair avec ses passions et ses convoitises[f] », et vivons pour Dieu dans le Christ Jésus qui nous a libérés, selon ce qui est écrit : « Le Christ nous a libérés de la malédiction de la Loi en devenant pour nous malédiction[g]. » Bien plus, nous avons aussi

52. Οἰκονομία désigne plus particulièrement l'Incarnation. Cf. G. L. Prestige, *Dieu dans la pensée patristique*, trad. française, Paris 1955, p. 69-76.

53. Sur la manière dont Basile use de cette citation biblique, cf. Introd., p. 36-37.

25 πολὺ δὲ πρότερον τῆς ἁμαρτίας, δηλονότι χάριτι τοῦ Κυρίου ἡμῶν Ἰησοῦ Χριστοῦ, καθὼς γέγραπται· « Ὥσπερ γὰρ διὰ τῆς παρακοῆς τοῦ ἑνὸς ἀνθρώπου ἁμαρτωλοὶ κατεστάθησαν οἱ πολλοί, οὕτω διὰ τῆς ὑπακοῆς τοῦ ἑνὸς δίκαιοι κατασταθήσονται οἱ
c 30 πολλοί[h]. » | « Στήκετε οὖν, φησί, καὶ μὴ πάλιν ζυγῷ δουλείας ἐνέχεσθε[i]. »

Καὶ ὥσπερ αὐτὸς « ἀπέθανε τῇ ἁμαρτίᾳ ἐφάπαξ, ὃ δὲ ζῇ ζῇ τῷ θεῷ[j] », οὕτω καὶ ἡμεῖς ἐν τῷ τοῦ ὕδατος βαπτισμῷ, ὅπερ ἐστὶν ὁμοίωμα τοῦ σταυροῦ καὶ τοῦ
35 θανάτου, ἀποθανόντες τῇ ἁμαρτίᾳ ἐφάπαξ, φυλάξωμεν ἑαυτοὺς καὶ μηκέτι ἐπανέλθωμεν ἐπὶ τὴν ἁμαρτίαν, διαμείνωμεν δὲ ζῶντες τῷ Θεῷ ἐν Χριστῷ Ἰησοῦ, εἰπόντι· « Ὁ ἐμοὶ διακονῶν ἐμοὶ ἀκολουθείτω[k] », ἐν τῷ φυλάσσειν πρῶτον μὲν τὸ αὐτοῦ τοῦ Κυρίου πρόσταγμα
40 εἰπόντος· « Οὕτω λαμψάτω τὸ φῶς ὑμῶν ἔμπροσθεν τῶν ἀνθρώπων, ὅπως ἴδωσιν ὑμῶν τὰ καλὰ ἔργα καὶ δοξάσωσι τὸν Πατέρα ὑμῶν τὸν ἐν τοῖς οὐρανοῖς[l] », ἔπειτα δὲ καὶ τὸ τοῦ Ἀποστόλου παράγγελμα, γράψαντος· « Εἴτε
d ἐσθίετε εἴτε πίνετε εἴτε τι ποιεῖτε, πάντα εἰς δόξαν | θεοῦ
45 ποιεῖτε[m]. » Κατορθοῦται δὲ τούτων ἕκαστον ἐάν, ἄξια τῆς ἐπουρανίου κλήσεως φρονοῦντες, ἀξίως τοῦ εὐαγγελίου τοῦ Χριστοῦ πολιτευώμεθα[n], καὶ δυνηθῶμεν ἀληθεύοντες εἰπεῖν· « Ἡ γὰρ ἀγάπη τοῦ Χριστοῦ συνέχει ἡμᾶς κρίναντας τοῦτο ὅτι, εἰ εἷς ὑπὲρ πάντων ἀπέθανεν,
50 ἄρα οἱ πάντες ἀπέθανον, καὶ ὑπὲρ πάντων ἀπέθανεν ἵνα οἱ
1556 ζῶντες μηκέτι | ἑαυτοῖς ζῶσιν, ἀλλὰ τῷ ὑπὲρ αὐτῶν ἀποθανόντι καὶ ἐγερθέντι[o]. » Καὶ οὕτω κατορθοῦται τό· « Μείνατε ἐν τῇ ἀγάπῃ τῇ ἐμῇ· ἐὰν τὰς ἐντολάς μου

h. Rom. 5, 19 || i. Gal. 5, 1 || j. Rom. 6, 10 || k. Jn 12, 26 || l. Matth. 5, 16 || m. I Cor. 10, 31 || n. Cf. Phil. 1, 27 || o. II Cor. 5, 14-15.

---

54. Basile applique fréquemment le verbe πολιτεύεσθαι et le nom πολίτευμα à la conduite de l'âme. Comme l'a remarqué S. Giet, *Les idées et l'action sociale de S. Basile*, p. 26, n. 3, il conçoit naturellement la vie chrétienne dans le cadre de la cité.

été libérés du péché, évidemment par la grâce de notre Seigneur Jésus-Christ, selon ce qui est écrit : « De même que par la désobéissance d'un seul homme, la multitude a été constituée pécheresse, de même par l'obéissance d'un seul, elle sera constituée juste [h]. » « Tenez donc ferme, nous dit l'Apôtre, et ne vous remettez pas sous le joug de l'esclavage [i]. »

Vivre pour Dieu

De même que le Christ « est mort au péché une fois pour toutes, mais que sa vie est une vie pour Dieu [j] », de même nous aussi, dans le baptême d'eau, qui est l'image de sa croix et de sa mort, mourons au péché une fois pour toutes et tenons-nous sur nos gardes pour ne plus revenir au péché. Vivons constamment pour Dieu dans le Christ Jésus qui a dit : « Celui qui me sert, qu'il me suive [k]. » Pour cela observons d'abord cet ordre du Seigneur lui-même, qui a dit : « Que votre lumière brille devant les hommes de telle sorte qu'ils voient vos bonnes œuvres et en rendent gloire à votre Père qui est dans les cieux [l] », puis le précepte de l'Apôtre qui a écrit : « Soit que vous mangiez, soit que vous buviez et quoi que vous fassiez, faites tout pour la gloire de Dieu [m]. » Or, nous accomplissons chacun de ces commandements si nous avons des pensées dignes de notre vocation céleste, si nous nous conduisons [54] d'une façon digne de l'évangile du Christ [n] et devenons capables de dire en vérité : « L'amour du Christ nous étreint à la pensée que si un seul est mort pour tous, alors tous sont morts ; et il est mort pour tous afin que les vivants ne vivent plus pour eux-mêmes, mais pour celui qui est mort et ressuscité pour eux [o]. » Et voilà de quelle manière s'accomplit la parole : « Demeurez dans mon amour. Si vous gardez mes commandements vous

τηρήσητε, μενεῖτε ἐν τῇ ἀγάπῃ μου, καθὼς κἀγὼ τὰς
55 ἐντολὰς τοῦ Πατρός μου τετήρηκα καὶ μένω αὐτοῦ ἐν τῇ
ἀγάπῃ [p]. »

17 « Μηδεμίαν δὲ ἐν μηδενὶ διδόντες προσκοπήν, ἵνα
μὴ μωμηθῇ ἡ διακονία, ἐν παντὶ δὲ συνιστῶντες ἑαυτοὺς
ὡς Θεοῦ διάκονοι [a] », ἀψευδῆ καὶ ἀληθῆ ἐπιδειξώμεθα
τὴν ἐν τῷ βαπτίσματι ἐπαγγελίαν, ἐν τῷ φυλάσσειν τὰ
5 ὑπὸ τοῦ Ἀποστόλου παρακλητικῶς πρὸς τοὺς συμφυτευ-
θέντας τῷ Χριστῷ καὶ συνεγερθέντας εἰρημένα οὕτως·
« Μὴ οὖν βασιλευέτω ἡ ἁμαρτία ἐν τῷ θνητῷ ὑμῶν
σώματι, εἰς τὸ ὑπακούειν αὐτῇ ἐν ταῖς ἐπιθυμίαις αὐτῆς,
μηδὲ παριστάνετε τὰ μέλη ὑμῶν ὅπλα ἀδικίας τῇ
b 10 ἁμαρτίᾳ, | ἀλλὰ παραστήσατε ἑαυτοὺς τῷ Θεῷ ὡς ἐκ
νεκρῶν ζῶντας καὶ τὰ μέλη ὑμῶν ὅπλα δικαιοσύνης τῷ
Θεῷ [b] »· καὶ πάλιν· « Εἰ οὖν συνηγέρθητε τῷ Χριστῷ,
τὰ ἄνω ζητεῖτε, οὗ ὁ Χριστός ἐστιν ἐν δεξιᾷ τοῦ Θεοῦ
καθήμενος, τὰ ἄνω φρονεῖτε, μὴ τὰ ἐπὶ τῆς γῆς [c]. »
15 Ὡς οἶμαι, ἀναπόδοτον οὕτω διευκρινήσαντος ἡμῖν τοῦ
Ἀποστόλου, δι' ὀλίγων οὖν τῶν μνημονευθέντων, τὴν
προλαβοῦσαν μεγάλην τῆς ἀμετρήτου φιλανθρωπίας τοῦ
Θεοῦ χάριν ἐν ἀγάπῃ Χριστοῦ Ἰησοῦ τοῦ Κυρίου ἡμῶν,
οὗ ἡ μέχρι θανάτου ὑπακοὴ ἡμῖν ἐγένετο, καθὼς
20 γέγραπται, λύτρωσις ἁμαρτημάτων [d], ἐλευθερία τοῦ ἐν
τῷ ἀπ' αἰῶνος παραπτώματι βασιλεύοντος θανάτου [e],
καταλλαγὴ τῷ Θεῷ [f], δύναμις τῆς πρὸς Θεὸν εὐαρεστήσεως, δικαιοσύνης δωρεά, κοινωνία τῶν ἁγίων ἐν τῇ
c αἰω|νίῳ ζωῇ, βασιλείας οὐρανῶν κληρονομία, καὶ μυρίων

p. Jn 15, 9-10.

17 a. II Cor. 6, 3-4 || b. Rom. 6, 12-13 || c. Col. 3, 1-2 || d. Cf. Tite 2, 14 || e. Cf. Rom. 5, 14 || f. Cf. Rom. 5, 11.

55. La « communion des saints » ne doit pas être entendue ici comme une solidarité de mérites. Cf. *Rf prooem* 897 b : ἰσοπολιτείαν τῶν ἁγίων.

demeurerez dans mon amour, comme moi-même j'ai gardé les commandements de mon Père et je demeure dans son amour [p]. »

17 « Ne donnons en quoi que ce soit aucun motif de scandale de peur que notre ministère ne soit décrié ; affirmons-nous en tout comme ministres de Dieu [a] », et montrons la sincérité et la vérité de notre promesse baptismale en observant ces paroles d'exhortation adressées par l'Apôtre à ceux qui ont pris racine avec le Christ et sont ressuscités avec lui : « Que le péché cesse donc de régner sur votre corps mortel pour vous faire obéir à ses convoitises. Ne mettez pas vos membres au service du péché comme des instruments d'injustice. Offrez-vous à Dieu, au contraire, tels des vivants revenus de la mort et mettez vos membres au service de Dieu comme des instruments de justice [b]. » Et l'Apôtre dit encore : « Si donc vous êtes ressuscités avec le Christ, cherchez les choses d'en haut, là où le Christ est assis à la droite de Dieu ; ayez dans l'âme les choses d'en haut, non celles de la terre [c]. »

La philanthropie divine

Ainsi, par ces quelques paroles rappelées à notre mémoire, l'Apôtre a déterminé clairement selon moi que nous ne pouvons pas payer de retour la grande grâce prévenante de la philanthropie sans mesure de Dieu, grâce qui s'est manifestée dans l'amour du Christ Jésus notre Seigneur, dont l'obéissance jusqu'à la mort a été pour nous, ainsi qu'il est écrit, rédemption des fautes [d], délivrance de la mort qui régnait sur l'antique transgression [e], réconciliation avec Dieu [f], capacité de plaire à Dieu, don de la justice, vie commune avec les saints dans l'éternité [55], héritage du royaume des cieux, ainsi que d'autres biens en nombre infini qui seront

25 ἄλλων ἀγαθῶν βραβεῖον, σοφῶς δὲ καὶ ἰσχυρῶς παραδεδωκότος ἡμῖν διὰ τῶν συνημμένως ἐπενεχθέντων τὸν ἐν τῷ ὕδατι εἰς τὸν θάνατον τοῦ Κυρίου ἡμῶν Ἰησοῦ Χριστοῦ τοῦ βαπτίσματος λόγον, δι' ὧν ἐπαίδευσεν ἡμᾶς ἀσφαλίζεσθαι ἑαυτοὺς μὴ εἰς κενὸν τὴν τοιαύτην καὶ 30 τοσαύτην χάριν δέξασθαι[g], εἰπὼν ἃ καὶ προεῖπον· « Μὴ οὖν βασιλευέτω ἡ ἁμαρτία ἐν τῷ θνητῷ ὑμῶν σώματι εἰς τὸ ὑπακούειν αὐτῇ ἐν ταῖς ἐπιθυμίαις αὐτῆς, μηδὲ παριστάνετε τὰ μέλη ὑμῶν ὅπλα ἀδικίας τῇ ἁμαρτίᾳ, ἀλλὰ παραστήσατε ἑαυτοὺς τῷ Θεῷ ὡς ἐκ νεκρῶν 35 ζῶντας, καὶ τὰ μέλη ὑμῶν ὅπλα δικαιοσύνης τῷ Θεῷ[h] », καὶ τὰ ἑξῆς.

d | **18** Δι' ὧν πανтάπασιν ἀποστήσας μὲν ἡμᾶς πάσης ἁμαρτίας καὶ τῆς κατὰ νόμον δικαιοσύνης, προσαγαγὼν δὲ τῇ κατὰ Θεὸν δικαιοσύνῃ σφοδρότερον διὰ φρικωδεσ-1557 τέρας ἀπειλῆς καὶ ἀγαθῆς καὶ ποθεινοτά|της ἐπαγγελίας 5 ἐν τῷ εἰπεῖν· « Τὰ γὰρ ὀψώνια τῆς ἁμαρτίας θάνατος, τὸ δὲ χάρισμα τοῦ Θεοῦ ζωὴ αἰώνιος ἐν Χριστῷ Ἰησοῦ τῷ Κυρίῳ ἡμῶν[a] », μιμεῖται πάλιν τὸν Κύριον καὶ τῆς κατὰ νόμον δικαιοσύνης κρείττονας ἡμᾶς γενέσθαι παιδεύει, ἐπαγαγών· « Ἢ ἀγνοεῖτε, ἀδελφοί, γινώσκουσι γὰρ 10 νόμον λαλῶ, ὅτι ὁ νόμος κυριεύει τοῦ ἀνθρώπου ἐφ' ὅσον χρόνον ζῇ ; Ἡ γὰρ ὕπανδρος γυνὴ τῷ ζῶντι ἀνδρὶ δέδεται νόμῳ, ἐὰν δὲ ἀποθάνῃ ὁ ἀνὴρ κατήργηται ἀπὸ τοῦ νόμου τοῦ ἀνδρός. Ἄρα οὖν ζῶντος τοῦ ἀνδρὸς μοιχαλὶς

g. Cf. II Cor. 6, 1 || h. Rom. 6, 12-13.
18 a. Rom. 6, 23.

---

56. Cette longue énumération est tout à fait dans le goût de Basile. On peut la rapprocher de celle des biens dus à l'Esprit-Saint dans le *De Sp sanct* 132 b, de celle des richesses propres au chrétien en *Attende* 213 a, etc.

notre récompense [56] ; il nous a d'autre part enseigné de manière sage et forte, avec les paroles qu'il a ajoutées conjointement à celles-là, la signification du baptême d'eau qui est une plongée dans la mort de notre Seigneur Jésus-Christ. Par là, il nous a appris à nous tenir sur nos gardes de peur de recevoir en vain une grâce d'une telle nature et d'une telle importance [g]. Il a dit en effet, parole que précisément je viens de rapporter : « Que le péché cesse donc de régner sur votre corps mortel pour vous faire obéir à ses convoitises. Ne mettez pas vos membres au service du péché comme des instruments d'injustice. Offrez-vous à Dieu au contraire, tels des vivants revenus de la mort et mettez vos membres au service de Dieu comme des instruments de justice [h] », etc.

Retour sur la justice légale

18 Par ces mots il nous a détournés tout à fait de tout péché et de la justice selon la Loi. D'autre part, il nous a conduits à la justice selon Dieu en nous disant d'une manière plus forte, qui associe une menace plus effrayante à une bonne et très désirable promesse : « Le salaire du péché, c'est la mort, tandis que le don de Dieu, c'est la vie éternelle dans le Christ Jésus notre Seigneur [a]. » C'est alors que de nouveau il imite le Seigneur [57] et nous enseigne à dépasser la justice selon la Loi. Il ajoute en effet : « Ignorez-vous, frères — je parle à des connaisseurs en fait de loi —, que la loi n'a autorité sur l'homme qu'aussi longtemps qu'il vit ? Ainsi la femme mariée est liée par la loi à son mari tant qu'il

57. En opposant le régime nouveau de l'esprit au régime périmé de la lettre, S. Paul imite le Seigneur qui, dans le Sermon sur la montagne, construit sur l'opposition : « il a été dit aux ancêtres, et moi je vous dis » (*Matth.* 5), avait invité ses auditeurs à dépasser la justice selon la Loi.

χρηματίσει ἐὰν γένηται ἀνδρὶ ἑτέρῳ· ἐὰν δὲ ἀποθάνῃ ὁ
15 ἀνὴρ ἐλευθέρα ἐστὶν ἀπὸ τοῦ νόμου, τοῦ μὴ εἶναι αὐτὴν
μοιχαλίδα, γενομένην ἀνδρὶ ἑτέρῳ. Ὥστε, ἀδελφοί μου,
καὶ ὑμεῖς ἐθανατώθητε τῷ νόμῳ διὰ τοῦ σώματος τοῦ
b Χριστοῦ εἰς | τὸ γενέσθαι ὑμᾶς ἑτέρῳ, τῷ ἐκ νεκρῶν
ἐγερθέντι, ἵνα καρποφορήσωμεν τῷ Θεῷ. Ὅτε γὰρ ἦμεν
20 ἐν τῇ σαρκί, τὰ παθήματα τῶν ἁμαρτιῶν τὰ διὰ τοῦ
νόμου ἐνηργεῖτο ἐν τοῖς μέλεσιν ἡμῶν εἰς τὸ καρποφο-
ρῆσαι τῷ θανάτῳ· νυνὶ δὲ κατηργήθημεν ἀπὸ τοῦ νόμου
ἀποθανόντες ἐν ᾧ κατειχόμεθα, ὥστε δουλεύειν ἡμᾶς ἐν
καινότητι πνεύματος καὶ οὐ παλαιότητι γράμματος [b] »,
25 καὶ τὰ ἑξῆς. Δι' ὧν παιδευόμεθα θαυμάζειν τὴν ἀνεκδιήγητον φιλανθρωπίαν τοῦ Θεοῦ ἐν Χριστῷ Ἰησοῦ, καὶ
φρικωδέστερον καθαρεύειν ἀπὸ παντὸς μολυσμοῦ σαρκὸς
καὶ πνεύματος [c].

19 Τὴν δὲ διαφορὰν τοῦ πνεύματος πρὸς τὸ γράμμα,
ἐν ἑτέρῳ τόπῳ σύγκρισιν ποιούμενος τοῦ νόμου καὶ τοῦ
Εὐαγγελίου κατὰ ἀπόφασιν δεικνύει, λέγων· « Τὸ γὰρ
c γράμμα ἀποκτέννει, τὸ δὲ πνεῦμα ζωο|ποιεῖ [a] »· γράμμα
5 λέγων τὸν νόμον, ὡς διὰ τῶν προγεγραμμένων καὶ
ἐπιφερομένων δηλοῦται, πνεῦμα δὲ τὴν τοῦ Κυρίου
διδασκαλίαν, αὐτοῦ τοῦ Κυρίου εἰπόντος· « Τὰ ῥήματά
μου ἃ ἐγὼ λελάληκα ὑμῖν, πνεῦμά ἐστι καὶ ζωή ἐστιν [b]. »
Εἰ δὲ ἡ κατὰ νόμον δικαιοσύνη σπουδαζομένη τισὶ τῶν ἐν
10 τῷ βαπτίσματι καθομολογησάντων ἑαυτοὺς τῷ Θεῷ
μηκέτι ἑαυτοῖς ζῆν, ἀλλὰ τῷ ὑπὲρ αὐτῶν ἀποθανόντι καὶ
ἐγερθέντι [c], μοιχείας κρῖμα ἐπάγει, ὡς διὰ τῶν προειρημένων σαφῶς δέδεικται, τί ἂν τις εἴποι περὶ παραδόσεων ἀνθρωπίνων;

b. Rom. 7, 1-6 || c. Cf. II Cor. 7, 1.

19 a. II Cor. 3, 6 || b. Jn 6, 63 || c. Cf. II Cor. 5, 15.

---

58. Cf. les expressions « écrit sur des tables de pierre » en *II Cor.* 3, 3 et « gravé en lettres sur des pierres » en *II Cor.* 3, 7, qui, l'une et l'autre, s'appliquent à la loi de Moïse.

vit, mais si son mari meurt, elle se trouve dégagée de la loi qui la liait à son mari. Si donc, du vivant de son mari, elle se donne à un autre homme, on la qualifiera d'adultère. Mais si son mari meurt, elle est affranchie de cette loi et peut alors sans être adultère se donner à un autre homme. Ainsi mes frères, vous de même, vous avez été mis à mort à l'égard de la Loi par le corps du Christ pour appartenir à un autre, à celui qui est ressuscité des morts, afin que nous portions des fruits pour Dieu. Lorsque nous étions dans la chair, en effet, les passions pécheresses qui se servent de la Loi opéraient dans nos membres et leur faisaient porter des fruits pour la mort. Mais maintenant que nous avons été libérés de la Loi, étant morts à ce qui nous tenait captifs, nous pouvons servir dans la nouveauté de l'esprit et non dans la vétusté de la lettre[b] », etc. Ces paroles nous apprennent à admirer la philanthropie ineffable de Dieu dans le Christ Jésus et à nous purifier avec une crainte plus religieuse de toute souillure de la chair et de l'esprit[c].

19 La différence entre l'esprit et la lettre, l'Apôtre l'indique aussi, sous forme de sentence dans un autre passage où il compare la Loi et l'Évangile. Il dit en effet : « La lettre tue, mais l'esprit fait vivre[a]. » Il appelle lettre la Loi, comme il ressort de ce qui précède et de ce qui suit [58], et esprit l'enseignement du Seigneur, car c'est le Seigneur lui-même qui a dit : « Mes paroles, celles que je vous ai dites, sont esprit et elles sont vie[b]. » Or, si en conservant le souci attentif de la justice légale, certaines personnes ayant pris à leur baptême l'engagement devant Dieu de ne plus vivre pour elles-mêmes, mais pour celui qui est mort et ressuscité pour elles[c], s'attirent une condamnation d'adultère, comme les paroles précédentes l'ont clairement démontré, que pourra-t-on dire des traditions humaines ?

15 Περὶ δὲ τῆς κατὰ νόμον δικαιοσύνης ὁ Ἀπόστολος σφοδρότερον ἀποφαίνεται, εἰπών· « Ἀλλὰ μὲν οὖν καὶ ἡγοῦμαι τὰ πάντα ζημίαν εἶναι τὸ ὑπερέχον τῆς γνώσεως
d Ἰησοῦ Χριστοῦ τοῦ | Κυρίου μου, δι' ὃν τὰ πάντα ἐζημιώθην καὶ ἡγοῦμαι σκύβαλα εἶναι, ἵνα Χριστὸν
20 κερδήσω καὶ εὑρεθῶ ἐν αὐτῷ μὴ ἔχων ἐμὴν δικαιοσύνην τὴν ἐκ τοῦ νόμου, ἀλλὰ τὴν διὰ πίστεως Ἰησοῦ Χριστοῦ, τὴν ἐκ Θεοῦ δικαιοσύνην[d]. »

Περὶ μὲν οὖν ἀνθρωπίνων παραδόσεων τὸ κρῖμα φανερὸν ἐκ τῶν τοῦ Κυρίου ῥημάτων· περὶ δὲ λογισμῶν
25 ἰδίων ἐν σοφίᾳ ἀνθρωπίνῃ, ἀγωνιστικώτερον τὴν καθαίρεσιν ποιεῖσθαι ὁ Ἀπόστολος ἐδίδαξεν εἰπών· « Τὰ γὰρ
1560 ὅπλα | τῆς στρατείας ἡμῶν οὐ σαρκικά, ἀλλὰ δυνατὰ τῷ Θεῷ πρὸς καθαίρεσιν ὀχυρωμάτων, λογισμοὺς καθαιροῦντες καὶ πᾶν ὕψωμα ἐπαιρόμενον κατὰ τῆς γνώσεως
30 τοῦ Θεοῦ[e] ». Ἢ ὅλως περὶ δικαιοσύνης τῆς ἑκάστῳ φαινομένης, κἂν διὰ Θεὸν ᾖ ἐσπουδασμένως γινομένη, περὶ ἧς φησι πάλιν ὁ αὐτός· « Μαρτυρῶ γὰρ αὐτοῖς ὅτι ζῆλον Θεοῦ ἔχουσιν, ἀλλ' οὐ κατ' ἐπίγνωσιν. Ἀγνοοῦντες γὰρ τὴν τοῦ Θεοῦ δικαιοσύνην καὶ τὴν ἰδίαν ζητοῦντες
35 στῆσαι, τῇ δικαιοσύνῃ τοῦ Θεοῦ οὐχ ὑπετάγησαν[f]. »

Ὡς ἐκ τούτων καὶ τῶν τοιούτων φανερὸν εἶναι τὸ κρῖμα τῶν θελόντων σοφίζεσθαι τὰ κρίματα τοῦ Θεοῦ. Γέγραπται γάρ· « Οὐαὶ οἱ συνετοὶ ἐν ἑαυτοῖς, καὶ ἐνώπιον ἑαυτῶν ἐπιστήμονες[g] »· τοῦ Κυρίου φανερώτε-

d. Phil. 3, 8-9 || e. II Cor. 10, 4-5 || f. Rom. 10, 2-3 || g. Is. 5, 21.

---

59. Cf. *Matth.* 15, 2-6; *Mc* 7, 5-13, etc.
60. Le pluriel λογισμοί présente chez les Pères du IVe s. une nuance péjorative et s'applique aux raisonnements faibles ou erronés de la sagesse humaine.

Mais, au sujet de la justice légale, l'Apôtre se prononce avec plus de force. Il dit en effet : « Oui, je vais jusqu'à considérer que tout est dommage au regard de ce bien suprême, la connaissance de Jésus-Christ mon Seigneur. Pour lui, j'ai subi tous les dommages, je considère tout comme balayures quand il s'agit de gagner le Christ et de me trouver en lui non pas avec ma justice à moi, celle qui vient de la Loi, mais avec la justice qui s'obtient par la foi en Jésus-Christ, la justice qui vient de Dieu [d]. »

Traditions et raisonnements humains

Eh bien donc, en ce qui concerne les traditions humaines, leur condamnation résulte clairement des paroles du Seigneur [59]. Pour les raisonnements [60] propres à la sagesse humaine, c'est en termes plus guerriers que l'Apôtre nous a appris à les renverser quand il a dit : « Les armes de notre combat ne sont pas charnelles, mais elles ont pour la cause de Dieu le pouvoir de renverser les forteresses; nous renversons les raisonnements et toute puissance altière qui s'élève contre la connaissance de Dieu [e]. » Et parlant en général sur la justice telle que chacun la voit, même si elle est pratiquée sérieusement à cause de Dieu, notre Apôtre déclare encore : « Je leur rends témoignage qu'ils ont du zèle pour Dieu, mais c'est un zèle mal éclairé. Méconnaissant la justice de Dieu et cherchant à établir la leur propre, ils ne se sont pas soumis à la justice de Dieu [f]. »

De ces passages et des passages semblables ressort clairement la condamnation de ceux qui veulent faire les habiles avec les jugements de Dieu. Il est écrit en effet : « Malheur à ceux qui sont avisés à leur propre jugement et savants à leurs propres yeux [g]. » Et le Seigneur a

b 40 ρον ἀποφηνα|μένου ὅτι « Ὃς ἂν μὴ δέξηται τὴν βασιλείαν τοῦ Θεοῦ ὡς παιδίον, οὐ μὴ εἰσέλθῃ εἰς αὐτήν[h].»

Διόπερ πάντων ὁμοῦ καθαρεῦσαι ἀναγκαῖον· τῶν τε τοῦ διαβόλου ἐπιθυμιῶν, καὶ τῶν τοῦ κόσμου μετεωρισμῶν, καὶ τῶν ἀνθρωπίνων παραδόσεων, καὶ τῶν ἰδίων 45 θελημάτων, κἂν εὐπροσωπότεροι εἶναι δόξωσι καὶ ὑπὸ τοῦ νόμου συνηγορῶνται, ἐὰν καὶ πρὸς ὀλίγον ἀναβολὴν ἐμποιήσωσι τῇ ὀφειλομένῃ ὀξυτάτῃ σπουδῇ τῶν θελημάτων τοῦ Θεοῦ, ἵνα οἱ ἐν τῷ τοιούτῳ βαπτίσματι ὁμολογήσαντες συνεσταυρῶσθαι τῷ Χριστῷ, συντεθνηκέ- 50 ναι, συντεθάφθαι, συμπεφυτεῦσθαι, συνεγηγέρθαι, παρρησίαν ἔχωσι μετὰ ἀληθείας εἰπεῖν· « Ἐγὼ τῷ κόσμῳ ἐσταύρωμαι », πολὺ δὲ πρότερον τῷ διαβόλῳ, « καὶ ὁ κόσμος ἐμοί[i]· ζῶ δὲ οὐκέτι ἐγώ, ζῇ δὲ ἐν ἐμοὶ c Χριστός[j] », περισσείαν τῆς | κατὰ τὸν νόμον δικαιοσύνης 55 διδάσκων, ἵνα βασιλείας οὐρανῶν καταξιωθῶμεν[k].

20 Καιρὸς ἂν εἴη λοιπὸν εἰς κατανόησιν ἡμᾶς ἐλθεῖν καὶ διὰ τῆς εἰς Χριστὸν πίστεως σύνεσιν ἡμᾶς λαβεῖν καὶ γνῶναι τί ἐστι τὸ ἐν τῷ ὀνόματι τοῦ Πατρὸς καὶ τοῦ Υἱοῦ καὶ τοῦ ἁγίου Πνεύματος βαπτισθῆναι[a]. Πρῶτον μὲν οὖν 5 ἑκάστου ὀνόματος ἰδιαζόντως τὴν τοῦ ὀνομαζομένου δόξαν γνωρίζειν ἀναγκαῖον.

h. Mc 10, 15 || i. Gal. 6, 14 || j. Gal. 2, 20 || k. Cf. Matth. 5, 20.
20 a. Cf. Matth. 28, 19.

---

61. L'adjectif εὐπρόσωπος, fréquent chez Basile pour caractériser prétextes et raisonnements spécieux, développe le verbe péjoratif σοφίζεσθαι employé en 1560 a.

62. Même séquence qu'en 1545 b : *Gal.* 6, 14, - *Gal.* 2, 20.

déclaré plus clairement : « Celui qui n'accueille pas le royaume de Dieu comme un petit enfant, non certes n'y entrera pas[h]. »

Récapitulation. Les devoirs du baptisé

Il faut donc se garder pur de tout à la fois : convoitises du diable, exaltations du monde, et aussi traditions humaines et volontés propres, même si elles semblent à l'apparence plutôt bonnes[61] et trouvent un appui dans la Loi, dès lors qu'elles entraînent un retard, fût-il léger, à l'empressement très vif que l'on doit manifester pour les volontés de Dieu. Ainsi, après s'être reconnu par un tel baptême crucifié avec le Christ, mort avec lui, enseveli avec lui, enraciné avec lui, ressuscité avec lui, on pourra en toute liberté dire avec vérité : « Moi je suis crucifié au monde » — mais bien davantage au diable —, « et le monde est crucifié pour moi[i]. Ce n'est plus moi qui vis, c'est le Christ qui vit en moi[j] [62]. » Et ce Christ nous enseigne à dépasser la justice selon la Loi, afin que nous soyons jugés dignes du royaume des cieux[k].

Le baptême au nom des trois personnes divines

20 C'est sans doute le moment maintenant pour nous de nous mettre à réfléchir, afin de saisir et de bien voir, grâce à notre foi dans le Christ, ce que signifie le fait d'être baptisé au nom du Père, du Fils et du Saint-Esprit[a]. Eh bien ! il faut d'abord, pour chaque nom en particulier, apprendre à connaître la gloire de celui qui est nommé.

Ἔπειτα δὲ εἰδέναι ὅτι τὸ ἐν τῷ ὀνόματι τοῦ ἁγίου Πνεύματος βαπτισθῆναι αὐτὸς ὁ Κύριος σαφηνίζει, λέγων· « Τὸ γεγεννημένον ἐκ τῆς σαρκὸς σάρξ ἐστι, καὶ
10 τὸ γεγεννημένον ἐκ τοῦ Πνεύματος πνεῦμά ἐστιν [b] », ἵνα
d τῆς κατὰ σάρκα γεννήσεως τὴν | ἀκολουθίαν ἀντὶ ὑποδείγματος λαβόντες, ἐκ τοῦ γνωριμωτέρου πράγματος τὸ δόγμα τῆς εὐσεβείας σαφῶς καὶ ἀληθῶς παιδευθῶμεν· εἰδότες καὶ πεπεισμένοι ἀκριβῶς ὅτι, ὥσπερ τὸ κατὰ
15 σάρκα ἔκ τινος γεννηθὲν τοιοῦτόν ἐστιν οἷόν ἐστι τὸ ἐξ οὗ ἐγεννήθη, οὕτω καὶ ἡμᾶς ἐπάναγκες ἐκ τοῦ Πνεύματος γεννωμένους πνεῦμα γενέσθαι.

Πνεῦμα δὲ οὐ κατὰ τὴν μεγάλην καὶ ἀκατάληπτον ἀνθρωπίνῃ διανοίᾳ δόξαν τοῦ ἁγίου Πνεύματος, ἀλλὰ τὴν
1561 20 ἐν τῇ | διαιρέσει τῶν τοῦ Θεοῦ διὰ τοῦ Χριστοῦ αὐτοῦ χαρισμάτων ἑκάστῳ πρὸς τὸ συμφέρον καὶ ἐνεργείᾳ τούτων ἁπάντων αἰνιγματωδῶς θεωρουμένην [c], καὶ ἐν ἄλλοις δὲ ῥητοῖς ὁμοίως, ἀλλὰ κατὰ τὴν τῶν ἐντολῶν τοῦ Θεοῦ τῶν διὰ τοῦ Κυρίου ἡμῶν Ἰησοῦ Χριστοῦ κατηγ-
25 γελμένων ὑπόμνησίν τε καὶ διδασκαλίαν, αὐτοῦ τοῦ Κυρίου ἡμῶν Ἰησοῦ Χριστοῦ εἰπόντος· « Αὐτὸς ὑμᾶς διδάξει καὶ ὑπομνήσει ὑμᾶς πάντα ἃ εἶπον ὑμῖν [d]. » Ἔπειτα δὲ ὁ Ἀπόστολος πλατύτερον παραδίδωσι διὰ ποίων φρονημάτων γίνεταί τις πνεῦμα, ἐν τῷ γράφειν
30 ποτὲ μέν· « Ὁ δὲ καρπὸς τοῦ Πνεύματός ἐστιν ἀγάπη, χαρά, εἰρήνη, μακροθυμία [e] », καὶ τὰ ἑξῆς, προειπών·

b. Jn 3, 6 || c. Cf. I Cor. 12, 7 + 13, 12 || d. Jn 14, 26 || e. Gal. 5, 22.

---

63. On peut s'étonner de voir Basile, si attentif à l'ordre, étudier le baptême au nom des trois personnes divines en commençant par la troisième. Il s'explique à ce sujet dans le *De Sp sanct* 133 d : « Quand on reçoit un don, c'est d'abord celui qui l'apporte qu'on rencontre, puis l'on pense à celui qui l'envoie et l'on remonte enfin en pensée à la source et à la cause du cadeau » (cf. PRUCHE, *SC* 17 bis, p. 377 et n. 1).

64. Basile a l'habitude de faire appel à l'expérience commune pour exposer les vérités de la foi (cf. *supra*, 1541 a).

Baptême au nom du Saint-Esprit

Ensuite il faut savoir que sur le fait d'être baptisé au nom du Saint-Esprit [63], le Seigneur lui-même nous éclaire lorsqu'il dit : « Ce qui est né de la chair est chair et ce qui est né de l'esprit est esprit [b]. » Ainsi, en prenant exemple sur la logique propre à la naissance selon la chair, nous apprendrons de façon claire et véridique, à partir de cette réalité plus connue [64], la doctrine de la piété, et nous saurons avec une parfaite assurance que si l'être né selon la chair est tel que l'être dont il est né, de même c'est une nécessité pour nous aussi que, naissant de l'esprit, nous devenions esprit [65].

Mais cet esprit n'est pas en rapport avec la grande gloire du Saint-Esprit, gloire inaccessible à l'intelligence humaine, qu'on observe seulement en énigme dans la diversité des dons spirituels que Dieu fait à chacun en vue du bien [c] par l'intermédiaire de son Christ et dans la traduction en actes de tous ces dons, qu'on observe aussi de la même façon en d'autres réalités exprimables [66]. Il est en rapport avec le souvenir et l'enseignement des commandements de Dieu qui nous ont été annoncés par l'intermédiaire de notre Seigneur Jésus-Christ. C'est en effet notre Seigneur Jésus-Christ lui-même qui nous a dit : « L'Esprit Saint vous instruira et vous rappellera tout ce que je vous ai dit [d]. » C'est ensuite l'Apôtre qui nous enseigne plus longuement par quelles façons de penser on devient esprit. Tantôt il écrit : « Le fruit de l'Esprit est amour, joie, paix, longanimité [e] », etc. — il

65. Même doctrine dans les *Règles Morales* : le propre de celui qui est né de l'Esprit, c'est « de devenir, dans la mesure qui lui est donnée, ce qu'est celui dont il renaît, comme il est écrit que : Celui qui est né de la chair est chair ; celui qui est né de l'esprit est esprit » (LÈBE *Mor*, p. 187).

66. Cette phrase sur l'esprit (πνεῦμα) vise probablement les messaliens qui se donnaient à eux-mêmes le nom de πνευματικοί et prétendaient, par leurs prières continuelles, entrer en communication sensible avec l'Esprit-Saint.

« Εἰ δὲ Πνεύματι ἄγεσθε οὐκ ἐστὲ ὑπὸ νόμον[f] », καὶ ἀλλαχοῦ· « Εἰ ζῶμεν Πνεύματι, Πνεύματι καὶ στοιχῶ-
b μεν[g] », ποτὲ δέ· « Ἔχοντες | δὲ χαρίσματα κατὰ τὴν
35 χάριν τοῦ Θεοῦ τὴν δοθεῖσαν ἡμῖν διάφορα, εἴτε προφητείαν κατὰ τὴν ἀναλογίαν τῆς πίστεως, εἴτε διακονίαν ἐν τῇ διακονίᾳ[h] », καὶ τὰ ἑξῆς.

21 Διὰ τούτων καὶ τῶν τοιούτων ὁ Κύριος τοὺς γεννηθέντας ἐκ Πνεύματος πνεῦμα γίνεσθαι λέγει. Συμμαρτυρεῖ δὲ ὁ Ἀπόστολος λέγων· « Τούτου χάριν κάμπτω τὰ γόνατά μου πρὸς τὸν Πατέρα τοῦ Κυρίου
5 ἡμῶν Ἰησοῦ Χριστοῦ, ἐξ οὗ πᾶσα πατριὰ ἐν οὐρανῷ καὶ ἐπὶ γῆς ὀνομάζεται, ἵνα δῷ ὑμῖν κατὰ τὸν πλοῦτον τῆς δόξης αὐτοῦ δυνάμει κραταιωθῆναι διὰ τοῦ Πνεύματος αὐτοῦ εἰς τὸν ἔσω ἄνθρωπον κατοικῆσαι τὸν Χριστόν[a] », ἐάν γε ζῶντες Πνεύματι, Πνεύματι καὶ στοιχῶμεν[b], καὶ
10 οὕτω, χωρητικοὶ γενόμενοι τοῦ Πνεύματος τοῦ ἁγίου,
c δυνη|θῶμεν ὁμολογῆσαι τὸν Χριστόν· διότι « οὐδεὶς δύναται εἰπεῖν Κύριον Ἰησοῦν εἰ μὴ ἐν Πνεύματι ἁγίῳ[c] ». Οὕτω μὲν οὖν ὁ Κύριος διά τε ἑαυτοῦ καὶ διὰ τοῦ Ἀποστόλου τοὺς γεννηθέντας ἐκ Πνεύματος πνεῦμα
15 γίνεσθαι ἐδίδαξεν.

Καὶ ἐν τούτῳ δὲ πάλιν μιμησόμεθα τὴν κατὰ σάρκα γέννησιν· πρῶτον μὲν τὸν τόπον μεταλλάξαντες καὶ τὸν τρόπον μετασχηματισθέντες, διὰ τοῦ κραταιωθῆναι τὸν ἔσω ἄνθρωπον Πνεύματι[d], ὡς δύνασθαι ἡμᾶς λέγειν·
20 « Ἡμῶν δὲ τὸ πολίτευμα ἐν οὐρανοῖς ὑπάρχει[e] », τὸ μὲν σῶμα ὡς σκιὰν περισύροντες ἐπὶ τῆς γῆς, τὴν δὲ ψυχὴν

f. Gal. 5, 18 || g. Gal. 5, 25 || h. Rom. 12, 6-7.

21 a. Éphés. 3, 14-17 || b. Cf. Gal. 5, 25 || c. I Cor. 12, 3 || d. Cf. Éphés. 3, 16 || e. Phil. 3, 20.

---

67. Χωρητικοί : cf. *Rf* 5 (920 d) et *De Sp sanct* 204 c.

avait dit auparavant : « Si c'est l'Esprit qui vous conduit, vous n'êtes pas sous la Loi[f] », et ailleurs : « Si nous vivons par l'Esprit, réglons-nous aussi sur l'Esprit[g] » —, tantôt il écrit : « Nous avons des dons spirituels différents selon la grâce de Dieu qui nous a été donnée. Si c'est la prophétie, exerçons ce don en proportion de notre foi, si c'est le service en servant[h] », etc.

21 Par ces moyens et par d'autres semblables, nous dit le Seigneur, les êtres qui sont nés de l'Esprit deviennent esprit. Et l'Apôtre donne un témoignage concordant puisqu'il dit : « C'est pourquoi je fléchis les genoux devant le Père de notre Seigneur Jésus-Christ, de qui toute paternité, au ciel et sur la terre, tire son nom, pour qu'il vous accorde selon la richesse de sa gloire d'être fortifiés et affermis par son Esprit dans votre être intérieur, afin que le Christ vienne s'y établir[a] », cela, à condition du moins que, vivant par l'Esprit, nous nous réglions aussi sur l'Esprit[b] et que, devenus ainsi aptes à faire place à l'Esprit-Saint[67], nous soyons capables de confesser le Christ, car « nul n'est capable de dire : Jésus est le Seigneur, si ce n'est sous l'action de l'Esprit-Saint[c]. » Voilà donc l'enseignement que le Seigneur a donné par lui-même et par l'intermédiaire de l'Apôtre à ceux qui sont nés de l'Esprit, pour qu'ils deviennent esprit.

La naissance entraîne le changement de milieu

Et là encore nous imiterons la naissance selon la chair. Ce sera d'abord en transportant ailleurs notre séjour et en transformant notre façon de vivre, grâce à l'affermissement de notre être intérieur opéré par l'Esprit[d], de manière à pouvoir dire : « Pour nous, notre citoyenneté est dans les cieux[e]. » Alors, notre corps, nous le traînerons de côté et d'autre sur la terre comme une ombre, mais pour

συμπολιτευομένην τοῖς ἐπουρανίοις φυλάσσοντες, ἔπειτα δὲ καὶ τοὺς συνόντας ἐπὶ γῆς ἀνταλλαξάμενοι, τοῦ μὲν
d Δαβὶδ εἰπόντος· « Τὸν καταλαλοῦντα λάθρα τοῦ | πλη-
25 σίον αὐτοῦ, τοῦτον ἐξεδίωκον· ὑπερηφάνῳ ὀφθαλμῷ καὶ ἀπλήστῳ καρδίᾳ, τούτῳ οὐ συνήσθιον· οἱ ὀφθαλμοί μου ἐπὶ τοὺς πιστοὺς τῆς γῆς, τοῦ συγκαθῆσθαι αὐτοὺς μετ' ἐμοῦ· πορευόμενος ἐν ὁδῷ ἀμώμῳ, οὗτός μοι ἐλειτούργει· οὐ κατῴκει ἐν μέσῳ τῆς οἰκίας μου ποιῶν ὑπερηφα-
1564 30 νίαν, λαλῶν ἄδικα οὐ κατεύ|θυνεν ἐνώπιον τῶν ὀφθαλμῶν μου[f] », καὶ ἐν ἄλλοις ὁμοίως, τοῦ δὲ Ἀποστόλου ἐμβριθέστερον παραγγέλλοντος ὅτι « Ἐάν τις ἀδελφὸς ὀνομαζόμενος ᾖ πόρνος ἢ πλεονέκτης ἢ λοίδορος ἢ μέθυσος ἢ ἅρπαξ, τῷ τοιούτῳ μηδὲ συνεσθίειν[g] ».

22 Καὶ πολλάκις δὲ ὁ αὐτὸς τὰ ὅμοια κατὰ τῶν ὁμοίων δογματίσας, παραδίδωσι σαφῶς καὶ ἀσφαλῶς, προδιηγούμενος τὴν μεγάλην καὶ ἔνδοξον τῆς φιλανθρωπίας τοῦ Χριστοῦ χάριν, τίσι καὶ ποταποῖς συνεῖναι ἡμᾶς
5 δεῖ, ἐν τῷ εἰπεῖν· « Αὐτὸς γάρ ἐστιν ἡ εἰρήνη ἡμῶν, ὁ ποιήσας τὰ ἀμφότερα ἓν καὶ τὸ μεσότοιχον τοῦ φραγμοῦ λύσας, τὴν ἔχθραν, ἐν τῇ σαρκὶ αὐτοῦ· τὸν νόμον τῶν ἐντολῶν ἐν δόγμασι καταργήσας, ἵνα τοὺς δύο κτίσῃ ἐν αὐτῷ εἰς ἕνα καινὸν ἄνθρωπον, ποιῶν εἰρήνην,
10 καὶ ἀποκαταλλάξῃ τοὺς ἀμφοτέρους ἐν ἑνὶ σώματι τῷ
b Θεῷ διὰ τοῦ | σταυροῦ ἀποκτείνας τὴν ἔχθραν ἐν αὐτῷ. Καὶ ἐλθὼν εὐηγγελίσατο εἰρήνην ὑμῖν τοῖς μακρὰν καὶ εἰρήνην τοῖς ἐγγύς, ὅτι δι' αὐτοῦ ἔχομεν τὴν προσαγωγὴν οἱ ἀμφότεροι ἐν ἑνὶ Πνεύματι πρὸς τὸν Πατέρα. Ἄρα οὖν

f. Ps. 100, 5-7 || g. I Cor. 5, 11.

---

68. Ce corps qui se traîne sur la terre comme une ombre semble un souvenir de Platon. Quant à l'opposition, fréquente dans la littérature spirituelle jusqu'à l'époque byzantine, entre la terre, séjour du corps, et le ciel, séjour de l'âme, elle apparaît déjà dans une Sentence de Sextus traduite par Rufin en ces termes : *corpus quidem tuum incedat in terra, anima autem semper sit apud deum* (Chadwick, p. 19, n° 55).

notre âme nous la maintiendrons en concitoyenneté avec les habitants du ciel[68]. Ce sera ensuite en changeant aussi nos fréquentations terrestres, car David a dit : « Celui qui médit furtivement de son prochain, celui-là je le chassais loin de moi. L'homme à l'œil orgueilleux et au cœur insatiable je ne mangeais pas avec lui. J'avais les yeux sur les fidèles du pays pour les faire asseoir avec moi. Celui qui marche sur une voie sans reproche, celui-là était mon serviteur. Il n'habitait pas au milieu de ma maison le faiseur d'embarras ; le parleur injuste ne prospérait pas devant mes yeux[f]. » Et il s'est exprimé de la même façon en d'autres passages. Quant à l'Apôtre, il fait cette recommandation plus énergique : « Si quelqu'un tout en portant le nom de frère est fornicateur, ou cupide, ou diffamateur, ou ivrogne ou voleur, il ne faut même pas prendre de repas avec un tel homme[g]. »

22 Et souvent encore le même apôtre a prononcé de semblables sentences à l'encontre de semblables personnes. Après avoir exposé la grande et illustre grâce de la philanthropie du Christ, il nous enseigne de façon claire et sûre avec qui, avec quelle sorte de gens nous devons vivre. « C'est le Christ, dit-il, notre paix, lui qui des deux peuples en a fait un seul, ayant détruit en sa chair le mur de haine qui les séparait et qui par ses dogmes a rendu vaines les prescriptions de la Loi. Il voulait ne former en lui de ces deux peuples qu'un seul homme nouveau, en établissant la paix, et les réconcilier l'un et l'autre à Dieu en un seul corps, par sa croix, ayant en sa personne détruit la haine. Alors il est venu annoncer la bonne nouvelle de la paix, paix à vous qui étiez loin, et paix à ceux qui étaient près, car c'est par lui que les uns et les autres nous avons accès auprès du Père, en un seul Esprit. Ainsi donc vous n'êtes plus des étrangers ni des

15 οὐκέτι ἐστὲ ξένοι καὶ πάροικοι, ἀλλ' ἐστὲ συμπολῖται τῶν ἁγίων καὶ οἰκεῖοι τοῦ θεοῦ, ἐποικοδομηθέντες ἐπὶ τῷ θεμελίῳ τῶν ἀποστόλων καὶ προφητῶν, ὄντος ἀκρογωνιαίου αὐτοῦ Χριστοῦ Ἰησοῦ, ἐν ᾧ πᾶσα οἰκοδομὴ συναρμολογουμένη αὔξει εἰς ναὸν ἅγιον ἐν Κυρίῳ[a] ».

20 Ἵνα οὕτως ἐν μὲν τῷ ὁμοιώματι τοῦ θανάτου συμφυτευθέντες τῷ Χριστῷ[b], καὶ ἐν τῷ ὀνόματι τοῦ ἁγίου Πνεύματος βαπτισθέντες καὶ γεννηθέντες ἄνωθεν τὸν ἔσω ἄνθρωπον ἐν τῇ ἀνακαινώσει τοῦ νοός[c], ἐποικοδομηθέν-
c τες ἐπὶ τῷ θεμελίῳ τῶν ἀποστόλων καὶ προφητῶν[d], | οὕ-
25 τως ἄξιοι γενώμεθα βαπτισθῆναι ἐν τῷ ὀνόματι τοῦ μονογενοῦς Υἱοῦ τοῦ Θεοῦ, καὶ καταξιωθῶμεν τῆς μεγάλης δωρεᾶς ἣν ὁ Ἀπόστολος παραδέδωκεν εἰπὼν ὅτι « Ὅσοι εἰς Χριστὸν ἐβαπτίσθητε, Χριστὸν ἐνεδύσασθε[e]. Οὐκ ἔνι Ἕλλην καὶ Ἰουδαῖος, περιτομὴ καὶ ἀκροβυστία,
30 βάρβαρος, Σκύθης, δοῦλος, ἐλεύθερος· ἀλλὰ τὰ πάντα καὶ ἐν πᾶσι Χριστός[f] ».

23 Ἀναγκαῖον γὰρ καὶ ἀκόλουθον τὸν γεννηθέντα καὶ ἐνδύσασθαι· μόνον ἐὰν ὥσπερ ἡ σανίς, ἐξ ὁποιασδήποτε ὕλης οὖσα, ἀποθεμένη τὸ ἀνώμαλον καὶ ἀποξυσθεῖσα τὸ τραχὺ οὕτως ἐνδύεται τὴν γραφὴν τῆς εἰκόνος τοῦ
5 βασιλέως, καὶ τότε οὐκ ἐν τῇ τοῦ ξύλου ἢ χρυσοῦ ἢ ἀργύρου διαφορᾷ γνωρίζεταί τις διαφορὰ τῆς εἰκόνος, ἐν
d δὲ τῇ ἀκριβείᾳ τῆς ὁμοιότη|τος πρὸς τὸ ἀρχέτυπον μετ' ἐπιμελείας πολλῆς κατ' ἐπιστήμην ἀξιολόγως κατορθωθεῖσα, κρύπτει μὲν τὴν διαφορὰν τῆς ὕλης κἂν πολλῷ τῷ
10 μέσῳ διειστήκει, πρὸς δὲ τὴν δόξαν ἑαυτῆς τοὺς ὁρῶντας ἐπάγεται, καὶ γίνεται ἐντιμοτέρα πάσης ἀρχῆς καὶ ἐξουσίας.

22 a. Éphés. 2, 14-21 || b. Cf. Rom. 6, 5 || c. Cf. Rom. 12, 2 || d. Éphés. 2, 20 || e. Gal. 3, 27 || f. Col. 3, 11.

hôtes de passage ; vous êtes les concitoyens des saints, les membres de la famille de Dieu ; apôtres et prophètes sont les fondations sur lesquelles vous avez été édifiés, et la pierre d'angle, c'est lui Jésus-Christ, en qui tout édifice qui se construit trouve sa cohésion et s'élève pour former un temple saint dans le Seigneur[a]. »

Baptême au nom du Fils

Ayant de la sorte pris racine avec le Christ dans la ressemblance de sa mort[b], ayant reçu le baptême au nom du Saint-Esprit, étant nés d'en haut dans notre être intérieur grâce au renouvellement de notre intelligence[c], ayant été édifiés sur les fondations des apôtres et des prophètes[d], alors nous deviendrons dignes de recevoir le baptême au nom du Fils Monogène de Dieu et nous pourrons être admis à recevoir le grand don à propos duquel l'Apôtre nous a transmis cet enseignement : « Vous tous qui avez reçu le baptême dans le Christ, vous avez revêtu le Christ[e]. Il n'y a pas de Grec ni de Juif, de circoncision ni d'incirconcision, pas de barbare, de Scythe, d'esclave, d'homme libre, mais il y a le Christ qui est tout et en tous[f]. »

23 C'est, en effet, une nécessité qui découle de la naissance, que le port d'un vêtement. Prenons seulement une comparaison. Voici un panneau d'une matière quelconque. On a enlevé les inégalités, raclé les parties rugueuses ; puis on le revêt d'une image représentant le roi. A ce moment-là, ce n'est pas à cause de la différence due au bois, à l'or ou à l'argent qu'une différence se reconnaît dans l'image, mais si cette dernière, dans une ressemblance exacte avec le modèle, a été réalisée noblement, de façon très soignée et selon les règles de l'art, d'une part elle cache la différence due à la matière, si considérable soit-elle, d'autre part elle attire les regards vers sa gloire propre et devient plus digne d'honneur que toute puissance et toute autorité.

Οὕτω καὶ ὁ βαπτιζόμενος, εἴτε Ἰουδαῖος εἴτε Ἕλλην, εἴτε ἄρσεν εἴτε θῆλυ, εἴτε δοῦλος εἴτε ἐλεύθερος, εἴ-
1565 15 τε | Σκύθης, εἴτε βάρβαρος [a], εἴτε ἄλλος ἐν οἱᾳδήποτε διαφορᾷ γένους ὀνομαζόμενος, ἐν τῷ αἵματι μὲν τοῦ Χριστοῦ ἀπεκδυσάμενος τὸν παλαιὸν ἄνθρωπον σὺν ταῖς πράξεσιν αὐτοῦ, διὰ δὲ τῆς διδασκαλίας αὐτοῦ ἐν ἁγίῳ Πνεύματι ἐνδυσάμενος τὸν νέον τὸν κατὰ Θεὸν κτισθέντα
20 ἐν δικαιοσύνῃ καὶ ὁσιότητι τῆς ἀληθείας, τὸν ἀνακαινούμενον εἰς ἐπίγνωσιν κατ' εἰκόνα τοῦ κτίσαντος αὐτόν [b], ἄξιος γίνεται καταντῆσαι εἰς τὴν εὐδοκίαν τοῦ Θεοῦ, ἣν ὁ Ἀπόστολος παρέδωκεν εἰπών· « Οἴδαμεν γὰρ ὅτι τοῖς ἀγαπῶσι τὸν Θεὸν πάντα συνεργεῖ εἰς ἀγαθόν, τοῖς κατὰ
25 πρόθεσιν κλητοῖς οὖσιν, ὅτι οὓς προέγνω, καὶ προώρισε συμμόρφους τῆς εἰκόνος τοῦ Υἱοῦ αὐτοῦ, εἰς τὸ εἶναι αὐτὸν πρωτότοκον ἐν πολλοῖς ἀδελφοῖς [c]. »

b **24** Τότε γὰρ ὡς Υἱὸν Θεοῦ ἐνδυσάμενος, κατ|αξιοῦται τοῦ τελείου βαθμοῦ καὶ βαπτίζεται « εἰς τὸ ὄνομα τοῦ Πατρός », αὐτοῦ τοῦ Κυρίου ἡμῶν Ἰησοῦ Χριστοῦ, κατὰ τὴν τοῦ Ἰωάννου μαρτυρίαν, διδόντος ἐξουσίαν τέκνα
5 Θεοῦ γενέσθαι [a], Θεοῦ τοῦ λέγοντος· « Ἐξέλθετε ἐκ μέσου αὐτῶν καὶ ἀφορίσθητε, καὶ ἀκαθάρτου μὴ ἅπτεσθε· κἀγὼ εἰσδέξομαι ὑμᾶς καὶ ἔσομαι ὑμῖν εἰς πατέρα, καὶ ὑμεῖς ἔσεσθέ μοι εἰς υἱοὺς καὶ θυγατέρας, λέγει Κύριος παντοκράτωρ [b] »· χάριτι αὐτοῦ τοῦ Κυρίου ἡμῶν
10 Ἰησοῦ Χριστοῦ, τοῦ μονογενοῦς Υἱοῦ τοῦ Θεοῦ τοῦ ζῶντος, ἐν ᾧ « οὔτε περιτομή τι ἰσχύει οὔτε ἀκροβυστία, ἀλλὰ πίστις δι' ἀγάπης ἐνεργουμένη [c] », καθὼς γέγραπται.

23 a. Cf. Col. 3, 11 + Gal. 3, 28 || b. Cf. Col. 3, 9 + Éphés. 4, 24 || c. Rom. 8, 28-29.

24 a. Cf. Jn 1, 12 || b. II Cor. 6, 17-18 || c. Gal. 5, 6.

---

69. Cf. Introd., p. 55 (emploi du vocabulaire des mystères grecs pour exprimer des réalités chrétiennes).

Il en est ainsi de celui qui reçoit le baptême : qu'il soit Juif ou Grec, homme ou femme, esclave ou homme libre, qu'il soit Scythe, barbare[a], qu'il soit appelé d'un autre nom à cause d'une quelconque différence de race, du moment que, dans le sang du Christ, il a dépouillé le vieil homme avec ses pratiques et que, grâce à l'enseignement de ce Christ, il a revêtu dans l'Esprit-Saint l'homme nouveau, celui qui a été créé selon Dieu dans la justice et la sainteté véritables et qui se renouvelle pour connaître, à l'image de son créateur[b], il devient digne de rencontrer la complaisance de Dieu, comme l'Apôtre l'a enseigné en disant : « Nous savons que tout concourt au bien de ceux qui aiment Dieu, de ceux-là qui sont appelés selon son dessein. Car ceux que d'avance il a connus, il les a aussi prédestinés à devenir conformes à l'image de son Fils, afin qu'il soit l'aîné d'une multitude de frères[c]. »

Baptême au nom du Père

24 Alors, en effet, puisqu'on a revêtu le Fils de Dieu, on est jugé digne d'accéder à l'initiation parfaite[69] et l'on reçoit le baptême « au nom du Père », notre Seigneur Jésus-Christ lui-même donnant le pouvoir, selon le témoignage de Jean, de devenir enfants de Dieu[a]. Oui, quand Dieu déclare : « Sortez du milieu de ces gens-là et séparez-vous d'eux, ne touchez rien d'impur et moi je vous accueillerai. Je serai pour vous un père, et vous, vous serez pour moi des fils et des filles, parole du Seigneur tout-puissant[b] », cela se réalise par la grâce de notre Seigneur Jésus-Christ lui-même, le Fils Monogène du Dieu vivant, en qui « ni circoncision ni incirconcision n'ont de valeur, mais la foi agissant par l'amour[c] », ainsi qu'il est écrit.

Δι' ἧς εὐόδως ἡμῖν κατορθοῦται τὸ ἐπενεχθὲν
15 συνημμένως τῷ παραγγέλματι τοῦ βαπτίσματος παρὰ
τοῦ αὐτοῦ Κυρίου ἡμῶν Ἰησοῦ Χριστοῦ, εἰπόντος·
c « Διδάσκοντες αὐτοὺς τη|ρεῖν πάντα ὅσα ἐνετειλάμην
ὑμῖν [d] ». Ὧν τὴν τήρησιν ἀπόδειξιν εἶναι τῆς πρὸς αὐτὸν
ἀγάπης αὐτὸς ὁ Κύριος ὡρίσατο εἰπών· « Ἐὰν ἀγαπᾶτέ
20 με, τὰς ἐντολάς μου τηρήσατε [e] », καὶ πάλιν· « Ὁ ἔχων
τὰς ἐντολάς μου καὶ τηρῶν αὐτάς, ἐκεῖνός ἐστιν ὁ
ἀγαπῶν με [f] », καὶ πάλιν· « Ἐάν τις ἀγαπᾷ με, τὸν
λόγον μου τηρήσει, καὶ ὁ Πατήρ μου ἀγαπήσει αὐτόν [g]. »
Καὶ σφοδρότερον καὶ δυσωπητικώτερόν φησι· « Μείνατε
25 ἐν τῇ ἀγάπῃ τῇ ἐμῇ· ἐὰν τὰς ἐντολάς μου τηρήσητε
μενεῖτε ἐν τῇ ἀγάπῃ μου, καθὼς κἀγὼ τὰς ἐντολὰς τοῦ
Πατρός μου τετήρηκα καὶ μένω αὐτοῦ ἐν τῇ ἀγάπῃ [h]. »

Εἰ δὲ τῆς μὲν ἀγάπης ἀναγκαία ἀπόδειξις ἡ τήρησις
τῶν ἐντολῶν, φόβος δὲ σφοδρότερος ὅτι χωρὶς ἀγάπης
30 καὶ ἡ τῶν ἐνδόξων χαρισμάτων καὶ ἡ τῶν ἀνωτάτω
d δυνάμεων | καὶ αὐτῆς τῆς πίστεως ἡ ἀκροτάτη ἐνέργεια
καὶ ἡ τελειοποιὸς ἐντολὴ ἀνωφελής, αὐτοῦ τοῦ ἐν Χριστῷ
λαλοῦντος Παύλου τοῦ ἀποστόλου εἰπόντος· « Ἐὰν ταῖς
γλώσσαις τῶν ἀνθρώπων λαλῶ καὶ τῶν ἀγγέλων, ἀγάπην
1568 35 δὲ μὴ ἔχω, γέγονα χαλκὸς ἠχῶν ἢ κύμβα|λον ἀλαλάζον·
κἂν ἔχω προφητείαν καὶ εἰδῶ τὰ μυστήρια πάντα καὶ
πᾶσαν τὴν γνῶσιν, κἂν ἔχω πᾶσαν τὴν πίστιν ὥστε ὄρη
μεθιστάνειν, ἀγάπην δὲ μὴ ἔχω, οὐθέν εἰμι· κἂν ψωμίσω
πάντα τὰ ὑπάρχοντά μου, καὶ ἐὰν παραδῶ τὸ σῶμά μου
40 ἵνα καυθήσομαι, ἀγάπην δὲ μὴ ἔχω, οὐθὲν ὠφελοῦμαι [i]. »
Ἅπερ λογίζομαι αὐτὸν εἰρηκέναι ὁριστικῶς, μεμνημένον
τοῦ Κυρίου εἰπόντος ὅτι « Πολλοὶ ἐλεύσονται ἐν ἐκείνῃ

d. Matth. 28, 20 || e. Jn 14, 15 || f. Jn 14, 21 || g. Jn 14, 23 || h. Jn 15, 9-10 || i. I Cor. 13, 1-3.

70. Ce commandement, selon Garnier (*PG* 31, *ad loc.*) est celui du détachement des richesses (« Si tu veux être parfait... »).

Les exigences de l'amour de Dieu

Grâce à cette foi, il nous est facile d'accomplir la parole que le même Jésus-Christ notre Seigneur a jointe immédiatement au précepte de baptiser : « Apprenez-leur à observer tout ce que je vous ai commandé [d]. » Et cette observation des commandements, le Seigneur lui-même l'avait définie come une preuve de notre amour envers lui quand il avait dit : « Si vous m'aimez, observez mes commandements [e] », et encore : « Celui qui a mes commandements et qui les observe, voilà celui qui m'aime [f] », et encore : « Si quelqu'un m'aime, il observera ma parole et mon père l'aimera [g]. » Il affirme aussi de façon plus forte et plus impressionnante : « Demeurez dans mon amour. Si vous observez mes commandements, vous demeurerez dans mon amour, comme moi j'ai observé les commandements de mon Père et je demeure dans son amour [h]. »

Mais si l'observation des commandements est une preuve nécessaire de notre amour, elle est d'autre part un plus grand sujet de crainte, étant donné que sans amour ni les opérations les plus éclatantes des charismes fameux, des facultés les plus hautes, de la foi elle-même, ni le commandement qui rend parfait [70] ne sont utiles. L'apôtre Paul, qui parle dans le Christ, a dit lui-même : « Si je parle les langues des hommes et des anges, mais que je n'aie pas l'amour, je suis un airain qui résonne ou une cymbale qui retentit. Si j'ai le don de prophétie, si je connais tous les mystères et toute la science, si j'ai toute la foi au point de transporter les montagnes, mais que je n'aie pas l'amour, je ne suis rien. Si je distribue tous mes biens en aumônes, si je livre mon corps aux flammes, mais que je n'aie pas l'amour, cela ne m'est d'aucune utilité [i]. » Ces réflexions en forme d'aphorismes, il les a faites, selon moi, en se rappelant ces paroles du Seigneur : « Beaucoup viendront en ce jour-là disant :

τῇ ἡμέρᾳ λέγοντες· Κύριε Κύριε, οὐ τῷ σῷ ὀνόματι προεφητεύσαμεν, καὶ τῷ σῷ ὀνόματι δαιμόνια ἐξεβάλλο-
45 μεν, καὶ τῷ σῷ ὀνόματι δυνάμεις πολλὰς ἐποιήσαμεν, καὶ ἐφάγομεν ἐνώπιόν σου καὶ ἐπίομεν, καὶ ἐν ταῖς πλατείαις ἡμῶν ἐδίδαξας; Καὶ ἀποκρίνεται αὐτοῖς· Οὐδέποτε ἔγνων ὑμᾶς. Ἀποχωρεῖτε ἀπ' ἐμοῦ, ἐργάται τῆς ἀνο-
b |μίας [j] ».

25 Ὡς δῆλον καὶ ἀναντίρρητον εἶναι ὅτι χωρὶς ἀγάπης, κἂν γένηται τὰ προστάγματα καὶ τὰ δικαιώματα, καὶ φυλαχθῶσιν αἱ ἐντολαὶ τοῦ Κυρίου, καὶ τὰ μεγάλα χαρίσματα ἐνεργηθῇ, ἀνομίας ἔργα λογισθήσε-
5 ται· οὐ τῷ ἰδίῳ λόγῳ τῶν τε χαρισμάτων καὶ τῶν δικαιωμάτων, ἀλλὰ τῷ σκοπῷ τῶν τούτοις χρωμένων πρὸς τὰ ἴδια θελήματα, τοῦ Ἀποστόλου λέγοντος ποτὲ μέν· « Πορισμὸν νομιζόντων εἶναι τὴν εὐσέβειαν [a] », ποτὲ δέ· « Τινὲς μὲν διὰ φθόνον καὶ ἔριν, οἱ δὲ ἐξ
10 ἐριθείας τὸν Χριστὸν καταγγέλλουσιν, οὐχ ἁγνῶς, οἰόμενοι θλῖψιν ἐπιφέρειν τοῖς δεσμοῖς μου [b] », καὶ ἀλλαχοῦ·
c « Οὐ γάρ ἐσμεν | ὡς οἱ πολλοί, φησι, καπηλεύοντες τὸν λόγον τοῦ Θεοῦ [c] »· καὶ πάλιν ἀπαρνητικῶς φησιν· « Οὔτε γάρ ποτε ἐν λόγῳ κολακείας ἐγενήθημεν πρὸς
15 ὑμᾶς, καθὼς οἴδατε, οὔτε προφάσει πλεονεξίας, Θεὸς μάρτυς· οὔτε ζητοῦντες ἐξ ἀνθρώπων δόξαν, οὔτε ἀφ' ὑμῶν οὔτε ἀπ' ἄλλων, δυνάμενοι ἐν βάρει εἶναι ὡς Χριστοῦ ἀπόστολοι [d]· »

Διὰ δὲ τούτων καὶ τῶν τοιούτων δείκνυται σαφῶς τὸ
20 δίκαιον τῆς τοῦ Κυρίου ἀποκρίσεως, εἰπόντος· « Ἀποχωρεῖτε ἀπ' ἐμοῦ, ἐργάται τῆς ἀνομίας [e] », ἐν τῷ διὰ τῶν τοῦ Θεοῦ χαρισμάτων τὰ ἴδια θελήματα πραγματεύεσθαι,

j. Matth. 7, 22-23 + Lc 13, 26-27.

25 a. I Tim. 6, 5 || b. Phil. 1, 15-17 || c. II Cor. 2, 17 || d. I Thess. 2, 5-7 || e. Lc 13, 27.

---

71. Sur le danger que représentent les volontés propres, cf. *supra*, 1568 b, et de nombreux autres passages de Basile : *Mor* 18, 2; 70, 23; *Rb* 179 (1201 c); 282 (1280 d); etc.

Seigneur, Seigneur, n'avons-nous pas prophétisé en ton nom, n'est-ce pas en ton nom que nous chassions les démons, en ton nom que nous avons fait de nombreux miracles ? N'avons-nous pas mangé et bu devant toi, n'as-tu pas enseigné sur nos places ? Et il leur répond : Jamais je ne vous ai connus, éloignez-vous de moi, ouvriers de l'iniquité[j]. »

25 Ainsi il est clair et incontestable que si on n'a pas l'amour, on aura beau accomplir les préceptes, satisfaire à la justice, garder les commandements du Seigneur, traduire en actes les grands charismes, cela sera compté comme œuvres d'iniquité, non que dans leur principe charismes et devoirs de justice soient tels, mais parce que ceux qui les pratiquent, recherchent leurs volontés propres. L'Apôtre, en effet, tantôt parle de gens « qui regardent la piété comme une source de profits[a] », tantôt déclare : « Certains annoncent le Christ dans un esprit de jalousie et de rivalité, tels autres par esprit d'intrigue, pour des motifs qui ne sont pas purs, croyant ajouter à l'accablement de mes chaînes[b]. » Ailleurs il affirme : « Nous ne sommes pas comme la plupart qui trafiquent de la parole de Dieu[c]. » Et il exprime encore sa réprobation quand il déclare : « Jamais nous ne nous sommes adressés à vous avec des paroles de flatterie, comme vous le savez, ni avec une arrière-pensée de cupidité, Dieu m'en est témoin. Nous n'avons pas cherché non plus la gloire humaine, ni auprès de vous, ni auprès d'autres personnes. Et pourtant nous aurions pu, en notre qualité d'apôtres du Christ, faire sentir notre poids[d]. »

Ces paroles et d'autres semblables font voir clairement la justesse de la réponse du Seigneur : « Éloignez-vous de moi, ouvriers de l'iniquité[e]. » Ils sont en effet ouvriers de l'iniquité, puisqu'ils se servent des charismes de Dieu pour travailler à leurs volontés propres[71] —

ὡς εἴ τις τοῖς ἰατρικοῖς σκεύεσι τε καὶ σκευασιδίοις, πρὸς θεραπείαν παθῶν γενομένοις καὶ πρὸς ἐπιμέλειαν ὑγείας
25 τε καὶ σωτηρίας, χρήσοιτο πρὸς φόνον, καὶ μὴ τὸ τοῦ
d 'Αποστόλου παράγγελμα φυλάσσειν εἰπόντος· | « Εἴτε ἐσθίετε εἴτε πίνετε εἴτε τι ποιεῖτε, πάντα εἰς δόξαν Θεοῦ ποιεῖτε[f]. »

Παντὶ οὖν λόγῳ ἀναγκαία ἡ ἐπιμέλεια τοῦ ἔσω
30 ἀνθρώπου ὡς ἀμετεώριστον εἶναι τὸν νοῦν, ὥσπερ δὲ προσηνῶσθαι τῷ σκοπῷ τῆς τοῦ Θεοῦ δόξης, ἵνα φυλάσσοντες τὸ πρόσταγμα τοῦ Κυρίου εἰπόντος· « Ποιήσατε
1569 τὸ | δένδρον καλὸν καὶ τὸν καρπὸν αὐτοῦ καλόν[g] », καὶ πάλιν· « Φαρισαῖε τυφλέ, καθάρισον πρῶτον τὸ ἐντὸς τοῦ
35 ποτηρίου, καὶ τότε τὸ ἐκτὸς αὐτοῦ ἔσται καθαρὸν ὅλον[h] », ἐκ περισσεύματος καρδίας ἀγαθῆς καρποφορῶμεν[i] ὁ μὲν ἑκατόν, ὁ δὲ ἑξήκοντα, ὁ δὲ τριάκοντα[j], εἴτε διὰ λόγων εἴτε δι' ἔργων, εἰς δόξαν τοῦ Θεοῦ καὶ τοῦ Χριστοῦ αὐτοῦ, φυλάσσοντες πανταχοῦ τὸ ἄλυπον τῷ
40 ἁγίῳ Πνεύματι[k], καὶ οὕτως φύγωμεν τὸ κρῖμα τοῦ αὐτοῦ Κυρίου εἰπόντος· « Οὐαὶ ὑμῖν ὅτι ὅμοιοί ἐστε τάφοις κεκονιαμένοις, οἵτινες ἔξωθεν μὲν φαίνονται ὡραῖοι, ἔσωθεν δὲ γέμουσιν ὀστέων νεκρῶν καὶ πάσης ἀκαθαρσίας· οὕτω καὶ ὑμεῖς ἔξωθεν μὲν φαίνεσθε τοῖς
45 ἀνθρώποις δίκαιοι, ἔσωθεν δὲ μεστοί ἐστε ὑποκρίσεως καὶ ἀνομίας[l]. »

b | **26** Διόπερ πρὸ μὲν τοῦ βαπτίσματος μαθητευθῆναι χρή, τὰ κωλυτικὰ τῆς μαθητείας περιαιροῦντας πρῶτον, καὶ οὕτω πρὸς τὴν μαθητείαν ἐπιτηδείους ἑαυτοὺς παρασκευάζειν, αὐτοῦ τοῦ Κυρίου ἡμῶν 'Ιησοῦ Χριστοῦ

f. I Cor. 10, 31 || g. Matth. 12, 33 || h. Matth. 23, 26 || i. Cf. Matth. 12, 34 || j. Cf. Matth. 13, 8 || k. Cf. Éphés. 4, 30 || l. Matth. 23, 27-28.

---

72. Comme quelques autres Pères de l'Église, Basile emprunte volontiers à la médecine des comparaisons ou des arguments. Il connaissait les textes hippocratiques.

c'est comme si, en médecine, les instruments et préparations conçus pour le traitement des maladies, pour le soin de la santé et de la guérison étaient employés pour tuer[72] — et puisqu'ils enfreignent ce précepte de l'Apôtre : « Que vous mangiez, que vous buviez, quoi que vous fassiez, faites tout pour la gloire de Dieu[f]. »

Il est donc absolument nécessaire de prendre soin de l'homme intérieur[73], si l'on veut avoir l'esprit stable, unifié en quelque sorte dans cette perspective de la gloire de Dieu. Ainsi, observant le commandement du Seigneur qui a dit : « Rendez l'arbre bon et son fruit sera bon[g] », et qui a dit encore : « Pharisien aveugle, purifie d'abord l'intérieur de la coupe et alors l'extérieur sera pur tout entier[h] », nous pourrons, de l'abondance d'un cœur généreux[i], porter des fruits soit en paroles soit en actions, pour la gloire de Dieu et de son Christ, l'un cent, l'autre soixante, l'autre trente[j], en nous gardant, où que nous soyons, de contrister l'Esprit-Saint[k]. Ainsi encore nous pourrons échapper à cette condamnation du même Seigneur : « Malheur à vous parce que vous êtes semblables à des sépulcres blanchis. Au dehors, ils ont belle apparence, mais au dedans ils sont pleins d'ossements de morts et de toute espèce de pourriture ; vous de même, par votre extérieur, vous apparaissez aux hommes comme des justes, mais à l'intérieur vous êtes pleins d'hypocrisie et d'iniquité[l].

Récapitulation

26 C'est pourquoi, avant de recevoir le baptême, il faut se faire disciple[74], c'est-à-dire écarter d'abord les obstacles à l'instruction et se mettre ainsi en état de la recevoir ; car lui-même, notre Seigneur Jésus-Christ, a confirmé par

73. Cf. *supra*, 1544 a, et la note.
74. Nécessité exprimée dès les premières lignes du traité et répétée au début du chapitre II (1525 c).

5 δι' ὑποδειγμάτων πιστωσαμένου τὴν προγενομένην ἀπόφασιν, καὶ πάλιν δογματικῶς ἐπενεγκόντος· « Οὕτω πᾶς ἐξ ὑμῶν ὃς οὐκ ἀποτάσσεται πᾶσι τοῖς ἑαυτοῦ ὑπάρχουσιν οὐ δύναταί μου εἶναι μαθητής[a] », καὶ πάλιν προστακτικῶς· « Εἴ τις ἔρχεται πρός με, ἀπαρνησάσθω ἑαυτὸν
10 καὶ ἀράτω τὸν σταυρὸν αὐτοῦ, καὶ ἀκολουθείτω μοι[b] », καὶ πάλιν ὁριστικῶς· « Ὃς οὐ λαμβάνει τὸν σταυρὸν αὐτοῦ καθ' ἡμέραν καὶ ἀκολουθεῖ ὀπίσω μου, οὐκ ἔστι μου ἄξιος[c]. »

Τούτοις καὶ τοῖς τοιούτοις διαπύροις λόγοις τοῦ
15 Κυρίου ἡμῶν Ἰησοῦ Χριστοῦ, τοῦ εἰπόντος· « Πῦρ |
c ἦλθον βαλεῖν εἰς τὴν γῆν, καὶ τί θέλω εἰ ἤδη ἀνήφθη[d] ; » ἐκδήλου γενομένης τῆς τῶν ἁμαρτημάτων κακίας, καὶ φανερουμένης τῆς ἀρετῆς τῶν εἰς δόξαν τοῦ Θεοῦ καὶ τοῦ Χριστοῦ αὐτοῦ κατορθουμένων, ἐρχόμεθα πάντως εἰς
20 ἐπιθυμίαν καὶ ὁμολογίαν τῶν παρὰ τοῦ ἀποστόλου Παύλου εἰρημένων· « Ταλαίπωρος ἐγὼ ἄνθρωπος, τίς με ῥύσεται ἐκ τοῦ σώματος τοῦ θανάτου τούτου ; Εὐχαριστῶ τῷ Θεῷ διὰ Ἰησοῦ Χριστοῦ τοῦ Κυρίου ἡμῶν[e] », τοῦ εἰπόντος· « Τοῦτό μού ἐστι τὸ αἷμα τὸ τῆς καινῆς
25 διαθήκης, τὸ περὶ πολλῶν ἐκχυννόμενον εἰς ἄφεσιν ἁμαρτιῶν[f] », μαρτυροῦντος τοῦ Ἀποστόλου ἐν τῷ εἰπεῖν· « Ἐν ᾧ ἔχομεν τὴν ἀπολύτρωσιν διὰ τοῦ αἵματος αὐτοῦ, τὴν ἄφεσιν τῶν παραπτωμάτων[g]. »

Καὶ τότε ἐρχόμεθα εἰς τὸ ἐν τῷ ὕδατι βάπτισμα, ὅπερ
d 30 ἐστὶν ὁμοίωμα τοῦ σταυροῦ, τοῦ θανάτου, | τῆς ταφῆς, τῆς ἐκ νεκρῶν ἀναστάσεως· συνθήκας κατατιθέμενοι καὶ φυλάσσοντες, τὰς ὑπ' αὐτοῦ τοῦ Ἀποστόλου ἐν τῇ περικοπῇ τοῦ τοιούτου βαπτίσματος ἐπισφραγισαμένου διὰ τοῦ εἰπεῖν· « Εἰδότες ὅτι Χριστός, ἐγερθεὶς ἐκ
1572 35 νεκρῶν, οὐκέτι ἀποθνῄσκει, | θάνατος αὐτοῦ οὐκέτι κυ-

26 a. Lc 14, 33 || b. Matth. 16, 24 || c. Matth. 10, 38 || d. Lc 12, 49 || e. Rom. 7, 24-25 || f. Matth. 26, 28 || g. Col. 1, 14.

des exemples sa sentence première[75] et il y a ajouté, une fois, à titre d'enseignement : « Ainsi quiconque parmi vous ne renonce pas à tous ses biens ne peut être mon disciple[a] », une fois, comme un ordre : « Si quelqu'un vient à moi, qu'il se renonce lui-même, qu'il prenne sa croix et qu'il me suive[b] », une fois, en manière d'aphorisme : « Celui qui ne prend pas sa croix chaque jour et ne marche pas à ma suite n'est pas digne de moi[c]. »

Ces paroles et d'autres pleines de feu de notre Seigneur Jésus-Christ — lequel a dit : « Je suis venu lancer le feu[76] sur la terre et combien je désire qu'il soit déjà allumé[d] ! » — rendent claire la malice des fautes et mettent en lumière la vertu des bonnes actions faites pour la gloire de Dieu et de son Christ. Elles nous conduisent sans aucun doute à désirer et à confesser ce qui a été dit par l'apôtre Paul : « Malheureux homme que je suis, qui me délivrera de ce corps de mort ? Je rends grâces à Dieu, par l'intermédiaire de Jésus-Christ notre Seigneur[e]. » Jésus-Christ a dit en effet : « Ceci est mon sang, le sang de la nouvelle alliance, qui est versé pour la multitude en rémission des péchés[f] », tandis que l'Apôtre rend ce témoignage : « En lui nous avons la rédemption par son sang, le pardon de nos transgressions[g]. »

C'est alors que nous arrivons au baptême d'eau qui est image de la croix, de la mort, du tombeau, de la résurrection des morts, et que nous ratifions et observons un pacte, celui que l'Apôtre lui-même a marqué d'un sceau en disant dans le chapitre où il est question de ce baptême : « Nous savons que le Christ une fois ressuscité des morts ne meurt plus, que la mort n'a plus

75. Il s'agit de la sentence de *Luc* 14, 26 : « Si quelqu'un vient à moi sans haïr son père... », effectivement suivie d'exemples (*Lc* 14, 28-32). Basile y a déjà fait allusion en 1524 a-b.

76. Διαπύροις λόγοις... Πῦρ : même rapprochement *supra*, 1541 c, et chez ORIGÈNE, *Exegetica in Ps. 17* (*PG* 12, 1236 c).

ριεύει· ὃ γὰρ ἀπέθανε, τῇ ἁμαρτίᾳ ἀπέθανεν ἐφάπαξ, ὃ δὲ ζῇ, ζῇ τῷ θεῷ. Οὕτω καὶ ὑμεῖς λογίζεσθε ἑαυτοὺς νεκροὺς μὲν εἶναι τῇ ἁμαρτίᾳ, ζῶντας δὲ τῷ Θεῷ ἐν Χριστῷ Ἰησοῦ. Μὴ οὖν βασιλευέτω ἡ ἁμαρτία ἐν τῷ
40 θνητῷ ὑμῶν σώματι εἰς τὸ ὑπακούειν αὐτῇ ἐν ταῖς ἐπιθυμίαις αὐτοῦ, μηδὲ παριστάνετε τὰ μέλη ὑμῶν ὅπλα ἀδικίας τῇ ἁμαρτίᾳ, ἀλλὰ παραστήσατε ἑαυτοὺς τῷ Θεῷ ὡς ἐκ νεκρῶν ζῶντας, καὶ τὰ μέλη ὑμῶν ὅπλα δικαιοσύνης τῷ Θεῷ [h] », καὶ τὰ ἑξῆς.

27 Τότε καταξιοῦταί τις ἐν ὀνόματι τοῦ ἁγίου Πνεύματος βαπτισθῆναι, καὶ ἄνωθεν γεννηθεὶς [a] ἀλλάξαι καὶ τὸν τόπον καὶ τὸν τρόπον καὶ τοὺς συζῶντας, ἵνα τῷ Πνεύματι στοιχοῦντες [b] καταξιωθῶμεν ἐν ὀνόματι τοῦ
5 Υἱοῦ βαπτισθῆναι καὶ ἐνδύσασθαι τὸν Χριστόν. Χρὴ γὰρ
b τὸν γεννηθέντα καὶ ἐνδύματος | καταξιωθῆναι, καθὼς εἶπεν ὁ Ἀπόστολος· « Ὅσοι εἰς Χριστὸν ἐβαπτίσθητε, Χριστὸν ἐνεδύσασθε [c] », καὶ πάλιν· « Ἀπεκδυσάμενοι τὸν παλαιὸν ἄνθρωπον σὺν ταῖς πράξεσιν αὐτοῦ, καὶ
10 ἐνδυσάμενοι τὸν νέον, τὸν ἀνακαινούμενον εἰς ἐπίγνωσιν κατ' εἰκόνα τοῦ κτίσαντος αὐτόν, ὅπου οὐκ ἔνι Ἕλλην καὶ Ἰουδαῖος. [d] » Τὸν δὲ Υἱὸν τοῦ Θεοῦ ἐνδυσάμενοι, τὸν δόντα ἐξουσίαν τέκνα Θεοῦ γενέσθαι [e], ἐν ὀνόματι τοῦ Πατρὸς βαπτιζόμεθα καὶ τέκνα Θεοῦ ἀναγορευόμεθα,
15 τοῦ προστάξαντος καὶ ἐπαγγειλαμένου καθὼς εἶπεν ὁ Προφήτης· « Διὸ ἐξέλθετε ἐκ μέσου αὐτῶν καὶ ἀφορίσθητε, λέγει Κύριος, καὶ ἀκαθάρτου μὴ ἅπτεσθε· κἀγὼ εἰσδέξομαι ὑμᾶς καὶ ἔσομαι ὑμῖν εἰς πατέρα καὶ ὑμεῖς
c ἔσεσθέ μοι εἰς υἱοὺς καὶ θυγατέρας, λέ|γει Κύριος
20 παντοκράτωρ [f]. »

h. Rom. 6, 9-13.

27 a. Cf. Jn 3, 3 || b. Cf. Gal. 5, 25 || c. Gal. 3, 27 || d. Col. 3, 9-11 || e. Cf. Jn 1, 12 || f. II Cor. 6, 17-18.

---

77. Τόπος/Τρόπος : même paronomase qu'en 1561 c.

de pouvoir sur lui. Sa mort, en effet, fut une mort au péché une fois pour toutes, mais sa vie est une vie pour Dieu. De même, vous aussi, considérez que vous êtes morts au péché, mais vivants pour Dieu dans le Christ Jésus. Que le péché cesse donc de régner sur votre corps mortel pour vous faire obéir à ses convoitises. Ne mettez pas vos membres au service du péché comme des instruments d'injustice. Offrez-vous à Dieu au contraire tels des vivants revenus de la mort et mettez vos membres au service de Dieu comme des instruments de justice[h] », etc.

27 On est alors jugé digne de recevoir le baptême au nom du Saint-Esprit, et, en raison de cette naissance d'en haut[a], de changer et de lieu et de mœurs[77] et de compagnons de vie. Ainsi, nous réglant sur l'Esprit[b], nous serons jugés dignes de recevoir le baptême au nom du Fils et de revêtir le Christ, car il faut que le nouveau-né accède aussi à la dignité du vêtement, selon la parole de l'Apôtre : « Vous tous qui avez été baptisés dans le Christ, vous avez revêtu le Christ[c]. » Et l'Apôtre dit encore : « Vous avez dépouillé le vieil homme avec ses pratiques et revêtu le nouveau qui se renouvelle pour connaître, à l'image de celui qui l'a créé ; là il n'y a plus ni Grec, ni Juif[d]. » Ayant revêtu le Fils de Dieu, lequel nous a donné le pouvoir de devenir enfants de Dieu[e], nous recevons le baptême au nom du Père et nous sommes proclamés enfants de Dieu, car Dieu, par la voix du prophète, a donné cet ordre et fait cette promesse : « Sortez donc du milieu de ces gens-là et séparez-vous d'eux, dit le Seigneur. Ne touchez rien d'impur, et moi, je vous accueillerai. Je serai pour vous un père, et vous serez pour moi des fils et des filles, parole du Seigneur tout-puissant[f]. »

« Ταύτας οὖν ἔχοντες, φησὶν ὁ Ἀπόστολος, τὰς ἐπαγγελίας, καθαρίσωμεν ἑαυτοὺς ἀπὸ παντὸς μολυσμοῦ σαρκὸς καὶ πνεύματος, ἐπιτελοῦντες ἁγιωσύνην ἐν φόβῳ Θεοῦ [g] », καὶ πάλιν παραγγέλλοντος ἐν τῷ εἰπεῖν·
25 « Πάντα ποιεῖτε χωρὶς γογγυσμῶν καὶ διαλογισμῶν ἵνα γένησθε ἄμεμπτοι καὶ ἀκέραιοι, τέκνα Θεοῦ ἀμώμητα ἐν μέσῳ γενεᾶς σκολιᾶς καὶ διεστραμμένης, ἐν οἷς φαίνεσθε ὡς φωστῆρες ἐν κόσμῳ, λόγον ζωῆς ἐπέχοντες εἰς καύχημα ἐμοὶ εἰς ἡμέραν Χριστοῦ [h]. Εἰ οὖν συνηγέρθητε
30 τῷ Χριστῷ, τὰ ἄνω ζητεῖτε, οὗ ὁ Χριστός ἐστιν ἐν δεξιᾷ τοῦ Θεοῦ καθήμενος, τὰ ἄνω φρονεῖτε, μὴ τὰ ἐπὶ τῆς γῆς· ἀπεθάνετε γάρ, καὶ ἡ ζωὴ ὑμῶν κέκρυπται σὺν τῷ
d Χριστῷ ἐν τῷ Θεῷ. Ὅταν ὁ Χριστὸς φανερωθῇ, | ἡ ζωὴ ἡμῶν, τότε καὶ ὑμεῖς σὺν αὐτῷ φανερωθήσεσθε ἐν
35 δόξῃ [i] », τῇ παρ' αὐτοῦ τοῦ Κυρίου ἐπηγγελμένῃ, εἰπόντος· « Τότε ἐκλάμψουσιν οἱ δίκαιοι ὡς ὁ ἥλιος [j]. »

g. II Cor. 7, 1 || h. Phil. 2, 14-16 || i. Col. 3, 1-4 || j. Matth. 13, 43.

« En possession de telles promesses, déclare l'Apôtre, purifions-nous de toute souillure de la chair et de l'esprit, achevons de nous sanctifier dans la crainte de Dieu [g]. » Et il nous exhorte encore en nous disant : « Agissez en tout sans murmures ni discussions afin d'être irréprochables et purs, enfants de Dieu irrépréhensibles au milieu d'une génération perverse et dévoyée, où vous brillez comme des astres dans l'univers. Tenez ferme la parole de vie pour ma fierté, au jour du Christ [h]. Si donc vous êtes ressuscités avec le Christ, cherchez les choses d'en haut, là où est le Christ, assis à la droite de Dieu. Ayez dans l'âme les choses d'en haut, non celles de la terre, car vous êtes morts, et votre vie est cachée avec le Christ en Dieu ; lorsque paraîtra au grand jour le Christ, lui qui est notre vie, alors vous aussi vous apparaîtrez avec lui dans la gloire [i]. » Cette gloire a été promise par le Seigneur lui-même qui a dit : « Alors les justes resplendiront comme le soleil [j]. »

1573 γ´.

Ὅτι δεῖ τὸν ἀναγεννηθέντα διὰ τοῦ ἁγίου βαπτίσματος τρέφεσθαι λοιπὸν τῇ μεταλήψει τῶν θείων μυστηρίων.

1 Θεοῦ τοῦ ἀγαθοῦ χάριτι, τῇ μνήμῃ τῶν τοῦ μονογενοῦς Υἱοῦ τοῦ Θεοῦ τοῦ ζῶντος ῥημάτων καὶ τῶν ἁγίων αὐτοῦ εὐαγγελιστῶν τε καὶ προφητῶν καὶ τοῦ Ἀποστόλου, αὐτάρκως ἡμῖν σαφηνισάντων τὸν περὶ τοῦ
5 κατὰ τὸ εὐαγγέλιον τοῦ Κυρίου ἡμῶν Ἰησοῦ Χριστοῦ βαπτίσματος λόγον, ἐπαιδεύθημεν ὅτι τὸ μὲν ἐν τῷ πυρὶ βάπτισμα ἐλεγκτικὸν μέν ἐστι πάσης κακίας, δεκτικὸν δὲ τῆς κατὰ Χριστὸν δικαιοσύνης, μῖσος μὲν ἐμποιοῦν τῆς κακίας, ἐπιθυμίαν δὲ τῆς ἀρετῆς. Διὰ δὲ τῆς πίστεως ὑπὸ
10 τοῦ αἵματος τοῦ Χριστοῦ ἐκαθαρίσθημεν ἀπὸ πάσης |
b ἁμαρτίας[a], ἐν δὲ τῷ ὕδατι βαπτισθέντες εἰς τὸν θάνατον τοῦ Κυρίου[b], ὥσπερ ἔγγραφον ὁμολογίαν κατεθέμεθα νενεκρῶσθαι μὲν τῇ ἁμαρτίᾳ καὶ τῷ κόσμῳ, ἐζωοποιεῖσθαι δὲ τῇ δικαιοσύνῃ[c]· καὶ οὕτως ἐν τῷ ὀνόματι τοῦ
15 ἁγίου Πνεύματος βαπτισθέντες ἄνωθεν ἐγεννήθημεν· γεννηθέντες δὲ καὶ ἐν τῷ ὀνόματι τοῦ Υἱοῦ βαπτισθέντες, τὸν Χριστὸν ἐνεδυσάμεθα· ἐνδυσάμενοι δὲ τὸν καινὸν ἄνθρωπον τὸν κατὰ Θεὸν κτισθέντα, ἐν τῷ ὀνόματι τοῦ Πατρὸς ἐβαπτίσθημεν καὶ τέκνα Θεοῦ ἀνηγορεύθημεν.

1 a. Cf. I Jn 1, 7 || b. Cf. Rom. 6, 3 || c. Cf. Rom. 6,11.

---

1. C. à d. la parole enseignante de Dieu (*supra*, 1541 c et 1569 b).
2. Pour le dépôt d'une profession de foi écrite à l'entrée dans la communauté chrétienne, cf *De Sp sanct* 113 b, et la note *ad loc.* de PRUCHE, *SC* 17 bis, p. 336.

Chapitre III

Celui qui est né de nouveau grâce au saint baptême doit désormais se nourrir en participant aux mystères divins.

Nouvelle récapitulation

1 Par la grâce du Dieu de bonté, les paroles que nous avons rappelées, celles du Fils Monogène du Dieu vivant, celles de ses saints évangélistes et prophètes, celles de l'Apôtre, nous ont suffisamment expliqué la signification du baptême selon l'évangile de notre Seigneur Jésus-Christ, et ainsi il nous a été enseigné que le baptême de feu [1] peut réfuter toute malice et nous rend capables de recevoir la justice selon le Christ, car il inspire la haine du mal et le désir de la vertu. Puis, grâce à la foi nous avons été purifiés de tout péché par le sang du Christ [a], et, plongés avec l'eau du baptême dans la mort du Seigneur [b], c'est comme si nous avions déposé une profession de foi écrite [2] attestant que nous sommes morts au péché et au monde, mais vivants pour la justice [c]; alors, ayant reçu le baptême au nom de l'Esprit-Saint, nous sommes nés d'en-haut; nés, puis baptisés au nom du Fils, nous avons revêtu le Christ; ayant revêtu l'homme nouveau créé selon Dieu, nous avons alors été baptisés au nom du Père et proclamés enfants de Dieu.

20 Χρεία οὖν λοιπὸν τρέφεσθαι ἡμᾶς τροφὴν ζωῆς αἰωνίου ἥντινα παρέδωκεν ἡμῖν πάλιν ὁ αὐτὸς μονογενὴς Υἱὸς τοῦ Θεοῦ τοῦ ζῶντος, ποτὲ μὲν εἰπών· « Οὐκ ἐπ' ἄρτῳ μόνῳ ζήσεται ἄνθρωπος, ἀλλ' ἐπὶ παντὶ ῥήματι
c ἐκπορευομένῳ διὰ στόματος Θεοῦ [d] »· | καὶ πῶς τοῦτο
25 γένηται ἐδίδαξεν ἐν τῷ εἰπεῖν· « Ἐμὸν βρῶμά ἐστιν ἵνα ποιῶ τὸ θέλημα τοῦ πεμψαντός με Πατρός [e] », καὶ πάλιν προσθεὶς τὸ ἀμὴν δεύτερον πρὸς βεβαίωσιν τῶν ἐπιφερομένων καὶ πληροφορίαν τῶν ἀκουόντων, φησίν· « Ἀμὴν ἀμὴν λέγω ὑμῖν ὅτι ἐὰν μὴ φάγητε τὴν σάρκα τοῦ Υἱοῦ
30 τοῦ ἀνθρώπου καὶ πίητε αὐτοῦ τὸ αἷμα, οὐκ ἔχετε ζωὴν ἐν ἑαυτοῖς. Ὁ τρώγων μου τὴν σάρκα καὶ πίνων μου τὸ αἷμα, ἔχει ζωὴν αἰώνιον, κἀγὼ ἀναστήσω αὐτὸν ἐν τῇ ἐσχάτῃ ἡμέρᾳ. Ἡ γὰρ σάρξ μου ἀληθής ἐστι βρῶσις, καὶ τὸ αἷμά μου ἀληθής ἐστι πόσις. Ὁ τρώγων μου τὸ σῶμα
35 καὶ πίνων μου τὸ αἷμα ἐν ἐμοὶ μένει κἀγὼ ἐν αὐτῷ [f]. » Καὶ μετ' ὀλίγα γέγραπται· « Πολλοὶ οὖν ἀκούσαντες
d τὸν λόγον τῶν μαθητῶν αὐτοῦ, εἶπον· | Σκληρός ἐστιν ὁ λόγος οὗτος· τίς δύναται αὐτοῦ ἀκούειν; Εἰδὼς δὲ ὁ Ἰησοῦς ἐν ἑαυτῷ ὅτι γογγύζουσι περὶ τούτου οἱ μαθηταὶ
1576 40 αὐτοῦ, εἶπεν αὐτοῖς. | Τοῦτο ὑμᾶς σκανδαλίζει; Ἐὰν οὖν θεωρῆτε τὸν Υἱὸν τοῦ ἀνθρώπου ἀναβαίνοντα ὅπου ἦν τὸ πρότερον; Τὸ πνεῦμά ἐστι τὸ ζωοποιοῦν, ἡ σάρξ οὐκ ὠφελεῖ οὐδέν· τὰ ῥήματά μου πνεῦμά ἐστι καὶ ζωή ἐστιν. Ἀλλ' εἰσίν τινες ἐξ ὑμῶν οἳ οὐ πιστεύουσιν. Ἤιδει γὰρ ὁ
45 Ἰησοῦς ἐξ ἀρχῆς τίνες εἰσὶν οἱ πιστεύοντες καὶ τίς ἐστιν ὁ παραδώσων αὐτόν. Καὶ ἔλεγεν· Διὰ τοῦτο εἴρηκα ὑμῖν ὅτι οὐδεὶς δύναται ἐλθεῖν πρός με, ἐὰν μὴ ᾖ δεδομένον αὐτῷ ἐκ τοῦ Πατρός μου. Ἐκ τούτου πολλοὶ ἀπῆλθον ἐκ τῶν μαθητῶν αὐτοῦ εἰς τὰ ὀπίσω, καὶ οὐκέτι μετ' αὐτοῦ
50 περιεπάτουν. Εἶπεν οὖν ὁ Ἰησοῦς τοῖς δώδεκα· Μὴ καὶ

d. Matth. 4, 4 || e. Jn 4, 34 || f. Jn 6, 53-56.

---

3. Suite de la comparaison entre la naissance spirituelle du

La nourriture du baptisé

Nous avons donc besoin désormais d'être nourris de la nourriture de vie éternelle [3], comme lui encore, le Fils Monogène du Dieu vivant, nous l'a enseigné. Il nous a dit, une fois : « L'homme ne vivra pas seulement de pain, mais de toute parole qui sort de la bouche de Dieu [d] », et il nous a montré comment réaliser cela en disant : « Ma nourriture est que je fasse la volonté de mon Père qui m'a envoyé [e]. » Une autre fois, apposant sur ses conclusions le double « amen » pour les garantir et donner pleine assurance à ses auditeurs, il affirme : « Amen, amen je vous le dis, si vous ne mangez pas la chair du Fils de l'homme et ne buvez pas son sang, vous n'avez pas la vie en vous. Celui qui mange ma chair et boit mon sang a la vie éternelle, et moi je le ressusciterai au dernier jour, car ma chair est une vraie nourriture et mon sang un vrai breuvage. Qui mange mon corps et boit mon sang demeure en moi et moi en lui [f]. » Et peu après, il est écrit : « Beaucoup de ses disciples qui l'avaient entendu parler dirent alors : Cette parole est dure ; qui peut l'entendre ? Mais Jésus sachant en lui-même que ses disciples murmuraient à ce sujet leur dit : Cela vous scandalise ? Et s'il vous arrivait de voir le Fils de l'homme monter là où il était auparavant ? C'est l'esprit qui vivifie, la chair ne sert de rien. Les paroles que je vous ai dites sont esprit et elles sont vie. Mais il en est parmi vous qui ne croient pas — Jésus savait en effet dès le commencement qui étaient ceux qui croyaient et qui était celui qui le livrerait — et il ajoutait : Voilà pourquoi je vous ai dit que nul ne peut venir à moi sinon par un don de mon Père. Dès lors, nombre de ses disciples se retirèrent et cessaient de l'accompagner. Jésus dit alors aux Douze : Voulez-vous

baptême et la naissance charnelle : comme l'enfant nouveau-né, le nouveau baptisé a besoin d'une nourriture appropriée.

ὑμεῖς θέλετε ὑπάγειν; Ἀπεκρίθη αὐτῷ Σίμων Πέτρος· Κύριε, πρὸς τίνα ἀπελευσόμεθα; Ῥήματα ζωῆς αἰωνίου ἔχεις, καὶ ἡμεῖς πεπιστεύκαμεν καὶ ἐγνώκαμεν ὅτι σὺ εἶ ὁ Χριστός, ὁ Υἱὸς τοῦ Θεοῦ τοῦ ζῶντος[g].»

b |**2** Καὶ πρὸς τῷ τέλει τῶν Εὐαγγελίων γέγραπται· « Λαβὼν οὖν ὁ Ἰησοῦς ἄρτον καὶ εὐχαριστήσας, ἔκλασε καὶ ἐδίδου τοῖς μαθηταῖς καὶ εἶπε· Λάβετε, φάγετε· τοῦτό ἐστι τὸ σῶμά μου τὸ ὑπὲρ ὑμῶν κλώμενον. Τοῦτο 5 ποιεῖτε εἰς τὴν ἐμὴν ἀνάμνησιν. Καὶ λαβὼν τὸ ποτήριον καὶ εὐχαριστήσας, ἔδωκεν αὐτοῖς λέγων· Πίετε ἐξ αὐτοῦ πάντες· τοῦτο γάρ ἐστι τὸ αἷμά μου τὸ τῆς καινῆς διαθήκης, τὸ περὶ πολλῶν ἐκχυννόμενον εἰς ἄφεσιν ἁμαρτιῶν. Τοῦτο ποιεῖτε εἰς τὴν ἐμὴν ἀνάμνησιν[a]. »

10 Μαρτυρεῖ δὲ τούτοις καὶ ὁ Ἀπόστολος, λέγων· « Ἐγὼ γὰρ παρέλαβον παρὰ τοῦ Κυρίου ὃ καὶ παρέδωκα ὑμῖν ὅτι ὁ Κύριος Ἰησοῦς ἐν ᾗ νυκτὶ παρεδίδοτο ἔλαβεν ἄρτον, καὶ εὐχαριστήσας ἔκλασε καὶ εἶπε· Τοῦτό ἐστι τὸ σῶμά μου c τὸ ὑπὲρ ὑμῶν κλώμενον. Τοῦτο ποιεῖτε | εἰς τὴν ἐμὴν 15 ἀνάμνησιν. Ὡσαύτως καὶ τὸ ποτήριον μετὰ τὸ δειπνῆσαι, λέγων· Τοῦτο τὸ ποτήριον ἡ καινὴ διαθήκη ἐστὶν ἐν τῷ ἐμῷ αἵματι. Τοῦτο ποιεῖτε εἰς τὴν ἐμὴν ἀνάμνησιν. Ὁσάκις γὰρ ἂν ἐσθίητε τὸν ἄρτον τοῦτον καὶ τὸ ποτήριον πίνητε, τὸν θάνατον τοῦ Κυρίου καταγγέλλετε, ἄχρις οὗ 20 ἔλθῃ[b]. »

Τί οὖν ὠφελεῖ τὰ ῥήματα ταῦτα; Ἵνα ἐσθίοντές τε καὶ πίνοντες ἀεὶ μνημονεύωμεν τοῦ ὑπὲρ ἡμῶν ἀποθανόντος καὶ ἐγερθέντος, καὶ οὕτω παιδευθῶμεν ἀναγκαίως φυλάξαι ἐνώπιον Θεοῦ καὶ τοῦ Χριστοῦ αὐτοῦ τὸ δόγμα τὸ 25 ὑπὸ τοῦ Ἀποστόλου παραδεδομένον ἐν τῷ εἰπεῖν· « Ἡ γὰρ ἀγάπη τοῦ Χριστοῦ συνέχει ἡμᾶς κρίναντας τοῦτο ὅτι, εἰ εἷς ὑπὲρ πάντων ἀπέθανεν, ἄρα οἱ πάντες

g. Jn 6, 60-69.

2 a. Matth. 26, 26-28 || b. I Cor. 11, 23-26.

partir vous aussi ? Simon Pierre lui répondit : Seigneur, à qui irons-nous ? Tu as les paroles de la vie éternelle. Pour nous, nous croyons et nous savons que toi, tu es le Christ, le Fils du Dieu vivant[g]. »

L'institution de l'Eucharistie

2 Vers la fin des évangiles, il est écrit : « Jésus prit du pain, rendit grâces, le rompit, et il le donnait à ses disciples en disant : Prenez et mangez, ceci est mon corps qui est rompu pour vous. Faites cela en mémoire de moi. Et après avoir pris le calice et rendu grâces, il le leur donna en disant : Buvez en tous, ceci est mon sang, le sang de la nouvelle alliance qui est répandu pour la multitude en rémission des péchés. Faites cela en mémoire de moi[a]. »

L'Apôtre ajoute aussi son témoignage à ce récit. Il dit en effet : « Pour moi, j'ai reçu du Seigneur ce qu'à mon tour je vous ai transmis : le Seigneur Jésus, la nuit où il était livré, prit du pain, et après avoir rendu grâces, il le rompit et dit : Ceci est mon corps qui est rompu pour vous. Faites cela en mémoire de moi. De même aussi pour le calice après le repas, il dit : Ce calice est la nouvelle alliance en mon sang. Faites cela en mémoire de moi. Toutes les fois que vous mangez ce pain et que vous buvez ce calice, vous annoncez la mort du Seigneur, jusqu'à ce qu'il vienne[b]. »

Obligations du communiant

A quoi servent donc ces paroles ? A ce que nous commémorions toujours, en mangeant et en buvant, le souvenir de celui qui est mort et ressuscité pour nous et qu'ainsi nous apprenions nécessairement à observer devant Dieu et devant son Christ la doctrine que l'Apôtre nous a transmise en ces termes : « L'amour du Christ nous étreint, à la pensée que si un seul est mort pour tous, alors tous sont morts ; et il est mort pour

ἀπέθανον· καὶ ὑπὲρ πάντων ἀπέθανεν ἵνα οἱ ζῶντες
d μηκέτι ἑαυ|τοῖς ζῶσιν, ἀλλὰ τῷ ὑπὲρ αὐτῶν ἀποθανόντι
30 καὶ ἐγερθέντι [c]. » Ὁ γὰρ ἐσθίων καὶ πίνων, δηλονότι εἰς ἀνεξάλειπτον μνήμην τοῦ ὑπὲρ ἡμῶν ἀποθανόντος Ἰησοῦ Χριστοῦ τοῦ Κυρίου ἡμῶν καὶ ἐγερθέντος, τὸν δὲ λόγον τῆς μνήμης τῆς μέχρι θανάτου ὑπακοῆς του Κυρίου μὴ πληρῶν, κατὰ τὴν τοῦ Ἀποστόλου διδασκαλίαν, καθὼς
35 προείρηται εἰπόντος· « Ἡ γὰρ ἀγάπη τοῦ Χριστοῦ συνέχει ἡμᾶς κρίναντας τοῦτο ὅτι, εἰ εἷς ὑπὲρ πάντων ἀπέθανεν, ἄρα οἱ πάντες ἀπέθανον », ὅπερ ὡμολογήσα-
1577 μεν ἐν τῷ | βαπτίσματι, « καὶ ὑπὲρ πάντων ἀπέθανεν ἵνα οἱ ζῶντες μηκέτι ἑαυτοῖς ζῶσιν, ἀλλὰ τῷ ὑπὲρ αὐτῶν
40 ἀποθανόντι καὶ ἐγερθέντι [d] », οὐδὲν ἔχει ὄφελος, κατὰ τὴν ἀπόφασιν τοῦ Κυρίου εἰπόντος ὅτι « Ἡ σὰρξ οὐκ ὠφελεῖ οὐδὲν [e] ».

3 Προστίθησι δὲ καθ' ἑαυτοῦ ὁ τοιοῦτος καὶ τὸ κρῖμα τοῦ Ἀποστόλου λέγοντος· « Ὁ ἐσθίων καὶ πίνων ἀναξίως κρῖμα ἑαυτῷ ἐσθίει καὶ πίνει, μὴ διακρίνων τὸ σῶμα τοῦ Κυρίου [a]. » Οὐ μόνον γὰρ κρῖμα φοβερὸν ἔχει ὁ ἐν
5 μολυσμῷ σαρκὸς καὶ πνεύματος [b] ἀναξίως τοῖς ἁγίοις προσερχόμενος, προσερχόμενος δὲ ἔνοχος γίνεται τοῦ σώματος καὶ τοῦ αἵματος τοῦ Κυρίου [c], ἀλλὰ καὶ ἀργῶς καὶ ἀνωφελῶς ἐσθίων καὶ πίνων, ἐν τῷ μὴ διὰ τῆς μνήμης τοῦ ὑπὲρ ἡμῶν ἀποθανόντος καὶ ἐγερθέντος
b 10 Ἰησοῦ | Χριστοῦ τοῦ Κυρίου ἡμῶν τὸ εἰρημένον φυλάσσειν ὅτι « Ἡ ἀγάπη τοῦ Χριστοῦ συνέχει ἡμᾶς κρίναντας τοῦτο ὅτι, εἰ εἷς ὑπὲρ πάντων ἀπέθανεν, ἄρα οἱ πάντες ἀπέθανον [d] », καὶ τὰ ἑξῆς. Ὥσπερ γὰρ ἀσυνειδήτως καὶ

c. II Cor. 5, 14-15 || d. II Cor. 5, 14-15 || e. Jn 6, 63.

3 a. I Cor. 11, 29 || b. Cf. II Cor. 7, 1 || c. Cf. I Cor. 11, 27 || d. II Cor. 5, 14.

4. Cette déclaration reproduit de près *Mor* 80, 26.

5. L'inutilité (ἀνωφελῶς) ramène à l'indignité (ἀναξίως). Communier inutilement, paresseusement, sans être pénétré du souvenir de Jésus-Christ mort et ressuscité, expose à la condamnation non moins que communier indignement avec une souillure

tous afin que les vivants ne vivent plus pour eux-mêmes, mais pour celui qui est mort et ressuscité pour eux [c]. » Il est évident en effet qu'on mange et qu'on boit pour commémorer de manière ineffaçable celui qui est mort et ressuscité pour nous, Jésus-Christ notre Seigneur [4] ; mais si on n'accomplit pas ce qui est signifié par la commémoration de son obéissance jusqu'à la mort, si on ne se conforme pas à l'enseignement de l'Apôtre qui a dit, comme je viens de le rappeler : « L'amour du Christ nous étreint, à la pensée que si un seul est mort pour tous, alors tous sont morts » — ce qui est justement notre profession baptismale —, « et il est mort pour tous, afin que les vivants ne vivent plus pour eux-mêmes, mais pour celui qui est mort et ressuscité pour eux [d] », dans ces conditions, on ne retire (de la communion) aucun profit, comme l'indique cette sentence du Seigneur : « La chair ne sert de rien [e]. »

3 De plus, dans ce cas, on attire aussi sur soi la condamnation de l'Apôtre qui dit : « Celui qui mange et boit indignement mange et boit sa propre condamnation, ne discernant pas le corps du Seigneur [a]. » Car ce n'est pas seulement quand on s'approche des choses saintes dans l'indignité d'une chair et d'un esprit souillés [b] qu'on s'expose à une condamnation redoutable et qu'on aura à répondre du corps et du sang du Seigneur [c] ; il en va de même également pour celui qui mange et boit de façon paresseuse et inutile [5], puisqu'il commémore Jésus-Christ notre Seigneur, mort et ressuscité pour nous, sans observer cette parole : « L'Amour du Christ nous étreint, à la pensée que si un seul est mort pour tous, alors tous sont morts [d] », etc. Laissant

du corps ou de l'esprit. La position de Basile est donc plus rigoureuse ici qu'en *Mor* 21, 2 : « Il ne sert à rien de venir à la communion si on n'en comprend pas la valeur... Quant à celui qui s'en approche indignement, il est déjà condamné » (Lèbe *Mor*, p. 86).

ἀνωφελῶς τοσοῦτον καὶ τοιοῦτον ἀγαθὸν καταργῶν, καὶ
15 ὥσπερ ἀχαρίστως προσερχόμενος τῷ τοιούτῳ μυστηρίῳ,
τὸ κρῖμα ἔχει τῆς ἀργίας, τοῦ Κυρίου καὶ τοὺς ῥῆμα
ἀργὸν προϊεμένους ἀκρίτους εἶναι [e] μὴ συγχωρήσαντος,
σφοδρότερον δὲ παριστῶντος τὸ κρῖμα τῆς ἀργίας διὰ τοῦ
τὸ τάλαντον ἐν ἀργίᾳ φυλάξαντος ἀκέραιον [f] · τοῦ δὲ
20 Ἀποστόλου παραδεδωκότος ἡμῖν ὅτι καὶ ὁ τὸ ἀγαθὸν
προφέρων ῥῆμα, μὴ εἰς οἰκοδομὴν δὲ τῆς πίστεως
οἰκονομῶν, λυπεῖ τὸ Πνεῦμα τὸ ἅγιον [g], συνορᾶν ὀφείλο-
c μεν τὸ κρῖμα τοῦ ἀναξίως ἐσθίοντος καὶ πίνοντος [h]. | Εἰ δὲ
καὶ ὁ τὸν ἀδελφὸν διὰ βρῶμα λυπῶν τῆς ἀγάπης
25 ἐκπέπτωκεν [i], ἧς ἄνευ καὶ τὰ μεγάλα τῶν τε χαρισμάτων
καὶ τῶν δικαιωμάτων ἐνεργούμενα οὐδὲν ὠφελεῖ [j], τί ἄν
τις εἴποι περὶ τοῦ ἀργῶς καὶ ἀνωφελῶς τολμῶντος
φαγεῖν τὸ σῶμα καὶ πιεῖν τὸ αἷμα τοῦ Κυρίου ἡμῶν
Ἰησοῦ Χριστοῦ, καὶ διὰ τοῦτο περισσοτέρως λυποῦντος
30 τὸ Πνεῦμα τὸ ἅγιον, καὶ τολμῶντος ἄνευ τῆς συνεχούσης
ἀγάπης, ὥστε κρῖναι μὴ ἑαυτοῖς ζῆν, ἀλλὰ τῷ ὑπὲρ ἡμῶν
ἀποθανόντι καὶ ἐγερθέντι Χριστῷ Ἰησοῦ τῷ Κυρίῳ
ἡμῶν [k], φαγεῖν καὶ πιεῖν;

Δεῖ οὖν τὸν προσιόντα τῷ σώματι καὶ τῷ αἵματι τοῦ
35 Χριστοῦ, εἰς ἀνάμνησιν αὐτοῦ τοῦ ὑπὲρ ἡμῶν ἀποθανόντος καὶ ἐγερθέντος, μὴ μόνον καθαρεύειν ἀπὸ παντὸς
μολυσμοῦ σαρκὸς καὶ πνεύματος, ἵνα μὴ εἰς κρῖμα φάγῃ
d καὶ πίῃ, | ἀλλὰ καὶ ἐνεργῶς δεικνύειν τὴν μνήμην τοῦ
ὑπὲρ ἡμῶν ἀποθανόντος καὶ ἐγερθέντος, ἐν τῷ νενεκρῶσ-
40 θαι μὲν τῇ ἁμαρτίᾳ καὶ τῷ κόσμῳ καὶ ἑαυτῷ, ζῆν δὲ τῷ
Θεῷ ἐν Χριστῷ Ἰησοῦ τῷ Κυρίῳ ἡμῶν.

περὶ βαπτίσματος
λόγος α´
τεμνόμενος εἰς τρία.

e. Cf. Matth. 12, 36 || f. Cf. Matth. 25, 14-28 || g. Cf. Éphés. 4, 29 || h. Cf. I Cor. 11, 27 || i. Cf. Rom. 14, 15 || j. Cf. I Cor. 13, 1-3 || k. Cf. II Cor. 5, 14-15.

en effet improductif, par inconscience en quelque sorte et inefficacité, un bien si grand et d'une telle nature et s'approchant comme un ingrat d'un tel mystère, il encourt la condamnation de la paresse, car le Seigneur n'a pas admis qu'on puisse échapper à la condamnation lorsqu'on prononce simplement une parole oiseuse [e], et il présente avec plus de force la condamnation de la paresse grâce à l'exemple de l'homme qui avait conservé son talent tel quel sans le faire fructifier [f] ; et de son côté, l'Apôtre nous a enseigné que même celui qui profère la bonne parole attriste l'Esprit-Saint s'il ne la dirige pas vers l'édification de la foi [g]. Aussi, devons-nous faire attention à la condamnation portée contre celui qui mange et boit indignement [h]. Et si celui qui attriste son frère pour une simple question de nourriture se trouve déchu de l'amour [i], sans lequel l'accomplissement des grands charismes et des grandes œuvres de justice ne sert à rien [j], que dire de celui qui ose paresseusement et inutilement manger le corps et boire le sang de notre Seigneur Jésus-Christ, attristant ainsi bien davantage l'Esprit-Saint, et qui ose manger et boire sans que l'amour l'étreigne et le conduise à penser que nous ne vivons pas pour nous, mais pour le Christ Jésus notre Seigneur, mort et ressuscité pour nous [k] ?

Quand on s'approche du corps et du sang du Christ pour le commémorer, lui qui est mort et ressuscité pour nous, il faut donc être pur de toute souillure de la chair et de l'esprit, afin que manger et boire n'entraîne pas de condamnation ; mais il faut aussi manifester en actes le souvenir de celui qui est mort et ressuscité pour nous, en mourant au péché, au monde et à nous-mêmes, puis en vivant pour Dieu dans le Christ Jésus notre Seigneur.

Sur le baptême
fin du livre I
divisé en trois chapitres

⟨ΛΟΓΟΣ Β'⟩

Κεφάλαια τοῦ β' λόγου
τεμνομένου εἰς κεφάλαια ιγ',
ὁμοῦ ις' σὺν τοῦ πρώτου λόγου.

α'. Εἰ πᾶς ὁ βαπτισθεὶς τὸ ἐν τῷ εὐαγγελίῳ τοῦ Κυρίου ἡμῶν Ἰησοῦ Χριστοῦ βάπτισμα ὀφειλέτης ἐστὶ νεκρὸς μὲν εἶναι τῇ ἁμαρτίᾳ, ζῆν δὲ τῷ Θεῷ ἐν Χριστῷ Ἰησοῦ.

β'. Εἰ ἀκίνδυνόν ἐστι μὴ καθαρεύοντα τὴν καρδίαν ἀπὸ συνειδήσεως πονηρᾶς ἢ ἀκαθαρσίας ἢ μολυσμοῦ, ἱερατεύειν.

γ'. Εἰ ἀκίνδυνόν ἐστι μὴ καθαρεύοντά τινα ἀπὸ παντὸς μολυσμοῦ σαρκὸς καὶ πνεύματος ἐσθίειν τὸ σῶμα τοῦ Κυρίου καὶ πίνειν τὸ αἷμα.

δ'. Εἰ παντὶ ῥήματι Θεοῦ δεῖ πιστεύειν καὶ πείθεσθαι, ἐν πληροφορίᾳ ἀληθείας τοῦ εἰρημένου, κἂν εὑρίσκηταί τι ἢ ῥῆμα ἢ ἔργον, ἤτοι παρ' αὐτοῦ τοῦ Κυρίου ἢ παρ' αὐτῶν ἁγίων δοκοῦν ἐναντίως ἔχειν.

ε'. Εἰ παντὸς ῥήματος ἡ ἀπείθεια ἀξία ὀργῆς καὶ θανάτου, κἂν ἰδικῶς τῷ καθ' ἕκαστον μὴ ᾖ συνημμένη ἀπειλή.

ς'. Εἰ ἡ ἀπείθεια ἐν τῷ ποιῆσαί τι τῶν ἀπηγορευμένων ἐστίν, ἢ καὶ ἐν τῷ παραλείπειν τι τῶν ἐγκεκριμένων.

ζ'. Εἰ δυνατόν ἐστιν ἢ εὐάρεστον ἢ εὐπρόσδεκτον Θεῷ, τὸν ἁμαρτίᾳ δουλεύοντα ποιεῖν δικαίωμα κατὰ τὸν τῆς θεοσεβείας τῶν ἁγίων κανόνα.

η'. Εἰ εὐπρόσδεκτόν ἐστι τῷ Θεῷ τὸ ἔργον τῆς ἐντολῆς μὴ ἀκολούθως κατ' ἐντολὴν Θεοῦ γινόμενον.

θ'. Εἰ χρὴ συγκοινωνεῖν τοῖς παρανομοῦσιν ἢ τοῖς ἀκάρποις ἔργοις τοῦ σκότους, κἂν μὴ ὦσι τῶν ἐμοὶ πιστευθέντων οἱ τοιοῦτοι.

LIVRE II

Sommaire du livre II divisé en 13 chapitres (16 chapitres en tout avec ceux du premier livre).

I. Tout baptisé du baptême qui est dans l'évangile de notre Seigneur Jésus-Christ doit-il être mort au péché et vivre pour Dieu dans le Christ Jésus ?

II. Est-il sans danger, quand on n'a pas le cœur purifié de mauvaise conscience, d'impureté ou de souillure, de remplir les fonctions sacerdotales ?

III. Est-il sans danger, lorsqu'on n'est pas purifié de toute souillure de la chair et de l'esprit, de manger le corps du Seigneur et de boire son sang ?

IV. Devons-nous accorder foi et obéissance à toute parole de Dieu, dans la pleine assurance qu'elle exprime la vérité, même s'il nous arrive de trouver une parole ou une action, soit du Seigneur lui-même, soit des saints eux-mêmes, paraissant la contredire ?

V. La désobéissance à toute parole quelconque (de Dieu) mérite-t-elle colère et mort, même si la menace n'est pas jointe à chaque cas particulier de désobéissance ?

VI. La désobéissance réside-t-elle dans l'exécution d'une chose défendue, ou bien est-elle aussi dans l'omission d'une chose approuvée ?

VII. Est-il possible, est-il bien vu et bien accepté de Dieu qu'un esclave du péché fasse une action juste selon la règle de la piété observée par les saints ?

VIII. L'exécution des commandements est-elle bien accueillie de Dieu si elle se fait en désaccord avec un commandement de Dieu ?

IX. Faut-il m'associer aux transgresseurs de la Loi et aux œuvres infructueuses des ténèbres, en particulier si ces transgresseurs n'appartiennent pas au groupe qui m'a été confié ?

ι΄. Εἰ ἀεί ἐστι τὸ σκανδαλίζειν ἐπικίνδυνον.

ια΄. Εἰ χρὴ ἢ ἀκίνδυνόν ἐστι παραιτεῖσθαί τι τῶν προστεταγμένων ὑπὸ τοῦ Θεοῦ, ἢ κωλύειν τὸν ἐπιταχθέντα ποιῆσαι, ἢ κωλυόντων ἀνέχεσθαι, μάλιστα ἐὰν γνήσιος ᾖ ὁ κωλύων, ἢ λογισμὸς εὐλογοφανὴς ἀντιπίπτῃ τῷ προστάγματι.

ιβ΄. Εἰ πᾶς ὀφειλέτης ἐστὶ πάντων τῆς ἐν πᾶσιν ἐπιμελείας, ἢ μόνον τῶν πεπιστευμένων, καὶ τούτων κατὰ τὸ μερισθὲν αὐτῷ ὑπὸ Θεοῦ διὰ Πνεύματος ἁγίου χάρισμα.

ιγ΄. Εἰ χρὴ πάντα πειρασμὸν ὑπομένειν, κἂν θανάτου ἔχῃ ἀπειλήν, ὑπὲρ τοῦ φυλαχθῆναι τὴν πρὸς Θεὸν ὑπακοήν, καὶ μάλιστα ἐν τῇ ἐπιμελείᾳ τῶν πεπιστευμένων.

X. Est-il toujours dangereux de scandaliser ?

XI. Faut-il, peut-on sans danger refuser un ordre de Dieu, empêcher celui qui l'a reçu de l'accomplir, tolérer qu'il en soit empêché, en particulier si l'empêcheur est de bonne foi ou si une raison raisonnable en apparence s'oppose à cet ordre ?

XII. Chacun est-il tenu de s'occuper de tous en tout, ou seulement de ceux qui lui ont été confiés et dans la mesure où il en a reçu de Dieu le charisme par l'intermédiaire de l'Esprit-Saint ?

XIII. Pour observer l'obéissance due à Dieu, faut-il endurer n'importe quelle épreuve, même si elle comporte une menace de mort ? Qu'en est-il en particulier lorsque nous nous occupons de ceux qui nous ont été confiés ?

1580 α´.

Εἰ πᾶς ὁ βαπτισθεὶς τὸ ἐν τῷ εὐαγγελίῳ τοῦ Κυρίου ἡμῶν Ἰησοῦ Χριστοῦ βάπτισμα, ὀφειλέτης ἐστὶ νεκρὸς μὲν εἶναι τῇ ἁμαρτίᾳ, ζῆν δὲ τῷ Θεῷ ἐν Χριστῷ Ἰησοῦ.

1 Εἰ πάντες οἱ τῆς βασιλείας τοῦ Θεοῦ ἐπιθυμοῦντες τῆς τοῦ βαπτίσματος χάριτος ὁμοίως καὶ ἀναγκαίως ἀντιποιούμεθα, κατὰ τὴν τοῦ Κυρίου ἀπόφασιν εἰπόντος· « Ἐὰν μή τις γεννηθῇ ἐξ ὕδατος καὶ Πνεύματος, οὐ
5 δύναται εἰσελθεῖν εἰς τὴν βασιλείαν τοῦ Θεοῦ [a] », πάντες ἄρα ὁμοίως ἐσμὲν ὀφειλέται τῷ αὐτῷ λόγῳ στοιχεῖν τοῦ
b βαπτίσματος, | τοῦ Ἀποστόλου κοινῶς πᾶσι τοῖς βαπτισθεῖσι λέγοντος· « Ἢ ἀγνοεῖτε, ἀδελφοί, ὅτι ὅσοι ἐβαπτίσθημεν εἰς Χριστὸν Ἰησοῦν, εἰς τὸν θάνατον αὐτοῦ
10 ἐβαπτίσθημεν; Συνετάφημεν οὖν αὐτῷ διὰ τοῦ βαπτίσματος εἰς τὸν θάνατον ἵνα, ὥσπερ ἠγέρθη Χριστὸς ἐκ νεκρῶν διὰ τῆς δόξης τοῦ Πατρός, οὕτω καὶ ἡμεῖς ἐν καινότητι ζωῆς περιπατήσωμεν [b] », καὶ τὰ ἑξῆς. Καὶ ἐν ἑτέρῳ τόπῳ ἐντρεπτικώτερον καὶ σαφέστερον ἡμῖν παρα-
15 δίδωσι τοιοῦτον δόγμα, εἰπών· « Ὅσοι εἰς Χριστὸν ἐβαπτίσθητε, Χριστὸν ἐνεδύσασθε. Οὐκ ἔνι Ἰουδαῖος οὐδὲ Ἕλλην, οὐκ ἔνι δοῦλος οὐδὲ ἐλεύθερος, οὐκ ἔνι ἄρσεν καὶ θῆλυ· πάντες γὰρ ὑμεῖς εἷς ἐστε ἐν Χριστῷ Ἰησοῦ [c]. » Καθὼς πάλιν πρὸς πάντας φησίν· « Ἐν ᾧ καὶ πε-
20 ριετμήθητε περιτομῇ ἀχειροποιήτῳ, ἐν τῇ ἀπεκδύσει τοῦ
c σώματος τῶν ἁμαρτιῶν | τῆς σαρκός, ἐν τῇ περιτομῇ τοῦ

1 a. Jn 3, 5 || b. Rom. 6, 3-4 || c. Gal. 3, 27-28.

Chapitre I

Tout baptisé du baptême qui est dans l'évangile de notre Seigneur Jésus-Christ doit-il être mort au péché et vivre pour Dieu dans le Christ Jésus ?

1 Si nous tous[1], qui aspirons au royaume de Dieu, nous prétendons, pareillement et nécessairement, à la grâce du baptême, selon la sentence du Seigneur qui a dit : « Quiconque ne naît pas de l'eau et de l'Esprit ne peut entrer dans le royaume de Dieu[a] », tous alors, nous devons pareillement nous régler sur la même doctrine du baptême, doctrine que l'Apôtre, à l'intention générale de tous ceux qui ont été baptisés, formule ainsi : « Ignorez-vous, frères, que nous tous, qui avons été baptisés dans le Christ Jésus, nous avons été baptisés dans sa mort ? Nous avons donc été ensevelis avec lui par le baptême dans la mort, afin que, comme le Christ est ressuscité des morts par la gloire du Père, nous marchions de même nous aussi dans une vie nouvelle[b] », etc. Et dans un autre passage, il nous transmet de manière plus impressionnante et plus claire un enseignement identique : « Vous tous, dit-il, qui avez été baptisés dans le Christ, vous avez revêtu le Christ. Il n'y a pas de Juif ni de Grec, pas d'esclave ni d'homme libre, pas d'homme ni de femme, car tous, vous n'êtes qu'un dans le Christ Jésus[c]. » De façon semblable, il affirme encore, s'adressant à tous : « C'est dans le Christ que vous avez reçu la circoncision, non pas une circoncision faite de main d'homme, mais celle qui consiste à dépouiller le corps de la chair pécheresse, la circoncision

1. Πάντες, mot essentiel du Livre II, reprend le πᾶς de la question.

Χριστοῦ, συνταφέντες αὐτῷ ἐν τῷ βαπτίσματι, ἐν ᾧ καὶ συνηγέρθητε διὰ τῆς πίστεως[d]. » Ἄρα πᾶς ὁ βαπτισθεὶς τὸ τοῦ Εὐαγγελίου βάπτισμα ὀφειλέτης ἐστὶ κατὰ τὸ
25 Εὐαγγέλιον ζῆν καὶ δι' ὧν εἶπεν ἀλλαχοῦ· « Μαρτύρομαι πάλιν παντὶ ἀνθρώπῳ περιτεμνομένῳ ὅτι ὀφειλέτης ἐστιν ὅλον τὸν νόμον πληρῶσαι[e]. »

2 Σαφῶς οὖν συνίσταται ὅτι πᾶς ὁ βαπτισθεὶς τὸ ἓν βάπτισμα[a], καθὼς γέγραπται, ἐπίσης ὀφειλέτης ἐστὶ κατὰ τὸν λόγον τοῦ ὑπὲρ ἡμῶν ἀποθανόντος καὶ ἐγερθέντος πληρῶσαι τὸ γεγραμμένον ὑπ' αὐτοῦ τοῦ Ἀποστό-
5 λου· « Ἡ γὰρ ἀγάπη τοῦ Χριστοῦ συνέχει ἡμᾶς κρίναντας τοῦτο ὅτι, εἰ εἷς ὑπὲρ πάντων ἀπέθανεν, ἄρα οἱ
d πάντες ἀπέθανον· καὶ ὑπὲρ πάντων | ἀπέθανεν ἵνα οἱ ζῶντες μηκέτι ἑαυτοῖς ζῶσιν, ἀλλὰ τῷ ὑπὲρ αὐτῶν ἀποθανόντι καὶ ἐγερθέντι[b]. » Εἰ γὰρ ὁ περιτμηθεὶς μέρος
10 τι τοῦ σώματος τὴν κατὰ Μωϋσὴν περιτομὴν ὀφειλέτης ἐστὶν ὅλον τὸν νόμον πληρῶσαι, πόσῳ μᾶλλον ὁ περιτμηθεὶς τὴν κατὰ Χριστὸν περιτομὴν ἐν τῇ ἀπεκδύσει ὅλου τοῦ σώματος τῶν ἁμαρτιῶν τῆς σαρκός[c], καθὼς γέγρα-
1581 πται, ὀφει|λέτης ἐστὶ πληρῶσαι τὸ ὑπὸ τοῦ Ἀποστόλου
15 εἰρημένον· « Ἐγὼ τῷ κόσμῳ ἐσταύρωμαι, καὶ ὁ κόσμος ἐμοί· ζῶ δὲ οὐκέτι ἐγώ, ζῇ δὲ ἐν ἐμοὶ Χριστός[d]. »

Ὥστε ὁ ἀληθῶς, κατὰ τὸν λόγον τοῦ Ἀποστόλου, βαπτισθεὶς εἰς τὸν θάνατον τοῦ Χριστοῦ[e], ἐνέκρωσε μὲν ἑαυτὸν καὶ τῷ κόσμῳ, πολὺ δὲ πρότερον τῇ ἁμαρτίᾳ,
20 κατὰ τὸ ὑπὸ τοῦ αὐτοῦ Ἀποστόλου εἰρημένον ἐν τῷ περὶ τοῦ βαπτίσματος λόγῳ ὅτι « Ὁ παλαιὸς ἡμῶν ἄνθρωπος συνεσταυρώθη, ἵνα καταργηθῇ τὸ σῶμα τῆς ἁμαρτίας τοῦ μηκέτι δουλεύειν ἡμᾶς τῇ ἁμαρτίᾳ[f] ». Ἀπαράβατον δὲ

d. Col. 2, 11-12 || e. Gal. 5, 3.

2 a. Cf. Éphés. 4, 5 || b. II Cor. 5, 14 || c. Cf. Col. 2, 11 || d. Gal. 6, 14 + 2,20 || e. Cf. Rom. 6, 3 || f. Rom. 6, 6.

du Christ. Ensevelis avec lui par le baptême, avec lui aussi vous êtes ressuscités par la foi[d]. » Par conséquent, toute personne qui a été baptisée du baptême de l'Évangile doit vivre selon l'Évangile, comme l'indique encore cette autre déclaration : « Je l'atteste à nouveau, tout homme qui se fait circoncire doit accomplir la Loi tout entière[e]. »

2 Il en résulte donc clairement que tous ceux qui ont été baptisés, ainsi qu'il est écrit, dans l'unique baptême[a] sont également tenus, en se proportionnant à celui qui est mort et ressuscité pour nous, d'accomplir ce qu'a écrit l'Apôtre lui-même : « L'amour du Christ nous étreint à la pensée que si un seul est mort pour tous, alors tous sont morts ; et il est mort pour tous, afin que les vivants ne vivent plus pour eux, mais pour celui qui est mort et ressuscité pour eux[b]. » Si, en effet, celui qui a subi la circoncision selon Moïse sur une partie de son corps est tenu d'accomplir la Loi tout entière, combien davantage celui qui a subi la circoncision selon le Christ, qui consiste, ainsi qu'il est écrit, à dépouiller le corps entier de la chair pécheresse[c 2], est-il tenu d'accomplir le mot de l'Apôtre : « Moi je suis crucifié au monde, et le monde est crucifié pour moi. Ce n'est plus moi qui vis, c'est le Christ qui vit en moi[d] ! »

C'est pourquoi celui qui par le baptême s'est vraiment plongé dans la mort du Christ[e], selon la doctrine de l'Apôtre, celui-là s'est aussi fait mourir lui-même au monde; mais il s'est fait mourir bien davantage au péché, selon ce qu'a dit le même Apôtre dans son discours sur le baptême[3] : « Notre vieil homme a été crucifié (avec le Christ), afin d'annihiler notre corps de péché, pour que nous ne soyons plus asservis au péché[f]. » De plus, il s'est engagé par un pacte inviolable

2. Même interprétation de *Col.* 2, 11 en *Mor* 43, 2 (761 d).
3. C'est-à-dire dans l'Épître aux Romains, en particulier le chapitre 6, 1-11 (cf. *supra*, Introd., p. 42).

συνθήκην κατέθετο τοῦ ἀκολουθεῖν ἐν πᾶσι τῷ Κυρίῳ,
25 ὅπερ ἐστὶ ζῆν τῷ Θεῷ ὁλοκλήρως, δι' ὅλου πληρῶν τὰ ὑπὸ τοῦ Ἀποστόλου εἰρημένα, ποτὲ μέν· « Παρακαλῶ οὖν ὑμᾶς, ἀδελφοί, διὰ τῶν οἰκτιρμῶν τοῦ Θεοῦ,
b παρα|στῆσαι τὰ σώματα ὑμῶν θυσίαν ζῶσαν ἁγίαν, εὐάρεστον τῷ Θεῷ, τὴν λογικὴν λατρείαν ὑμῶν [g] », καὶ
30 τὰ ἑξῆς· ποτὲ δέ· « Μὴ οὖν βασιλευέτω ἡ ἁμαρτία ἐν τῷ θνητῷ ὑμῶν σώματι εἰς τὸ ὑπακούειν αὐτῇ ἐν ταῖς ἐπιθυμίαις αὐτοῦ· μηδὲ παριστάνετε τὰ μέλη ὑμῶν ὅπλα ἀδικίας τῇ ἁμαρτίᾳ, ἀλλὰ παραστήσατε ἑαυτοὺς τῷ Θεῷ ὡς ἐκ νεκρῶν ζῶντας, καὶ τὰ μέλη ὑμῶν ὅπλα δι-
35 καιοσύνης τῷ Θεῷ [h]. »

Ἐν τούτοις δὲ καὶ τοῖς τοιούτοις δόγμασι, πάλιν λέγω· « Οὐκ ἔνι Ἰουδαῖος οὐδὲ Ἕλλην, οὐκ ἔνι δοῦλος οὐδὲ ἐλεύθερος, οὐκ ἔνι ἄρσεν καὶ θῆλυ· πάντες γὰρ ὑμεῖς εἷς ἐστε ἐν Χριστῷ Ἰησοῦ [i] », ἵνα ἄξιοι γενώμεθα οἱ πάντες
40 ὡς εἷς ἀκοῦσαι· « Δεῦρο, ἀγαθὲ δοῦλε· ἐπὶ ὀλίγα ἦς πιστός, ἐπὶ πολλῶν σε καταστήσω· εἴσελθε εἰς τὴν χαρὰν τοῦ Κυρίου σου [j]. » Ἧς καταξιούμεθα ἐὰν ἕκασ-
c τος|ἡμῶν, ἐν ᾧ ἐκλήθη [k] καὶ ἐκληρώθη, δι' ἐπιμελείας περισσοτέρας καὶ ἀόκνου σπουδῆς πολυπλασιάσῃ τὴν
45 μερισθεῖσαν αὐτῷ χάριν [l], καθὼς γέγραπται.

g. Rom. 12, 1 || h. Rom. 6, 12-13 || i. Gal. 3, 28 || j. Matth. 25, 21 || k. Cf. I Cor. 7, 24 || l. Cf. Éphés. 4, 7.

à suivre en tout le Seigneur, c'est-à-dire à vivre tout entier pour Dieu, en accomplissant entièrement ce qu'a dit l'Apôtre, tantôt : « Je vous exhorte donc, frères, par la miséricorde de Dieu à offrir vos corps en victime vivante, sainte, agréable à Dieu : c'est le culte raisonnable que vous avez à rendre[g] », etc. ; tantôt : « Que le péché cesse donc de régner sur votre corps mortel pour vous faire obéir à ses convoitises. Cessez de faire de vos membres des instruments d'injustice au service du péché. Offrez-vous au contraire à Dieu tels des morts revenus à la vie et faites de vos membres des instruments de justice au service de Dieu[h]. »

Je le répète, lorsqu'il s'agit de ces dogmes et de dogmes semblables : « Il n'y a pas de Juif ni de Grec, pas d'esclave ni d'homme libre, pas d'homme ni de femme, car tous, vous n'êtes qu'un dans le Christ Jésus[i]. » Ainsi tous, comme un seul homme, nous deviendrons dignes d'entendre : « Viens, bon serviteur ; en peu de choses tu as été fidèle, sur beaucoup je t'établirai ; entre dans la joie de ton Seigneur[j]. » De ce bonheur nous serons jugés dignes, si chacun de nous, au poste où il a été appelé[k] et qui lui a été assigné, fait fructifier par un surcroît d'application et un zèle diligent le don spirituel qu'il a reçu en partage[l], ainsi qu'il est écrit[4].

4. Allusion à la parabole des talents. Cf. *Rb* 253 (1252 b).

β'.

Εἰ ἀκίνδυνόν ἐστι μὴ καθαρεύοντα τὴν καρδίαν ἀπὸ συνειδήσεως πονηρᾶς ἢ ἀκαθαρσίας ἢ μολυσμοῦ, ἱερατεύειν.

Μωϋσῆς μέν, τύπον διδοὺς τοῖς τότε πρὸς νουθεσίαν ἡμετέραν[a] ἐν τῷ νόμῳ τῷ παρὰ τοῦ Θεοῦ δοθέντι, γράφει· « Καὶ εἶπε Κύριος πρὸς Μωϋσὴν λέγων· Εἰπὸν πρὸς Ἀαρὼν λέγων· Ἄνθρωπος ἐκ τοῦ γένους σου εἰς
5 τὰς γενεὰς ὑμῶν, ὃς ἔχει ἐν ἑαυτῷ μῶμον, οὐ προσε-
d λεύσεται προσφέρειν τὰ δῶρα | τοῦ Θεοῦ αὐτοῦ, ὅτι πᾶς ἄνθρωπος ἐν ᾧ ἂν ᾖ ἐν αὐτῷ μῶμος, οὐ προσελεύσεται[b]. » Καὶ ἐν τοῖς ἑξῆς ἑρμηνεύει τὸν μῶμον· οὐκ ἐν ἐπιμιξίᾳ ἀλλοτρίων μελῶν, οὐδ' ἐν συντρίμματι ἑνός
10 τινος, κἂν ἐπὶ μέρους, τῶν ἰδίων μελῶν[c], οὐ τοσοῦτον παραποδίζοντος τὴν ἐνέργειαν τῆς εὐοδίας, ἀλλὰ παραβλάπτοντος τὴν εὐπρέπειαν ἢ τὴν ὁλοκληρίαν.

1584 Ὁ δὲ Κύ|ριος, λέγων· « Μεῖζον τοῦ ἱεροῦ ὧδε[d] », παιδεύει ἡμᾶς ὅτι τοσοῦτον ἀσεβέστερός ἐστιν ὁ τολμῶν
15 ἱερατεύειν τὸ σῶμα τοῦ Κυρίου, τοῦ δόντος ἑαυτὸν ὑπὲρ ἡμῶν προσφορὰν καὶ θυσίαν τῷ Θεῷ εἰς ὀσμὴν εὐωδίας[e], ὅσον τὸ σῶμα τοῦ μονογενοῦς Υἱοῦ τοῦ Θεοῦ ὑπερέχει κριῶν καὶ ταύρων· οὐκ ἐκ συγκρίσεως, ἀσύγκριτος γὰρ ἡ ὑπεροχή.

a. Cf. I Cor. 10, 11 || b. Lév. 21, 16-18 || c. Cf. Lév. 21, 18-20 || d. Matth. 12, 6 || e. Cf. Éphés. 5, 2.

Chapitre II

Est-il sans danger[1], quand on n'a pas le cœur purifié de mauvaise conscience, d'impureté ou de souillure, de remplir les fonctions sacerdotales ?

Moïse, donnant une règle aux gens de son temps pour faire réfléchir ceux du nôtre[a], écrit dans la Loi qu'il a reçue de Dieu : « Le Seigneur s'adressa à Moïse et lui dit : Parle ainsi à Aaron : Nul de tes descendants, à quelque génération que ce soit, s'il a une disgrâce en sa personne, ne s'approchera pour présenter les offrandes destinées à son Dieu, car aucun homme ne doit s'approcher s'il y a en lui une disgrâce[b]. » Et dans la suite de son texte, il explique la disgrâce. Il ne s'approchera pas, s'il doit s'adjoindre des membres étrangers, ni s'il a fracturé, fût-ce partiellement, l'un de ses propres membres[c], moins parce que cette fracture empêche l'aisance dans l'action que parce qu'elle porte atteinte à la bonne apparence ou à l'intégrité.

De son côté, le Seigneur disant : « Il y a ici plus grand que le temple[d] » nous enseigne qu'oser, dans ces conditions, exercer les fonctions sacerdotales se rapportant au corps du Christ, qui s'est livré pour nous comme offrande et victime à Dieu en parfum d'agréable odeur[e], serait une impiété d'autant plus grave que le corps du Fils Monogène de Dieu est supérieur à celui des béliers et des taureaux ; et cette supériorité ne résulte pas d'une comparaison, car elle est incomparable.

1. Εἰ ἀκίνδυνον : la question revient souvent dans les *Ascétiques* : cf. *Rb* 154 (1184 a) ; 183 (1204 c) ; etc.

20 Ἀλλὰ καὶ μῶμος ἢ λώβησις νῦν οὐκ ἐπὶ μελῶν σώματός ἐστι θεωρουμένη, ἐπὶ δὲ δικαιωμάτων τῆς κατὰ τὸ Εὐαγγέλιον θεοσεβείας ἐστὶ γινωσκομένη, ὅταν ἢ παρὰ λόγον ἢ ἐλλειπῶς γένηται ἡ ἐντολή, ἢ μὴ οὕτως ὥσπερ εὐαρεστεῖται Θεός, ὡς οὐλῆς τινος ἢ λέπρας 25 ἐπιφαινομένης τῇ ἐντολῇ τῆς ἀνθρωπίνης γνώμης.

Ἀναγκαῖον οὖν πάντοτε μέν, μάλιστα δὲ ἐν τῷ καιρῷ b τοῦ τοσούτου καὶ τοιούτου μυστηρίου, | φυλάσσειν τὸ παράγγελμα τοῦ Ἀποστόλου εἰπόντος· « Ταύτας οὖν ἔχοντες τὰς ἐπαγγελίας, ἀγαπητοί, καθαρίσωμεν ἑαυτοὺς 30 ἀπὸ παντὸς μολυσμοῦ σαρκὸς καὶ πνεύματος, ἐπιτελοῦντες ἁγιωσύνην ἐν φόβῳ Θεοῦ· μηδεμίαν ἐν μηδενὶ διδόντες προσκοπήν, ἵνα μὴ μωμηθῇ ἡ διακονία, ἀλλ' ἐν παντὶ συνιστῶντες ἑαυτοὺς ὡς Θεοῦ διάκονοι [f]. »

Οὕτως ἄξιός τις γίνεται ἱερουργεῖν τὸ μυστήριον τοῦ 35 Κυρίου κατὰ τὸ εὐαγγέλιον τοῦ Θεοῦ [g].

f. II Cor. 7, 1 + 6, 3-4 || g. Cf. Rom. 15, 16.

Eh bien ! la disgrâce ou la mutilation, on ne l'observe pas aujourd'hui sur les membres du corps ; c'est sur les actes justes demandés par la piété évangélique qu'on peut la reconnaître, lorsque le précepte est exécuté de façon contraire à la raison, ou incomplète, ou ne pouvant plaire à Dieu, parce que l'intention humaine, telle une cicatrice ou une lèpre, apparaît sur le précepte.

Il est donc nécessaire en tout temps, mais surtout au moment de célébrer un mystère si grand et d'une telle nature, d'observer la recommandation de l'Apôtre qui a dit : « En possession de ces promesses, bien-aimés, purifions-nous de toute souillure de la chair et de l'esprit, achevons de nous sanctifier dans la crainte de Dieu. Ne donnons en rien aucun sujet de scandale, de peur que notre ministère ne soit décrié ; affirmons-nous en tout comme des ministres de Dieu [f]. »

C'est ainsi que l'on se rend digne de célébrer les mystères sacrés du Seigneur selon l'évangile de Dieu [g].

γ´.

Εἰ ἀκίνδυνόν ἐστι μὴ καθαρεύοντά τινα ἀπὸ παντὸς μολυσμοῦ σαρκὸς καὶ πνεύματος[a] ἐσθίειν τὸ σῶμα τοῦ Κυρίου καὶ πίνειν τὸ αἷμα.

c | Τοῦ Θεοῦ ἐν τῷ νόμῳ τὴν ἀνωτάτω τιμωρίαν ὁρίσαντος κατὰ τοῦ ἐν ἀκαθαρσίᾳ τολμήσαντος ἅψασθαι τῶν ἁγίων — γέγραπται γὰρ τυπικῶς μὲν ἐκείνοις, εἰς νουθεσίαν δὲ ἡμετέραν[b] · « Καὶ ἐλάλησε Κύριος πρὸς
5 Μωϋσῆν λέγων · Εἰπὲ Ἀαρὼν καὶ τοῖς υἱοῖς αὐτοῦ · καὶ προσεχέτωσαν ἀπὸ τῶν ἁγίων τῶν υἱῶν Ἰσραήλ, καὶ οὐ βεβηλώσουσι τὸ ὄνομά μου τὸ ἅγιον, ὅσα αὐτοὶ ἁγιάζουσί μοι, ἐγὼ Κύριος. Εἰπὲ αὐτοῖς · Εἰς τὰς γενεὰς αὐτῶν πᾶς ἄνθρωπος ὃς ἐὰν προσέλθῃ ἀπὸ παντὸς τοῦ σπέρματος
10 ὑμῶν πρὸς τὰ ἅγια ὅσα ἂν ἁγιάσωσιν οἱ υἱοὶ Ἰσραὴλ τῷ Κυρίῳ, καὶ ἀκαθαρσία αὐτοῦ ἐπ' αὐτῷ, ἐξολοθρευθήσεται ἡ ψυχὴ ἐκείνη ἀπὸ προσώπου μου, ἐγὼ
d Κύριος[c] » —, | τί ἐστιν εἰπεῖν κατὰ τοῦ εἰς τοσοῦτον καὶ τοιοῦτον μυστήριον τολμήσαντος ; Ὅσῳ γὰρ πλεῖον τοῦ
15 ἱεροῦ ὧδε[d], κατὰ τὴν τοῦ Κυρίου φωνήν, τοσούτῳ δεινότερον καὶ φοβερώτερον τὸ ἐν μολυσμῷ ψυχῆς τολμῆσαι ἅψασθαι τοῦ σώματος τοῦ Χριστοῦ παρὰ τὸ
1585 ἅψα|σθαι κριῶν ἢ ταύρων, τοῦ Ἀποστόλου εἰπόντος · « Ὥστε ὃς ἂν ἐσθίῃ τὸν ἄρτον ἢ πίνῃ τὸ ποτήριον τοῦ
20 Κυρίου ἀναξίως, ἔνοχος ἔσται τοῦ σώματος καὶ τοῦ

a. Cf. II Cor. 7, 1 || b. Cf. I Cor. 10, 11 || c. Lév. 22, 1-3 || d. Cf. Matth. 12, 6.

---

1. Sur ces deux formes de souillure, souvent évoquées dans les *Ascétiques*, cf. *Rb* 53 (*Monast*, p. 202). Cette 3e question concerne tous les fidèles, et non les seuls prêtres comme la 2e.

Chapitre III

Est-il sans danger, lorsqu'on n'est pas purifié de toute souillure de la chair et de l'esprit [a] [1], de manger le corps du Seigneur et de boire son sang ?

Dans la loi, Dieu a fixé le châtiment le plus élevé à l'encontre de celui qui oserait, en état d'impureté, toucher aux choses saintes. Car il est écrit, en figure pour les gens de ce temps-là, mais pour nous donner à nous matière à réflexion [b] : « Le Seigneur parla à Moïse en ces termes : Dis à Aaron et à ses fils de prendre garde aux offrandes saintes des fils d'Israël. Ainsi ils ne profaneront pas mon nom saint en ce qui concerne les choses qui me sont consacrées par ce peuple. C'est moi le Seigneur. Dis-leur : Tout homme à travers vos générations, dans toute votre descendance, qui s'approcherait des offrandes saintes que les fils d'Israël consacrent au Seigneur, alors que son impureté est sur lui, cet homme-là sera retranché de ma présence. C'est moi le Seigneur [c]. » Que dirons-nous alors à l'encontre de celui qui oserait en cet état s'approcher d'un mystère si grand et d'une telle nature ? D'autant, en effet, ce qui est ici l'emporte sur le temple [d], selon le mot du Seigneur, d'autant le fait d'oser toucher au corps du Christ avec une âme souillée est plus grave et plus redoutable que de toucher aux béliers ou aux taureaux [2]. L'Apôtre l'a dit : « Qui mange le pain ou boit le calice du Seigneur indignement sera coupable à l'égard du

2. Même argumentation que dans la réponse précédente (cf. 1584 a).

αἵματος τοῦ Κυρίου[e]. » Σφοδρότερον δὲ ὁμοῦ καὶ φοβερώτερον παριστῶν τὸ κρῖμα διὰ τῆς ἐπαναλήψεώς φησι· « Δοκιμαζέτω δὲ ἕκαστος ἑαυτὸν καὶ οὕτως ἐκ τοῦ ἄρτου ἐσθιέτω καὶ ἐκ τοῦ ποτηρίου πινέτω· ὁ γὰρ ἐσθίων
25 καὶ πίνων ἀναξίως κρῖμα ἑαυτῷ ἐσθίει καὶ πίνει, μὴ διακρίνων τὸ σῶμα καὶ τὸ αἷμα τοῦ Κυρίου[f]. » Εἰ δὲ ὁ ἐν ἀκαθαρσίᾳ μόνῃ γενόμενος — τῆς δὲ ἀκαθαρσίας τὸ ἰδίωμα τυπικῶς ἐκ τοῦ νόμου μανθάνομεν — οὕτω φοβερὸν ἔχει τὸ κρῖμα, πόσῳ πλέον ὁ ἐν ἁμαρτίᾳ ὢν καὶ
30 κατατολμῶν τοῦ σώματος τοῦ Κυρίου δεινότερον ἐπισπᾶται τὸ κρῖμα.

Καθαρίσωμεν τοίνυν ἑαυτοὺς ἀπὸ παντὸς μολυσ-
b μοῦ[g] | — ἡ δὲ διαφορὰ τοῦ μολυσμοῦ πρὸς τὴν ἀκαθαρσίαν φανερὰ τοῖς εὖ φρονοῦσι — καὶ οὕτω προσερχώμεθα
35 τοῖς ἁγίοις, ἵνα φύγωμεν τὸ κρῖμα τῶν φονευσάντων τὸν Κύριον, διότι « ὃς ἂν ἐσθίῃ τὸν ἄρτον ἢ πίνῃ τὸ ποτήριον τοῦ Κυρίου ἀναξίως, ἔνοχος ἔσται τοῦ σώματος καὶ τοῦ αἵματος τοῦ Κυρίου[h] », σχῶμεν δὲ ζωὴν αἰώνιον, καθὼς ἐπηγγείλατο ὁ ἀψευδὴς Κύριος καὶ Θεὸς ἡμῶν Ἰησοῦς
40 Χριστός, ἐὰν ἐσθίοντες καὶ πίνοντες μνημονεύσωμεν αὐτοῦ ὑπὲρ ἡμῶν ἀποθανόντος καὶ φυλάξωμεν τὸ κρῖμα τοῦ Ἀποστόλου εἰπόντος· « Ἡ γὰρ ἀγάπη τοῦ Χριστοῦ συνέχει ἡμᾶς κρίναντας τοῦτο ὅτι, εἰ εἷς ὑπὲρ πάντων ἀπέθανεν, ἄρα οἱ πάντες ἀπέθανον· καὶ ὑπὲρ πάντων
45 ἀπέθανεν ἵνα οἱ ζῶντες μηκέτι ἑαυτοῖς ζῶσιν, ἀλλὰ τῷ
c ὑπὲρ αὐτῶν ἀποθανόντι καὶ ἐγερθέντι[i] », ὅπερ | συνεθέμεθα ἐν τῷ βαπτίζεσθαι.

e. I Cor. 11, 27 || f. I Cor. 11, 28-29 || g. Cf. II Cor. 7, 1 || h. I Cor. 11, 27 || i. II Cor. 5, 14-15.

---

3. Basile appelle ici ἀκαθαρσία la simple impureté rituelle, et μολυσμός la souillure d'ordre moral qui s'identifie au péché.

4. Eucharistie et baptême apparaissent étroitement liés. De la même façon, en *Rb* 234 : « Comment annonce-t-on la mort du

corps et du sang du Seigneur [e]. » Et il rend sa condamnation plus forte et en même temps plus redoutable en la répétant : « Que chacun, affirme-t-il, s'examine soi-même, avant de manger de ce pain et de boire à ce calice ; car celui qui mange et qui boit indignement mange et boit sa condamnation, s'il ne discerne pas le corps et le sang du Seigneur [f]. » Or si celui qui s'est trouvé en simple état d'impureté — et le caractère propre de l'impureté, la Loi nous l'enseigne en figure — encourt une condamnation si redoutable, combien il s'attire une condamnation plus grave celui qui étant dans le péché se comporte insolemment envers le corps du Seigneur !

Purifions-nous donc de toute souillure [g] — la différence entre la souillure et l'impureté apparaît clairement aux gens sensés [3] — avant de nous approcher des choses saintes. Ainsi nous éviterons la condamnation frappant les meurtriers du Seigneur, car « quiconque mangera le pain ou boira la coupe du Seigneur indignement se rendra coupable à l'égard du corps et du sang du Seigneur [h] », et nous obtiendrons la vie éternelle, comme l'a promis celui qui ne trompe pas, notre Seigneur et notre Dieu Jésus-Christ. Ce bonheur nous sera donné à condition qu'en mangeant et en buvant nous nous souvenions de lui, qui est mort pour nous, et que nous observions la sentence de l'Apôtre qui a dit : « L'amour du Christ nous étreint à la pensée que si un seul est mort pour tous, alors tous sont morts ; et il est mort pour tous, afin que les vivants ne vivent plus pour eux, mais pour celui qui est mort et ressuscité pour eux [i] » ; et c'est à cela que nous nous sommes engagés en recevant le baptême [4].

Seigneur ? ... comme l'Apôtre l'a montré en disant : Le monde est crucifié pour moi et je le suis pour lui. C'est du reste ce que nous avons accepté d'avance dans le baptême » (*Monast*, p. 294).

δ′.

Εἰ παντὶ ῥήματι Θεοῦ δεῖ πιστεύειν καὶ πείθεσθαι ἐν πληροφορίᾳ ἀληθείας τοῦ εἰρημένου, κἂν εὑρίσκηταί τι ἢ ῥῆμα ἢ ἔργον ἤτοι παρ' αὐτοῦ τοῦ Κυρίου ἢ παρ' αὐτῶν τῶν ἁγίων δοκοῦν ἐναντίως ἔχειν.

1 Τὸ ἐρώτημα, εἰ παντάπασιν ἀνάξιον παντὸς τοῦ καταδεξαμένου ὁμολογεῖν τὸν Κύριον ἡμῶν Ἰησοῦν Χριστὸν μονογενῆ Υἱὸν τοῦ Θεοῦ τοῦ ζῶντος, δι' οὗ τὰ πάντα ἐγένετο, τά τε ὁρατὰ καὶ τὰ ἀόρατα[a], λαλοῦντα 5 ῥήματα ἃ ἤκουσε παρὰ τοῦ Πατρός[b], ὅμως ἀναγκαῖον ἀποκρίνεσθαι, πειθομένους τῷ ἀποστόλῳ γράψαντι· d « Ἕτοιμοι ἔσεσθε πρὸς ἀπο|λογίαν παντὶ τῷ ἐπερωτῶντι ὑμᾶς λόγον περὶ τῆς ἐν ὑμῖν πίστεως[c]. »

Καὶ ἵνα μὴ παρ' ἑαυτῶν τι λέγοντες ἀμφιβολίαν 1588 10 ἐμποιήσωμεν τοῖς ἀκούουσι, | μνημονεύσωμεν αὐτοῦ τοῦ Κυρίου λέγοντος· « Ἀμὴν ἀμὴν λέγω ὑμῖν, ἰῶτα ἓν ἢ μία κεραία οὐ μὴ παρέλθῃ ἐκ τοῦ νόμου ἕως ἂν πάντα γένηται[d] »· καὶ πάλιν· « Εὐκοπώτερόν ἐστι τὸν οὐρανὸν καὶ τὴν γῆν παρελθεῖν, ἢ τοῦ νόμου μίαν κεραίαν 15 πεσεῖν[e]. » Εἰ δὲ πλεῖον Σολομῶνος ὧδε καὶ πλεῖον Ἰωνᾶ ὧδε[f], ἀκόλουθόν ἐστιν εἰπεῖν ὅτι καὶ πλεῖον Μωϋσέως ὧδε, τοῦ Ἀποστόλου, μετὰ τὸ τὴν ἀπρόσιτον τοῖς Ἰσραηλίταις Μωϋσέως δόξαν διηγήσασθαι, ἐν συγκρίσει τῆς δόξης τοῦ Κυρίου ἡμῶν Ἰησοῦ Χριστοῦ ἐπενεγκόντος

1 a. Cf. Col. 1, 16 || b. Cf. Jn 8, 26 + 15, 15 || c. I Pierre 3, 15 || d. Matth. 5, 18 || e. Lc 16, 17 || f. Cf. Matth. 12, 41-42.

---

1. Profession de foi proclamée au baptême.

Chapitre IV

Devons-nous accorder foi et obéissance à toute parole de Dieu, dans la pleine assurance qu'elle exprime la vérité, même s'il nous arrive de trouver une parole ou une action, soit du Seigneur lui-même, soit des saints eux-mêmes, paraissant la contredire ?

1 Sans doute cette question est-elle tout à fait indigne de quiconque a accepté de confesser que notre Seigneur Jésus-Christ est le Fils Monogène du Dieu vivant, celui grâce à qui fut créé l'univers visible et invisible[a], dont la parole exprime ce qu'il a entendu de son Père[b][1]. Cependant, c'est une nécessité pour nous d'y répondre et d'obéir à l'apôtre qui a écrit : « Vous serez prêts à vous justifier devant toute personne qui vous demande raison de la foi qui est en vous[c]. »

Toute l'Écriture atteste le respect que mérite la parole de Dieu

Et pour éviter de jeter un doute dans l'esprit des auditeurs si nous disons quelque chose de notre propre fonds, mentionnons cette déclaration du Seigneur lui-même : « En vérité, en vérité, je vous le dis, pas un iota, pas un trait de lettre ne passera de la Loi avant que tout ne soit accompli[d] » ; et ceci encore : « Il est plus facile que le ciel et la terre passent que ne tombe un seul trait de lettre de la Loi[e]. » Or, s'il y a ici plus que Salomon et plus que Jonas[f], il est logique de dire qu'il y a également ici plus que Moïse. De fait, l'Apôtre après avoir évoqué la gloire de Moïse, gloire inaccessible aux Israélites, la compare à celle de notre Seigneur Jésus-

20 ὅτι « οὐ δεδόξασται τὸ δεδοξασμένον ἐν τούτῳ τῷ μέρει ἕνεκεν τῆς ὑπερβαλλούσης δόξης· εἰ γὰρ τὸ καταργούμενον διὰ δόξης, πόσῳ μᾶλλον τὸ μένον ἐν δόξῃ[g] ». Οὕτως εἰ καὶ ἐκ τῶν εἰρημένων ἐπαιδεύθημεν τὰ ἐν τῷ
b Εὐαγγελίῳ εἰρημένα ἐν πίστει ἀδιακρίτῳ | βεβαιότερα
25 γνωρίσαι καὶ ὁμολογεῖν, ὅμως πάλιν αὐτοῦ τοῦ Κυρίου μνημονεύσωμεν λέγοντος· « Ὁ οὐρανὸς καὶ ἡ γῆ παρελεύσονται, οἱ δὲ λόγοι μου οὐ μὴ παρέλθωσιν[h]. »

Ἤρκει μὲν οὖν τὰ τοῦ Κυρίου ῥήματα πλέον πάντων ἐν Πνεύματι ἁγίῳ καὶ ἡγεμονικῷ στηρίξαι τὰς καρδίας
30 ἡμῶν[i] ἀδιστάκτως καὶ ἀραρότως ἔχειν περὶ παντὸς ῥήματος ἐκπορευομένου διὰ στόματος Θεοῦ[j]. Ἵνα δὲ καὶ τῇ τινων ἀσθενείᾳ βοηθήσωμεν, ἀκόλουθον ἂν εἴη καὶ μαρτυρίαν ἑνὸς ἢ δευτέρου ἐκ πολλῶν παραθέσθαι. Ὁ μὲν οὖν Δαβίδ φησι· « Πισταὶ πᾶσαι αἱ ἐντολαὶ αὐτοῦ,
35 ἐστηριγμέναι εἰς τὸν αἰῶνα τοῦ αἰῶνος, πεποιημέναι ἐν ἀληθείᾳ καὶ εὐθύτητι[k] », καὶ πάλιν· « Πιστὸς Κύριος ἐν πᾶσι τοῖς λόγοις αὐτοῦ, καὶ ὅσιος ἐν πᾶσι τοῖς ἔργοις αὐτοῦ[l] », καὶ πολλὰ τοιαῦτα. Ὁ δὲ Ἰηοὺ ἐν ταῖς
c βασιλείαις | εἶπεν· « Ἴδετε ὅτι οὐ πεσεῖται λόγος Κυρίου
40 ἐπὶ τὴν γῆν[m]. »

2 Περὶ δὲ τῶν δοκούντων ἐναντίως εἴς τινα ἔχειν, κρεῖττόν ἐστιν ἑαυτοῦ καταψηφίσασθαι, ὡς μήπω ἐλθόντος εἰς κατανόησιν τοῦ πλούτου τῆς σοφίας, καὶ ὅτι δύσκολον τῶν ἀνεξερευνήτων κριμάτων τοῦ Θεοῦ[a] ἐφι-
5 κέσθαι, ἢ ὑπόδικον γενέσθαι τῷ κρίματι τῆς θρασύτητος καὶ τῆς αὐθαδείας, καὶ ἀκοῦσαι· « Ἀσεβὴς ὁ λέγων βασιλεῖ· Παρανομεῖς[b] », καί· « Τίς ἐγκαλέσει κατὰ

g. II Cor. 3, 10-11 || h. Matth. 24, 35 || i. Cf. I Thess. 3, 13 || j. Cf. Matth. 4, 4 || k. Ps. 110, 8 || l. Ps. 144, 13 || m. IV Rois 10, 10.
2 a. Cf. Rom. 11, 33 || b. Job 34, 18.

---

2. Cf. Introd., p. 64.
3. Sur l'origine stoïcienne de l'épithète, cf. Introd., p. 58.

Christ, et il ajoute : « Non, ce qui a été glorifié en ce premier ministère n'est pas gloire à côté de la gloire suréminente ; car si ce qui doit prendre fin s'est manifesté avec gloire, combien plus ce qui demeure est-il glorieux [g] ! » A ce point, et quoique le texte qui vient d'être cité nous apprenne à reconnaître et à confesser, dans une foi qui n'hésite pas [2], la parole de l'Évangile comme la plus sûre, mentionnons pourtant encore cette déclaration du Seigneur lui-même : « Le ciel et la terre passeront ; mes paroles, elles, ne passeront pas [h]. »

Eh bien donc ! les paroles du Seigneur, plus que tout, suffiraient à établir nos cœurs [i] dans l'Esprit saint et hégémonique [3] pour qu'ils soient fermes et exempts de doute à l'égard de toute parole sortant de la bouche de Dieu [j]. Mais pour venir aussi en aide à la faiblesse de certaines personnes, il serait logique d'y joindre encore un ou deux témoignages pris parmi beaucoup d'autres. Voici donc David qui déclare : « Ils sont sûrs tous les commandements du Seigneur, fixés pour les siècles des siècles, établis dans la vérité et la rectitude [k]. » Il déclare encore : « Le Seigneur est fidèle dans toutes ses paroles et saint dans toutes ses œuvres [l]. » Et il a fait bien des déclarations de ce genre. De son côté, Jéhu a dit dans le livre des Rois : « Voyez, la parole du Seigneur ne tombera pas à terre [m]. »

Les contradictions apparentes

2 Quant à ce qui semble à certains égards se contredire, mieux vaut s'accuser soi-même, en se disant qu'on n'est pas encore arrivé à comprendre les trésors de la sagesse — il est difficile en effet d'atteindre les jugements insondables de Dieu [a] —, plutôt que de s'exposer à être condamné comme téméraire et présomptueux et d'entendre cette parole : « Il est impie celui qui dit au roi : Tu commets l'iniquité [b] », et : « Qui se

ἐκλεκτῶν Θεοῦ[c] ; ». Εἰ δὲ καὶ τὰ πολλὰ τοῖς πολλοῖς φανερὰν ἔχειν δοκεῖ τὴν λύσιν, ὅμως ἐπὶ τῶν δοκούντων
10 ἐναντίως ἔχειν ὀφείλομεν παρατηρεῖν ὅτι, ὅταν μὲν τῷ
d προστάγματι δοκῇ ἐναντίον τι | εἶναι ῥῆμα ἢ ἔργον, ἀναγκαῖον αὐτὸν ἕκαστον τῷ προστάγματι πειθαρχεῖν, καὶ μὴ τῷ βάθει τοῦ πλούτου καὶ τῆς σοφίας[d] ἐπισκήπτειν ἢ προφασίζεσθαι προφάσεις ἐν ἁμαρτίαις[e]· τοῦτο
15 γὰρ εὐάρεστον τῷ Θεῷ καὶ ἀκίνδυνον εἶναι μεμαθήκαμεν ἐκ τῶν θεοπνεύστων Γραφῶν. Ὅταν δὲ πρόσταγμα προστάγματι ἐναντίως ἔχειν δοκῇ, ἵνα τὰς ὑποθέσεις
1589 καταμαθόντες καὶ ὁλόκληρον τὴν περικοπὴν | ἀναγινώσκοντες, οὕτω τὸ ἄμαχον ἐπιγινώσκωμεν καὶ τὸ ἑκάστῳ
20 ἁρμόζον πρὸς τὸν σκοπὸν τῆς ἄνω κλήσεως[f] φυλάσσωμεν, εἰς ὃν ἀμφότερα τείνει τὰ προστάγματα, τὰ μὲν νόσον θεραπεύοντα, τὰ δὲ προκοπὴν ἐμποιοῦντα πρὸς τελείωσιν ἄγουσαν τῆς πρὸς Θεὸν εὐαρεστήσεως, τοῦ Κυρίου λέγοντος ποτὲ μέν· « Οὐδεὶς λύχνον ἅψας
25 κρύπτει αὐτὸν ὑπὸ τὸν μόδιον, ἀλλ' ἐπὶ τὴν λυχνίαν, καὶ λάμπει πᾶσι τοῖς ἐν τῇ οἰκίᾳ· οὕτω λαμψάτω τὸ φῶς ὑμῶν ἔμπροσθεν τῶν ἀνθρώπων, ὅπως ἴδωσιν ὑμῶν τὰ καλὰ ἔργα καὶ δοξάσωσι τὸν Πατέρα ὑμῶν τὸν ἐν τοῖς οὐρανοῖς[g] », ποτὲ δέ· « Σοῦ δὲ ποιοῦντος ἐλεημοσύνην,
30 μὴ γνώτω σου ἡ ἀριστερὰ τί ποιεῖ ἡ δεξιά σου[h]. » **3** Καὶ
b πολλὰ τοιαῦτα εὕροις ἂν παρά τε τοῖς εὐαγ|γελισταῖς καὶ τῷ Παύλῳ.

c. Rom. 8 33 || d. Cf. Rom. 11, 33 || e. Cf. Ps. 140, 4 || f. Cf. Phil. 3, 14 || g. Matth. 5, 15-16 || h. Matth. 6, 3.

---

4. Confiance et humilité devant ce qui dépasse notre petite sagesse. On remarque la même attitude de foi chez Origène : En présence d'un passage de l'Écriture qui te heurte, dit-il en substance (*Hom. in Jer.* XXXIX, *GCS, Orig. Werke* 3, p. 196), commence par croire. Si tu ne trouves pas de sens satisfaisant, accuse-toi toi-même plutôt que le texte sacré.

5. Le plus souvent Basile ne distingue que 2 catégories de

portera accusateur contre les élus de Dieu[c 4] ? ». Bien que, dans la plupart des difficultés, il semble à la plupart qu'il y ait une solution claire, nous devons cependant, pour ce qui semble contradictoire, observer soigneusement ceci : quand une parole ou une action semble contredire le précepte, il faut que chacun en ce qui le concerne obéisse au précepte, sans critiquer les profondeurs de la richesse et de la sagesse[d], sans chercher des prétextes ou des excuses à ses péchés[e] ; telle est en effet l'attitude agréable à Dieu et exempte de périls, comme nous l'avons appris par les Écritures divinement inspirées. Mais quand c'est un précepte qui paraît contredire un autre précepte, examinons bien les idées sous-jacentes et lisons tout le contexte ; alors nous reconnaîtrons qu'il n'y a pas conflit et nous observerons chacun celui qui s'adapte à notre cas, en vue de notre vocation céleste[f], but auquel ils tendent l'un et l'autre, certains préceptes guérissant la maladie, les autres inspirant le progrès qui conduit à réaliser parfaitement ce qui est agréable à Dieu[5]. Le Seigneur en effet dit tantôt : « On n'allume pas une lampe pour la cacher sous le boisseau, mais on la place sur le lampadaire où elle brille pour tous ceux qui sont dans la maison. Ainsi votre lumière doit-elle briller aux yeux des hommes afin qu'ils voient vos bonnes œuvres et rendent gloire à votre Père qui est dans les cieux[g] », et tantôt : « Pour toi, quand tu fais l'aumône, que ta main gauche ignore ce que fait ta main droite[h 6]. » **3** Et l'on pourrait trouver bien des paroles de ce genre chez les évangélistes ainsi que chez Paul.

chrétiens, les malades (νοσοῦντες) et les bien-portants (ὑγιαίνοντες) : cf. *Rb* 1277 a, *Attende* 205 b, etc. Comme en *De Sp sanct* 100 c, 109 b..., il introduit ici la notion de progrès (προκοπή) et de perfection (τελείωσις) : cf. Introd., p. 61.

6. Les deux citations de Matthieu fournissent un exemple de préceptes apparemment opposés. En *Rb* 277, Basile résout la contradiction : les deux recommandations s'adressent à des catégories différentes de chrétiens.

Ἐὰν δὲ ἡ μὲν ἐντολὴ δοθῇ, πῶς δὲ γένηται μὴ
5 ἐπενεχθῇ, ἀνασχώμεθα τοῦ Κυρίου λέγοντος· « Ἐρευνᾶ-
τε τὰς Γραφάς[a] », καὶ μιμησώμεθα τοὺς ἀποστόλους
αὐτὸν τὸν Κύριον ἐπερωτήσαντας τὴν ἑρμηνείαν τῶν παρ'
αὐτοῦ εἰρημένων[b], καὶ παρ' αὐτοῦ, ἐκ τῶν ἐν ἑτέρῳ
τόπῳ εἰρημένων, μανθάνωμεν τὸ ἀληθὲς καὶ σωτήριον.
10 Ὥσπερ ἐπὶ τοῦ « θησαυρίζετε δὲ ὑμῖν θησαυροὺς ἐν
οὐρανῷ[c] », ἔκ τε τῶν τῷ νεανίσκῳ προστεταγμένων
παιδευόμεθα, αὐτοῦ τοῦ Κυρίου εἰπόντος· « Πώλησόν
σου τὰ ὑπάρχοντα καὶ δὸς πτωχοῖς καὶ ἕξεις θησαυρὸν ἐν
οὐρανῷ[d] », καὶ πρὸς τοὺς ἐπιθυμοῦντας βασιλείαν οὐ-
15 ρανῶν κληρονομῆσαι· « Μὴ φοβοῦ, τὸ μικρὸν ποίμνιον,
ὅτι ηὐδόκησεν ὁ Πατὴρ ὑμῶν ὁ οὐράνιος δοῦναι ὑμῖν τὴν
c βασιλείαν. Πωλήσατε τὰ | ὑπάρχοντα ὑμῶν καὶ δότε
ἐλεημοσύνην· ποιήσατε ἑαυτοῖς βαλλάντια μὴ παλαιούμενα, θησαυρὸν ἀνέκλειπτον ἐν τοῖς οὐρανοῖς[e]. »

20 Ἐὰν δὲ καὶ κίνδυνος παρέπηται τῇ τηρήσει τῆς
ἐντολῆς, ἥτις ἐστὶ καύχημα ἡμῶν, μνημονεύσωμεν τοῦ
Ἀποστόλου εἰπόντος· « Καλόν μοι μᾶλλον ἀποθανεῖν, ἢ
τὸ καύχημά μου ἵνα τις κενώσῃ[f] », καὶ ἀλλαχοῦ
πλατύτερον· « Τίς ἡμᾶς χωρίσει ἀπὸ τῆς ἀγάπης τοῦ
25 Χριστοῦ; θλῖψις ἢ στενοχωρία ἢ διωγμὸς ἢ λιμὸς ἢ
γυμνότης ἢ κίνδυνος ἢ μάχαιρα[g]; », καὶ τὰ ἑξῆς, δι' ὧν
σφοδρότερον παιδευόμεθα τηρεῖν τὰς ἐντολάς, καὶ περισ-
σοτέραν δῶμεν ἀπόδειξιν τῆς πρὸς τὸν Κύριον ἀγάπης,
εἰπόντα· « Ὁ ἀγαπῶν με τὰς ἐντολάς μου τηρήσει[h] »,
30 καὶ πολλάκις ὁμοίως. Ἐπὶ δὲ τῶν λοιπῶν, μιμεῖσθαι τὸν
d Ἀπόστολον καὶ λέγειν· « Ὦ βάθος πλούτου καὶ σο|φίας

3 a. Jn 5, 39 || b. Cf. Matth. 13, 36 || c. Matth. 6, 20 || d. Matth. 19, 21 || e. Lc 12, 32-33 || f. I Cor. 9, 15 || g. Rom. 8, 35 || h. Jn 14, 23.

Les préceptes s'éclairent l'un par l'autre

D'autre part, si l'ordre a été donné sans que la manière de l'exécuter soit indiquée ensuite, acceptons la parole du Seigneur : « Scrutez les Écritures[a]. » Imitons les apôtres qui ont demandé au Seigneur lui-même de leur expliquer ce qu'il venait de dire[b], et apprenons de lui, en nous reportant à ce qu'il a dit ailleurs, la vérité et le salut. Par exemple, en ce qui concerne le précepte : « Faites-vous des trésors dans le ciel[c] », nous sommes instruits par les ordres donnés au jeune homme, puisque le Seigneur en personne lui a dit : « Vends ce que tu possèdes, donne-le aux pauvres et tu auras un trésor dans le ciel[d] », et qu'il a adressé d'autre part cette parole à ceux qui désiraient recevoir en héritage le royaume des cieux : « Soyez sans crainte, petit troupeau, car il a plu à votre Père céleste de vous donner le royaume. Vendez ce que vous possédez et donnez-le en aumône. Faites-vous des bourses qui ne veillissent pas, un trésor qui ne vous manque jamais dans les cieux[e]. »

Dangers inhérents à l'observation d'un précepte

Enfin, au cas où l'observation du précepte, qui est notre gloire, nous ferait courir un danger, rappelons-nous l'Apôtre qui a dit : « Plutôt mourir que de me voir privé de ma gloire[f] », et qui a déclaré dans un autre passage avec plus d'ampleur : « Qui nous séparera de l'amour du Christ? Tribulations, angoisse, persécutions, faim, nudité, dangers, glaive[g]? » etc., nous apprenant ainsi avec plus de force à observer les commandements. Donnons une preuve plus éclatante de notre amour pour notre Seigneur qui a déclaré : « Si quelqu'un m'aime, il gardera mes commandements[h] », et qui a souvent parlé de la même façon. Quant au reste, imitons l'Apôtre et disons : « Ô profondeur de la richesse, de la sagesse et

καὶ γνώσεως Θεοῦ, ὡς ἀνεξερεύνητα τὰ κρίματα αὐτοῦ, καὶ ἀνεξιχνίαστοι αἱ ὁδοὶ αὐτοῦ. Τίς γὰρ ἔγνω νοῦν Κυρίου [i] », τοῦ ἐξ οὐρανῶν κατελθόντος καὶ τὰ τοῦ
35 Πατρὸς ἡμῖν ῥήματα [j] ἀναγγείλαντος; Ὧι πιστεύειν
1592 ἀναγκαῖον καὶ σωτήριον ὡς τέκνα τοῖς | γονεῦσι καὶ τὰ παιδία τοῖς διδασκάλοις, κατὰ τὴν αὐτοῦ τοῦ Κυρίου ἡμῶν Ἰησοῦ Χριστοῦ φωνήν, εἰπόντος· « Ἐὰν μή τις δέξηται τὴν βασιλείαν τοῦ Θεοῦ ὡς παιδίον, οὐ μὴ
40 εἰσέλθῃ εἰς αὐτήν [k]. »

i. Rom. 11, 33 || j. Cf. Jn 3, 34 || k. Mc 10, 15.

de la science de Dieu ! que ses jugements sont insondables et impénétrables ses voies ! Qui a connu la pensée du Seigneur [i] », descendu des cieux pour nous annoncer les paroles de son Père [j] ? Il est nécessaire et salutaire de croire en lui, comme les enfants croient en leurs parents et les petits écoliers en leurs maîtres, car telle est la parole de notre Seigneur Jésus-Christ lui-même : « Si quelqu'un n'accueille pas le royaume de Dieu comme un petit enfant, non certes, il n'y entrera pas [k]. »

εʹ.

Εἰ παντὸς ῥήματος ἡ ἀπείθεια ἀξία ὀργῆς καὶ θανάτου, κἂν ἰδικῶς τῷ καθέκαστον μὴ ᾖ συνημμένη ἀπειλή.

1 Περὶ μὲν τοῦ παντὸς ῥήματος ἡ ἀπείθεια ἀξία ὀργῆς καὶ θανάτου, εἴρηται μὲν πλατύτερον ἐν τῇ περὶ τῆς συμφωνίας ἐπιστολῇ. Ἵνα δὲ καὶ νῦν μιᾶς ἢ δευτέρας ἐκ
b πολλῶν μνημονεύσωμεν μαρτυ|ρίας, ἀκούσωμεν Ἰωάννου
5 μὲν τοῦ βαπτιστοῦ λέγοντος· « Ὁ πιστεύων εἰς τὸν Υἱὸν ἔχει ζωὴν αἰώνιον, ὁ δὲ ἀπειθῶν τῷ Υἱῷ » — τὸ δὲ ἀόριστον παντός ἐστι περιληπτικόν — « οὐκ ὄψεται τὴν ζωήν, ἀλλ' ἡ ὀργὴ τοῦ θεοῦ μένει ἐπ' αὐτόν[a] »· αὐτοῦ δὲ τοῦ Κυρίου ὁριστικῶς ἀποφηναμένου· « Ἰῶτα ἓν ἢ μία
10 κεραία οὐ μὴ παρέλθῃ ἀπὸ τοῦ νόμου ἕως ἂν πάντα γένηται[b]. » Εἰ δὲ τὰ τοῦ νόμου οὕτως, πόσῳ μᾶλλον τὰ τοῦ Εὐαγγελίου, καθὼς αὐτὸς ὁ Κύριος πολλάκις ἐπιστώσατο[c].

Περὶ δὲ τοῦ « κἂν ἰδικῶς τῷ καθέκαστον μὴ ᾖ
15 συνημμένη ἡ ἀπειλή », ἀρκεῖν μὲν λογίζομαι τοῖς πιστοῖς αὐτοῦ τοῦ Κυρίου μνημονεῦσαι, εἰπόντος ἐν τῇ περικοπῇ τῆς μετὰ τοὺς μακαρισμοὺς διδασκαλίας, ἐν ᾗ πολλῶν μὲν ἐμνημόνευσε τῶν ἀπηγορευμένων, καὶ τοῖς μὲν
c προσέθηκε καὶ τὴν ἀπειλήν, | εἰπών· « Πᾶς ὀργιζόμενος
20 τῷ ἀδελφῷ αὐτοῦ ἔνοχος ἔσται τῇ κρίσει· ὃς δ' ἂν εἴπῃ

1 a. Jn 3, 36 || b. Matth. 5, 18 || c. Cf. Matth. 5, 17.

---

1. La Lettre sur la concorde s'identifie au prologue 7 des *Règles Morales*, appelé traditionnellement *De judicio* (cf. Introd., p. 23-24).

Chapitre V

La désobéissance à toute parole (de Dieu) mérite-t-elle colère et mort, même si la menace n'est pas jointe à chaque cas particulier de désobéissance?

1 La question de savoir si la désobéissance à une parole quelconque mérite la colère et la mort a été traitée plus largement dans la Lettre sur la concorde[1]. Mais pour aujourd'hui, afin de rappeler un ou deux témoignages parmi beaucoup d'autres, écoutons Jean-Baptiste qui dit : « Celui qui croit au Fils a la vie éternelle ; celui qui désobéit au Fils » — et cette expression indéterminée peut tout contenir — « ne verra pas la vie ; la colère de Dieu demeure sur lui[a 2]. » Écoutons d'autre part le Seigneur lui-même qui a prononcé cet aphorisme : « Pas un iota, par un trait de lettre ne passera de la Loi avant que tout ne soit accompli[b]. » Or s'il en est ainsi en ce qui concerne la Loi, à combien plus forte raison en est-il ainsi de l'Évangile, comme le Seigneur lui-même l'a souvent confirmé[c] !

Quant à la seconde partie de la question : « Même si la menace n'est pas jointe à chaque cas particulier de désobéissance », j'estime que, pour les croyants, il suffit de rappeler ce qu'a enseigné le Seigneur lui-même dans le passage faisant suite aux béatitudes. Dans ce passage, il a mentionné un grand nombre d'attitudes défendues, et pour les unes il a précisément ajouté la menace en disant : « Toute personne qui se mettra en colère contre son frère sera passible du jugement. Quiconque lui dira :

2. Verset attribué par Basile à Jean-Baptiste : cf. *supra*, p. 144, n. 41.

Ῥακά, ἔνοχος ἔσται τῷ συνεδρίῳ· ὃς δ' ἂν εἴπῃ Μωρέ, ἔνοχος ἔσται εἰς τὴν γέενναν τοῦ πυρός[d] », καὶ πολλὰ τοιαῦτα· τοῖς δὲ μὴ προστιθείς, ὥσπερ ἐν τῷ εἰπεῖν ὅτι « Πᾶς ὁ βλέπων γυναῖκα πρὸς τὸ ἐπιθυμῆσαι, ἤδη
25 ἐμοίχευσεν αὐτὴν ἐν τῇ καρδίᾳ αὐτοῦ[e] », καὶ τό· « Ἐγὼ δὲ λέγω ὑμῖν μὴ ὀμόσαι ὅλως[f] », καὶ μετ' ὀλίγα· « Ἔστω δὲ ὁ λόγος ὑμῶν Ναὶ ναί, οὒ οὔ· τὸ δὲ περισσὸν τούτων ἐκ τοῦ πονηροῦ ἐστι[g]. » Καὶ πολλὰ τοιαῦτα εἰπὼν ἄνευ τοῦ ἐπαγαγεῖν τῆς τιμωρίας τὸ ἰδίωμα,
30 γενικώτερον κατὰ πάντων ἀπεφήνατο προειπὼν μέν· « Ἐὰν μὴ περισσεύσῃ ὑμῶν ἡ δικαιοσύνη πλέον τῶν γραμματέων καὶ φαρισαίων, οὐ μὴ εἰσέλθητε εἰς τὴν
d βασιλείαν τῶν οὐρανῶν[h] »· ἐν δὲ τῷ τέλει | ἐπαγαγὼν ὅτι « Πᾶς ὁ ἀκούων μου τοὺς λόγους τούτους καὶ μὴ
35 ποιῶν αὐτούς, ὁμοιωθήσεται ἀνδρὶ μωρῷ ὅστις ᾠκοδόμησε τὴν οἰκίαν αὐτοῦ ἐπὶ τὴν ἄμμον· καὶ κατέβη ἡ βροχή, καὶ ἦλθον οἱ ποταμοί, καὶ ἔπνευσαν οἱ ἄνεμοι καὶ προσέπεσαν τῇ οἰκίᾳ ἐκείνῃ, καὶ ἔπεσε καὶ ἦν ἡ πτῶσις αὐτῆς μεγάλη[i] ». **2** Καὶ πολλαχοῦ πολλῶν μνημονεύσας ἁμαρτημάτων, οὐ προσέθηκε καὶ τὴν ἀποκειμένην
1593 ἑκάστῳ τι|μωρίαν, ἀρκεῖν ἡγούμενος τὰ καθόλου πολλάκις εἰρημένα κατὰ πάντων.

5 Ἐπειδὴ δὲ χρείαν ἔχουσιν οἱ ἀσθενέστεροι βοηθείας, μνημονεύσωμεν καὶ τοῦ Ἀποστόλου. Μιμούμενος γὰρ τὸν Κύριον, καὶ αὐτὸς ποτὲ μὲν εἶπεν· « Ἐάν τις ἀδελφὸς ὀνομαζόμενος ἢ πόρνος ἢ πλεονέκτης ἢ εἰδωλολάτρης ἢ λοίδορος ἢ μέθυσος ἢ ἅρπαξ, τῷ τοιούτῳ μηδὲ συνεσ-
10 θίειν[a] », ποτὲ δέ· « Μὴ ψεύδεσθε εἰς ἀλλήλους[b] », καὶ ἀλλαχοῦ· « Πᾶσα ὀργὴ καὶ θυμὸς καὶ κραυγὴ καὶ βλασφημία ἀρθήτω ἀφ' ὑμῶν σὺν πάσῃ κακίᾳ[c] »· καὶ πολλὰ τοιαῦτα πολλάκις εἰπὼν ἄνευ τοῦ προσθεῖναι τὴν

d. Matth. 5, 22 || e. Matth. 5, 28 || f. Matth. 5, 34 || g. Matth. 5, 37 || h. Matth. 5, 20 || i. Matth. 7, 26-27.

2 a. I Cor. 5, 11 || b. Col. 3, 9 || c. Éphés. 4, 31.

Raca, sera passible du sanhédrin. Quiconque lui dira : Insensé, sera passible de la géhenne de feu [d] », et plusieurs paroles de ce genre. Mais il a mentionné les autres sans ajouter de menace, par exemple quand il a dit : « Tout homme qui regarde une femme pour la désirer a déjà commis dans son cœur l'adultère avec elle [e] », et : « Moi je vous dis de ne pas jurer du tout [f] », et peu après : « Que votre langage soit : oui oui, non non. Ce qu'on dit de plus vient du mauvais [g]. » Et il a énuméré plusieurs fautes de ce genre sans spécifier ensuite le châtiment particulier; mais il avait fait connaître sa pensée pour tous les cas de façon plus générale, ayant déclaré par avance : « Si votre justice ne surpasse pas celle des scribes et des pharisiens, non certes, vous n'entrerez pas dans le royaume des cieux [h]. » Et à la fin de son discours il a ajouté : « Quiconque entend ces paroles que je dis et ne les met pas en pratique sera comparé à un homme insensé qui a bâti sa maison sur le sable ; la pluie est tombée, les torrents sont venus, les vents ont soufflé et se sont abattus sur cette maison, elle s'est écroulée et sa chute a été grande [i]. » **2** Et en de nombreux passages, il a fait mention de nombreuses fautes ; mais pour la punition réservée à chacune, il s'est abstenu de l'ajouter, estimant suffisant ce qu'il avait dit souvent de manière générale à l'encontre de toutes.

Mais puisque les plus faibles ont besoin d'être aidés, mentionnons encore l'Apôtre. Lui-même, imitant le Seigneur, a dit tantôt : « Si quelqu'un qui porte le nom de frère est impudique, cupide, idolâtre, insulteur, ivrogne ou rapace, il ne faut même pas manger en compagnie d'un tel homme [a] », tantôt : « Ne vous mentez pas les uns aux autres [b] », une autre fois : « Colère, emportement, cris, médisance, que tout cela soit extirpé de chez vous ainsi que toute méchanceté [c] », et souvent il a dit beaucoup de paroles de cette sorte

ἀπειλήν, ἀλλαχοῦ γενικώτερον προστίθησι καὶ τὴν τιμω-
15 ρίαν, εἰπών· « Μὴ πλανᾶσθε· οὔτε πόρνοι οὔτε μαλακοὶ
οὔτε ἀρσενοκοῖται οὔτε κλέπται οὔτε πλεονέκται, οὐ
b μέθυ|σοι οὐ λοίδοροι οὐχ ἅρπαγες βασιλείαν Θεοῦ
κληρονομήσουσιν[d]. » Ἀλλαχοῦ δὲ πλατύτερον γράφει·
« Καὶ καθὼς οὐκ ἐδοκίμασαν τὸν Θεὸν ἔχειν ἐν ἐπιγνώ-
20 σει, παρέδωκεν αὐτοὺς ὁ Θεὸς εἰς ἀδόκιμον νοῦν, ποιεῖν
τὰ μὴ καθήκοντα· πεπληρωμένους πάσῃ ἀδικίᾳ, πονηρίᾳ,
πλεονεξίᾳ, κακίᾳ, μεστοὺς φθόνου, φόνου, ἔριδος, δόλου,
κακοηθείας, ψιθυριστάς, καταλάλους, θεοστυγεῖς, ὑβρισ-
τάς, ὑπερηφάνους, ἀλαζόνας, ἐφευρετὰς κακῶν, γονεῦσιν
25 ἀπειθεῖς, ἀσυνέτους, ἀσυνθέτους, ἀστόργους, ἀσπόνδους,
ἀνελεήμονας· οἵτινες τὸ δικαίωμα τοῦ Θεοῦ ἐπιγνόντες
ὅτι οἱ τὰ τοιαῦτα πράσσοντες ἄξιοι θανάτου εἰσίν, οὐ
μόνον αὐτὰ ποιοῦσιν, ἀλλὰ καὶ συνευδοκοῦσι τοῖς πράσ-
σουσι. Διὸ ἀναπολόγητος εἶ ὦ ἄνθρωπε, πᾶς ὁ κρίνων· ἐν
c 30 ᾧ γὰρ κρίνεις τὸν ἕτερον, σεαυτὸν κα|τακρίνεις· τὰ γὰρ
αὐτὰ πράσσεις ὁ κρίνων[e] », καὶ πολλαχοῦ ὁμοίως.

Ἐξ ὧν δείκνυται ὅτι, κἂν ἐν τοῖς κατὰ μέρος μὴ ᾖ
προσκειμένη ἡ ἀπειλὴ τῆς τιμωρίας ἑκάστῳ εἴδει,
ἀναγκαίως ἐπιγινώσκειν ὀφείλομεν ὅτι ἀφεύκτῳ ἀνάγκῃ
35 τῇ γενικῇ ὑποβάλλεται ἀποφάσει ὁ καὶ μίαν ἐντολὴν
παραβαίνων, τοῦ μὲν Κυρίου ἡμῶν Ἰησοῦ Χριστοῦ
ἀποφηναμένου ὅτι « Ὁ ἀθετῶν ἐμὲ καὶ μὴ λαμβάνων τὰ
ῥήματά μου, ἔχει τὸν κρίνοντα αὐτόν· ὁ λόγος ὃν
ἐλάλησα, ἐκεῖνος κρινεῖ αὐτὸν ἐν τῇ ἐσχάτῃ ἡμέρᾳ[f] »,
40 καὶ τὰ ἑξῆς, φοβερώτερον. Ἰωάννου δὲ τοῦ βαπτιστοῦ οὗ
μείζων οὐδείς[g], ὁριστικῶς μαρτυροῦντος ὅτι « Ὁ

d. I Cor. 6, 9-10 || e. Rom. 1, 28-2, 1 || f. Jn 12, 48 || g. Cf. Lc 7, 28.

---

3. Considérant que φοβερώτερον porte sur toute la citation qui vient d'être faite, nous modifions la ponctuation de Garnier et de Neri.

sans ajouter la menace. Mais d'autres fois, dans une pensée plus générale, il ajoute aussi la punition. C'est ainsi qu'il a dit : « Ne vous y trompez pas : ni impudiques, ni efféminés, ni infâmes, ni voleurs, ni cupides, non plus qu'ivrognes, insulteurs, rapaces n'hériteront du royaume de Dieu [d]. » Et il écrit avec plus d'ampleur dans un autre texte : « De même qu'ils n'ont pas jugé raisonnable de garder la connaissance de Dieu, Dieu les a livrés à leur esprit déraisonnable pour faire ce qui ne convient pas : remplis d'injustice de toute sorte, de méchanceté, de cupidité, de malice, pleins d'envie, de meurtre, de dispute, de fourberie, de malignité, délateurs, diffamateurs, ennemis de Dieu, insulteurs, orgueilleux, fanfarons, ingénieux au mal, sans piété filiale, sans intelligence, sans fidélité à la parole donnée, sans cœur, sans respect des trêves, sans miséricorde; connaissant bien pourtant l'arrêt de Dieu qui déclare dignes de mort ceux qui commettent de telles actions, non seulement ils les font, mais encore ils approuvent ceux qui les commettent. Aussi es-tu sans excuse, homme, qui que tu sois, qui juges; lorsque tu juges autrui, tu te condamnes toi-même, car tu commets les mêmes actions, toi qui juges [e]. » Et en maint passage, l'Apôtre s'exprime de façon semblable.

Ces paroles montrent que, même si à considérer les choses en détail on ne voit point la menace du châtiment épinglée à chaque espèce de transgression, nous devons nécessairement reconnaître que par une nécessité inévitable celui qui viole, ne serait-ce qu'un seul commandement, est soumis à la sentence générale. Notre Seigneur Jésus-Christ, en effet, a prononcé : « Celui qui me rejette et ne reçoit pas mes paroles a qui le juge; la parole que j'ai fait entendre, c'est elle qui le jugera au dernier jour [f] » etc., et c'est une perspective plus redoutable [3]. De son côté, Jean-Baptiste, le plus grand des hommes [g], donne en forme d'aphorisme ce témoignage : « Celui qui

ἀπειθῶν τῷ Υἱῷ οὐκ ὄψεται τὴν ζωήν, ἀλλ' ἡ ὀργὴ τοῦ Θεοῦ μένει ἐπ' αὐτόν[h] ».

d Τοῦτο γὰρ σύνηθες τῇ θεο|πνεύστῳ Γραφῇ καὶ ἐν τῇ 45 παλαιᾷ Διαθήκῃ. Καὶ γὰρ καὶ διὰ Μωϋσέως, πολλὰ τῶν ἐν τῷ νόμῳ γράψαντος ἄνευ τοῦ προσθεῖναι τὴν ἀπειλὴν κατὰ τοῦ παραβαίνοντος ἢ ἀμελοῦντος, γενικὴν κατὰ πάντων ἐπήγαγε τὴν κατάραν ἥτις ἐστὶ τῆς δεινοτάτης τιμωρίας προκαταρκτική, εἰπών· « Ἐπικατάρατος πᾶς 1596 50 ὃς οὐκ | ἐμμένει πᾶσι τοῖς γεγραμμένοις ἐν τῷ βιβλίῳ τοῦ νόμου τούτου[i] »· καὶ ἀλλαχοῦ· « Ἐπικατάρατος, φησίν, πᾶς ὁ ποιῶν τὰ ἔργα Κυρίου ἀμελῶς[j]. »

Εἰ δὲ ὁ ἀμελῶς ποιῶν ἐπικατάρατος, ἄρα ὁ μὴ ποιῶν τίνος ἐστὶν ἄξιος;

h. Jn 3, 36 || i. Deut. 27, 26 || j. Jér. 48 (31), 10.

désobéit au Fils ne verra pas la vie, mais la colère de Dieu demeure sur lui[h]. »

L'Écriture divinement inspirée procède habituellement de la manière qui vient d'être dite, même dans l'Ancien Testament, car, par l'intermédiaire de Moïse, qui a écrit un grand nombre des prescriptions de la Loi sans indiquer à côté la menace à l'encontre de celui qui les violerait ou les négligerait, elle a ajouté, à l'encontre de tous, cette malédiction générale, source première[4] du châtiment le plus terrible : « Maudit soit quiconque ne demeure pas fidèle à tout ce qui est écrit dans le livre de cette loi[i]. » Et dans un autre passage elle affirme : « Maudit soit tout homme qui fait avec négligence l'œuvre du Seigneur[j]. »

Or, s'il est maudit celui qui fait cette œuvre avec négligence, que mérite alors celui qui ne la fait pas[5] ?

4. Mot du vocabulaire stoïcien. Basile l'emploie dans le *De Sp sanct* 76 a, 105 c, 136 b, pour désigner la cause « principielle », c. à d. Dieu.

5. Après avoir introduit dans la citation de Jérémie le mot πᾶς absent de la Septante, Basile donne sur le mode interrogatif une conclusion pleine d'énergie.

ς΄.

Εἰ ἡ ἀπείθεια ἐν τῷ ποιῆσαί τι τῶν ἀπηγορευμένων ἐστίν, ἢ καὶ ἐν τῷ παραλείπειν τι τῶν ἐγκεκριμένων.

1 Τοῦτο τὸ κρῖμα σφοδρότερον πιστούμενος ὁ Κύριος ἡμῶν Ἰησοῦς Χριστός, εἰς ἀθέτησιν μὲν τῆς προλαβούσης
b πλάνης, στηριγμὸν δὲ τῶν ἡμετέρων | καρδιῶν [a] ἐν τῇ ὑγιαινούσῃ πίστει, ηὐδόκησε παιδεῦσαι ἡμᾶς τὸν φόβον
5 τῶν κριμάτων οὐ μόνον διὰ ῥημάτων, ἀλλὰ καὶ δι' ὑποδειγμάτων, ὡς τῶν πραγμάτων μᾶλλον ἐμποιούντων τὴν πληροφορίαν τῆς ἀληθείας.

Καὶ πρῶτον μέν φησιν· « Ἐὰν μὴ περισσεύσῃ ἡ δικαιοσύνη ὑμῶν πλέον τῶν γραμματέων καὶ φαρισαίων,
10 οὐ μὴ εἰσέλθητε εἰς τὴν βασιλείαν τῶν οὐρανῶν [b]. » Καὶ μεθ' ὅλην τὴν περικοπὴν τῆς διδασκαλίας αὐτοῦ ἐπήγαγεν ἀπόφασιν μεθ' ὑποδείγματος, εἰπών· « Πᾶς ὁ ἀκούων μου τοὺς λόγους τούτους καὶ μὴ ποιῶν αὐτούς, ὁμοιωθήσεται ἀνδρὶ μωρῷ ὅστις ᾠκοδόμησε τὴν οἰκίαν
15 αὐτοῦ ἐπὶ τὴν ἄμμον· καὶ κατέβη ἡ βροχή, καὶ ἦλθον οἱ
c ποταμοί, καὶ ἔπνευσαν οἱ ἄνεμοι καὶ προσέρρηξαν | τῇ οἰκίᾳ ἐκείνῃ, καὶ ἔπεσε καὶ ἦν ἡ πτῶσις αὐτῆς μεγάλη [c] »· καὶ πάλιν· « Συκῆν εἶχέ τις πεφυτευμένην ἐν τῷ ἀμπελῶνι αὐτοῦ, καὶ ἦλθε ζητῶν καρπὸν ἐν αὐτῇ
20 καὶ οὐχ εὗρε. Καὶ λέγει πρὸς τὸν ἀμπελουργόν· Ἰδοὺ

1 a. Cf. I Thess. 3, 13 || b. Matth. 5, 20 || c. Matth. 7, 26-27.

1. Sujet déjà abordé en 1525 a.
2. Σφοδρόν au comparatif parce que le témoignage de Jésus fait pendant à celui de Jean-Baptiste qui sera donné ensuite.

Chapitre VI

La désobéissance réside-t-elle dans l'exécution d'une chose défendue, ou bien est-elle aussi dans l'omission d'une chose approuvée [1] ?

L'enseignement du Seigneur

1 Concernant le jugement à porter sur cette question, c'est notre Seigneur Jésus-Christ qui nous donne la garantie la plus forte [2] ; pour repousser l'erreur entrée par avance dans nos âmes et les fixer [a] dans une foi vigoureuse, il a bien voulu nous enseigner la crainte de ses jugements non seulement par des paroles, mais encore par des exemples ; il savait que les faits mettent dans l'esprit une plus ferme assurance de la vérité.

Il dit pour commencer : « Si votre justice ne surpasse celle des scribes et des pharisiens, non certes, vous n'entrerez pas dans le royaume des cieux [b] », et après avoir développé cet enseignement dans tout le chapitre, il ajoute cette déclaration, accompagnée d'un exemple [3] : « Quiconque entend les paroles que je viens de dire et ne les met pas en pratique sera comparé à un homme insensé qui a bâti sa maison sur le sable. La pluie est tombée, les torrents sont venus, les vents ont soufflé et se sont brisés contre cette maison. Elle s'est abattue et sa chute a été grande [c] [4]. » Il a dit encore : « Un homme avait un figuier planté dans sa vigne ; il alla y chercher du fruit, mais n'en trouva point. Il dit alors au

3. C. à d. cette parabole.
4. Basile évoque l'ensemble du Sermon sur la Montagne selon Matthieu, qui commence par les Béatitudes et s'étend, en fait, sur les chapitres 5, 6 et 7.

τρία ἔτη ἔρχομαι ζητῶν καρπὸν ἐν αὐτῇ καὶ οὐχ εὑρίσκω· ἔκκοψον αὐτήν· ἵνα τί καὶ τὴν γῆν καταργεῖ[d]; ».

Καὶ ἀλλαχοῦ φανερώτερον ἐκτίθεται τὸ κρῖμα τοῦτο, λέγων· « Πορεύεσθε ἀπ' ἐμοῦ, οἱ κατηραμένοι, εἰς τὸ 25 πῦρ τὸ αἰώνιον, τὸ ἡτοιμασμένον τῷ διαβόλῳ καὶ τοῖς ἀγγέλοις αὐτοῦ[e] »· καὶ ἐπιφέρει οὐχὶ ἐργασίαν τινος τῶν ἀπηγορευμένων, ἀλλ' ἔλλειψιν τῶν ἐγκεκριμένων, εἰπών· « Ἐπείνασα καὶ οὐκ ἐδώκατέ μοι φαγεῖν, ἐδίψησα καὶ οὐκ ἐποτίσατέ με[f] », καὶ τὰ ἑξῆς. Καὶ πολλὰ τοιαῦτα ἄν d 30 τις εὕροι πρὸς ἀπόδειξιν ὅτι οὐ μό|νοι οἱ τὰ πονηρὰ ἐργαζόμενοι ἄξιοι θανάτου εἰσίν, οἷς καὶ τὸ πῦρ τὸ ἄσβεστον ἡτοιμάσθη[g], μεθ' ὧν κατακρίνονται καὶ οἱ ἀργοῦντες ἀπὸ τῶν καλῶν, ἀλλὰ καὶ οἱ ἀμελῶς ποιοῦντες. Γέγραπται γάρ· « Ἐπικατάρατος πᾶς ὁ ποιῶν τὰ 35 ἔργα Κυρίου ἀμελῶς[h] ».

2 Καιρὸς δ' ἂν εἴη μνημονεῦσαι καὶ Ἰωάννου, πρὸς τοὺς λαβόντας τὴν ἄφεσιν τῶν ἁμαρτημάτων διὰ τοῦ 1597 βαπτίσματος λέγοντος· « Γεννήματα ἐχι|δνῶν, τίς ὑπέδειξεν ὑμῖν φυγεῖν ἀπὸ τῆς μελλούσης ὀργῆς; Ποιήσατε 5 οὖν καρποὺς ἀξίους τῆς μετανοίας. Καὶ μὴ δόξητε λέγειν ἐν ἑαυτοῖς· Πατέρα ἔχομεν τὸν Ἀβραάμ. Λέγω γὰρ ὑμῖν ὅτι δύναται ὁ Θεὸς ἐκ τῶν λίθων τούτων ἐγεῖραι τέκνα τῷ Ἀβραάμ. Ἤδη δὲ ἡ ἀξίνη πρὸς τὴν ῥίζαν τῶν δένδρων κεῖται· πᾶν οὖν δένδρον μὴ ποιοῦν καρπὸν καλὸν 10 ἐκκόπτεται καὶ εἰς πῦρ βάλλεται[a]. »

Ὧν ἕκαστον οὐκ ἐργασίαν κακοῦ τινος δηλοῖ, ἀλλ' ἀργίαν τοῦ τῆς θεοσεβείας δικαιώματος. Εἰ γὰρ « ἐπικατάρατος πᾶς ὁ ποιῶν τὰ ἔργα Κυρίου ἀμελῶς[b] », ὅτι μὴ

d. Lc 13, 6-7 || e. Matth. 25, 41 || f. Matth. 25, 42 || g. Cf. Matth. 25, 41 || h. Jér. 48 (31), 10.

2 a. Matth. 3, 7-10 || b. Jér. 48 (31), 10.

vigneron : Voici trois ans que je viens chercher du fruit sur ce figuier et je n'en trouve pas, coupe-le. A quoi bon lui faire occuper inutilement le terrain[d] ? »

Dans un autre passage, il met en plus grande lumière cette condamnation en disant : « Allez loin de moi, maudits, dans le feu éternel qui a été préparé pour le diable et pour ses anges[e]. » Et la raison qu'il ajoute n'est pas l'exécution d'une action défendue mais l'omission d'une action approuvée : « J'ai eu faim, dit-il, et vous ne m'avez pas donné à manger; j'ai eu soif et vous ne m'avez pas donné à boire[f] », etc. Et on pourrait trouver beaucoup de paroles semblables pour montrer qu'ils ne sont pas seuls à mériter la mort ceux qui exécutent des actions mauvaises et pour qui précisément a été préparé le feu qui ne s'éteint pas[g]; avec eux sont condamnés aussi ceux qui s'abstiennent des bonnes actions et même ceux qui les font avec négligence, car il est écrit : « Maudit soit tout homme qui fait avec négligence l'œuvre du Seigneur[h]. »

L'enseignement de Jean-Baptiste

2 Mais il serait temps de rappeler aussi les paroles que Jean adressait à ceux qui avaient reçu par le baptême le pardon de leurs fautes : « Race de vipères, qui vous a suggéré de fuir la colère qui vient ? Produisez donc des fruits dignes de votre conversion. Et ne croyez pas pouvoir dire en vous-mêmes : Nous avons Abraham pour père, car, je vous le dis, des pierres que voici, Dieu peut susciter des enfants à Abraham. Déjà la cognée se trouve à la racine des arbres. Tout arbre donc qui ne produit pas de bon fruit est coupé et jeté au feu[a]. »

Chacun de ces témoignages montre non pas l'exécution d'un acte mauvais, mais la non-exécution de l'œuvre de justice exigée par la piété. Si en effet « est maudite toute personne qui fait avec négligence l'œuvre du Seigneur[b] », parce qu'elle n'y a pas mis l'empresse-

μετὰ τῆς πρεπούσης ἐποίησε προθυμίας, πόσῳ μᾶλλον
15 ἐπικατάρατοι οἱ μήτε ποιεῖν ὁπωσοῦν τὸ ἀγαθὸν ἀνασχόμενοι ; Καὶ δικαίως ἀκούουσι · « Πορεύεσθε ἀπ' ἐμοῦ, οἱ
b κατηραμένοι, εἰς τὸ πῦρ τὸ αἰώνιον, τὸ | ἡτοιμασμένον τῷ διαβόλῳ καὶ τοῖς ἀγγέλοις αὐτοῦ [c] ».

Ὡς ἐκ πάντων δῆλον ὅτι ἀναγκαίως τάχους πλείονος
20 καὶ σπουδῆς ἀόκνου μετ' ἐπιθυμίας ἀγαθῆς καὶ ἀμετεωρίστου χρεία ἐν ταῖς ἐντολαῖς τοῦ Κυρίου ἡμῶν Ἰησοῦ Χριστοῦ, ἵνα ἄξιοι τοῦ μακαρισμοῦ γενώμεθα καὶ αὐτοί, καθὼς εἶπεν αὐτὸς ὁ Κύριος ἡμῶν Ἰησοῦς Χριστός, ὁ μονογενὴς Υἱὸς τοῦ Θεοῦ τοῦ ζῶντος · « Μακάριοι οἱ
25 πεινῶντες καὶ διψῶντες τὴν δικαιοσύνην, ὅτι αὐτοὶ χορτασθήσονται [d]. »

c. Matth. 25, 41 || d. Matth. 5, 6.

ment convenable, combien davantage sont maudits ceux qui n'ont accepté en aucune façon de faire le bien. Et c'est à juste titre qu'ils s'entendent dire : « Allez-vous en loin de moi, maudits, dans le feu éternel qui a été préparé pour le diable et pour ses anges [c]. »

Ainsi tout montre qu'il nous faut nécessairement une plus grande hâte, un zèle sans hésitation, ainsi qu'une volonté bonne et inébranlable, lorsque notre Seigneur Jésus-Christ commande [5], pour mériter nous aussi d'être proclamés bienheureux, selon cette parole de notre Seigneur Jésus-Christ lui-même, le Fils Monogène du Dieu vivant : « Bienheureux ceux qui ont faim et soif de la justice, car ils seront rassasiés [d 6]. »

5. Ἐντολή : l'emploi de ce mot dans la conclusion montre que Basile en vient à identifier la chose approuvée et la chose prescrite.

6. Pour Basile la justice consiste dans l'accomplissement des commandements de Dieu (cf. *Rb* 130 [1169 b] et *Mor* 18, 5 [732 c], où la même béatitude est citée).

ζ΄.

Εἰ δυνατόν ἐστιν ἢ εὐάρεστον ἢ εὐπρόσδεκτον Θεῷ, τὸν ἁμαρτίᾳ δουλεύοντα ποιεῖν δικαίωμα κατὰ τὸν τῆς θεοσεβείας τῶν ἁγίων κανόνα.

c Ἐν μὲν τῇ παλαιᾷ Διαθήκῃ τοῦ Θεοῦ λέγοντος· | « Ὁ ἁμαρτωλὸς ὁ θύων μόσχον ὡς ὁ ἀποκτείνων κύνα, καὶ ὁ προσφέρων σεμίδαλιν ὡς αἷμα ὕειον[a] », καὶ τοσαύτην περὶ τῶν προσφερομένων εἰς θυσίαν νομοθετήσαντος
5 ἀκρίβειαν, καὶ τὸ φοβερὸν κρῖμα κατὰ τοῦ πλημμελήσαντος θέντος· ἐν δὲ τῇ καινῇ Διαθήκῃ τοῦ Κυρίου ἡμῶν Ἰησοῦ Χριστοῦ δι' ἑαυτοῦ ἐν τοῖς εὐαγγελίοις εἰπόντος ὅτι « Ὁ ποιῶν τὴν ἁμαρτίαν δοῦλός ἐστι τῆς ἁμαρτίας[b] », καὶ « Οὐδεὶς δύναται δυσὶ κυρίοις δουλεύειν »,
10 καὶ « Οὐ δύνασθε Θεῷ δουλεύειν καὶ Μαμμωνᾷ[c] », καὶ φανερώτατα δογματίσαντος· « Οὕτω πᾶς ἐξ ὑμῶν ὃς οὐκ ἀποτάσσεται πᾶσι τοῖς ἑαυτοῦ ὑπάρχουσιν, οὐ δύναταί μου εἶναι μαθητής[d] » — εἰ δὲ περὶ τῶν μέσων τοιαύτη ἀπόφασις, τί ἂν τις εἴποι περὶ τῶν ἀπηγορευμένων ; —,
d 15 διὰ δὲ τοῦ Ἀποστόλου· « Μὴ γίνεσθε | ἑτεροζυγοῦντες ἀπίστοις· τίς γὰρ μετοχὴ δικαιοσύνῃ καὶ ἀνομίᾳ ; ἢ τίς κοινωνία φωτὶ πρὸς σκότος ; τίς δὲ συμφώνησις Χριστῷ πρὸς Βελίαρ ; ἢ τίς μερὶς πιστῷ μετὰ ἀπίστου ; τίς δὲ συγκατάθεσις ναῷ θεοῦ μετὰ εἰδώλων[e] ; », τὸ παντάπα-

a. Is. 66, 3 || b. Jn 8, 34 || c. Matth. 6, 24 || d. Lc 14, 33 || e. II Cor. 6, 14-16.

Chapitre VII

Est-il possible, est-il bien vu et bien accepté de Dieu qu'un esclave du péché fasse une action juste selon la règle de la piété observée par les saints ?

Dans l'Ancien Testament, Dieu déclare : « Si le pécheur sacrifie un veau, il est comme celui qui tuerait un chien ; s'il offre de la fleur de farine, c'est comme s'il offrait du sang de porc [a] [1] » ; il s'est montré non moins rigoureux dans sa législation concernant ce qu'on offre en sacrifice, et il a établi pour les contrevenants un jugement redoutable. Voyons d'autre part le Nouveau Testament. Notre Seigneur Jésus-Christ a dit de sa propre bouche dans les évangiles : « Celui qui fait le péché est esclave du péché [b] », « on ne peut servir deux maîtres », « vous ne pouvez servir Dieu et Mammon [c] », et il a prononcé de la manière la plus claire : « Ainsi, quiconque parmi vous ne renonce pas à tous ses biens ne peut être mon disciple [d]. » Or, si la sentence est telle à propos des choses indifférentes [2], qu'en sera-t-il de celles qui sont défendues ? Il a dit aussi par la bouche de l'Apôtre : « Ne formez pas d'attelage disparate avec les infidèles. Quelle association peut se faire entre la justice et l'iniquité ? Quelle union entre la lumière et les ténèbres ? Quel accord entre le Christ et Béliar ? Quelle part le fidèle a-t-il avec l'infidèle ? Quel rapport entre le temple de Dieu et les idoles [e] ? » Il est donc démontré

1. Le chien et le porc sont des animaux impurs.

2. Selon l'éthique stoïcienne (cf. *SVF* III, 123, p. 29) les μέσα forment la catégorie intermédiaire entre bien et mal. Basile y place les richesses.

20 σιν ἀδύνατον καὶ ἀπαρέσκον Θεῷ καὶ ἐπικίνδυνον τῷ τολμῶντι δεδήλωται.

1600 | Διόπερ παρακαλῶ, ὡς διδάσκει ὁ Κύριος, ποιήσωμεν τὸ δένδρον καλὸν καὶ τὸν καρπὸν αὐτοῦ καλόν [f], καὶ καθαρίσωμεν πρῶτον τὸ ἐντὸς τοῦ ποτηρίου καὶ τῆς 25 παροψίδος, καὶ τότε τὸ ἐκτὸς αὐτοῦ ἔσται καθαρὸν ὅλον [g]. Καὶ διὰ τοῦ Ἀποστόλου παιδευθέντες, καθαρίσωμεν ἑαυτοὺς ἀπὸ παντὸς μολυσμοῦ σαρκὸς καὶ πνεύματος, καὶ τότε ἐπιτελῶμεν ἁγιωσύνην ἐν ἀγάπῃ Χριστοῦ [h], ἵνα εὐάρεστοι τῷ Θεῷ καὶ εὐπρόσδεκτοι τῷ Κυρίῳ γενώμεθα 30 εἰς τὴν βασιλείαν τῶν οὐρανῶν.

f. Cf. Matth. 12, 33 || g. Cf. Matth. 23, 26 || h. Cf. II Cor. 7, 1.

que cette action est tout à fait impossible, qu'elle déplairait à Dieu et serait dangereuse pour celui qui s'y risquerait.

C'est pourquoi je vous exhorte à suivre l'enseignement du Seigneur : rendons l'arbre bon et son fruit sera bon[f] ; purifions d'abord l'intérieur de la coupe et du plat, et alors l'extérieur tout entier sera pur[g]. Laissons-nous aussi instruire par l'Apôtre : purifions-nous de toute souillure de la chair et de l'esprit, et puis achevons de nous sanctifier dans l'amour du Christ[h 3], afin que Dieu puisse se complaire en nous et que le Seigneur nous fasse bon accueil dans le royaume des cieux.

3. Basile remplace ἐν φόβῳ Θεοῦ de S. Paul par ἐν ἀγάπῃ Χριστοῦ, signifiant par là que la sanctification parfaite s'accomplit non dans la crainte, mais dans l'amour. Cependant il associe parfois les deux dispositions : cf. *Mor* 80, 25 (869 b), Lèbe *Mor*, p. 187.

η´.

Εἰ εὐπρόσδεκτόν ἐστι τῷ Θεῷ τὸ ἔργον τῆς ἐντολῆς μὴ ἀκολούθως κατ' ἐντολὴν Θεοῦ γινόμενον.

b |**1** Τούτου τοῦ ἐρωτήματος σαφῆ καὶ ὥσπερ κανόνα τινὰ κατὰ παντὸς τοῦ τοιούτου πράγματος παιδευόμεθα παρὰ μὲν τῆς παλαιᾶς Διαθήκης, ὡς ἐκ προσώπου τοῦ Θεοῦ λεγούσης· « Ἐὰν ὀρθῶς μὲν προσενέγκῃς, ὀρθῶς 5 δὲ μὴ διέλῃς, ἥμαρτες. Ἡσύχασον· πρὸς σὲ ἡ ἀποστροφὴ αὐτοῦ[a] »· ὡς μὴ μόνον ἀπρόσδεκτον εἶναι τὸ προσενεχθὲν μὴ νομίμως, ἀλλὰ καὶ εἰς ἁμαρτίαν λογισθῆναι τῷ οὕτω προσενέγκαντι. Καθ' ὁμοιότητα δὲ τοῦ Ἀποστόλου ἔστιν, ὥσπερ δι' ὑποδείγματος ἀνθρωπίνου, τὸν τῆς 10 θεοσεβείας ἀπαράβατον κανόνα καθολικῶς κατὰ πάντων μαθεῖν, εἰπόντος· « Κἂν ἀθλῇ τις οὐ στεφανοῦται ἐὰν μὴ νομίμως ἀθλήσῃ[b]. » Μετὰ πλείονος δὲ φόβου αὐτοῦ τοῦ Κυρίου ἡμῶν Ἰησοῦ Χριστοῦ μνημονεῦσαι ἔστιν, ὅρον c ἐκθεμένου ἐν τῷ εἰπεῖν· « Μακάριος ὁ δοῦλος | ἐκεῖνος, 15 ὃν ἐλθὼν ὁ Κύριος εὑρήσει ποιοῦντα οὕτως[c]. » Τὸ γὰρ οὕτως εἰπὼν ἔδειξεν ὅτι ὁ μὴ οὕτως ποιῶν τοῦ μακαρισμοῦ ἐκπέπτωκεν, ὡς ἐκ πολλῶν τῶν τε ἐν τῇ παλαιᾷ καὶ ἐν τῇ καινῇ Διαθήκῃ ἱστορουμένων καὶ λεγομένων ἔστιν ἀκριβῶς μαθεῖν καὶ πληροφορηθῆναι. Τὸ δὲ μὴ οὕτως

1 a. Gen. 4, 7 || b. II Tim. 2, 5 || c. Matth. 24, 46.

Chapitre VIII

L'exécution des commandements est-elle bien accueillie de Dieu si elle se fait en désaccord avec un commandement de Dieu ?

1 Sur cette question, nous trouvons un enseignement clair et une sorte de canon applicable à tout cas du même genre dans l'Ancien Testament, qui déclare comme parole sortant de la bouche de Dieu : « Si tu as présenté correctement ton offrande, mais si tu ne l'as pas correctement partagée, tu as péché. Cependant sois tranquille : tu as le moyen de détourner ce mal[a]. » Ainsi, non seulement l'offrande qui a été présentée en violation des règles ne peut être accueillie mais encore elle vous est imputée à péché, si vous la présentez de cette manière. De même, on peut apprendre de l'Apôtre le canon inviolable de la piété applicable à tous les cas en général. Prenant comme exemple un fait humain, il a dit en effet : « Quand on pratique la lutte, on n'est pas couronné si on ne lutte pas selon les règles[b]. » On peut encore, et avec une crainte plus grande, rappeler à la mémoire notre Seigneur Jésus-Christ lui-même, qui a établi une règle lorsqu'il a dit : « Bienheureux ce serviteur que le maître à son retour trouvera agissant ainsi[c]. » Par cet « ainsi », en effet, il a montré que celui qui n'agit pas « ainsi » est exclu de la béatitude, comme on peut l'apprendre exactement et en avoir pleine assurance d'après bon nombre de récits et de paroles de l'Ancien et du Nouveau Testament. Or, le « pas ainsi »

20 γίνεται ἢ παρὰ τόπον ἢ παρὰ καιρὸν ἢ παρὰ πρόσωπον ἢ παρὰ πρᾶγμα ἢ παρὰ μέτρον ἢ παρὰ τάξιν ἢ παρὰ διάθεσιν.

2 Ἴδωμεν δὲ τὸν λόγον πρῶτον τοῦ παρὰ τόπον. Τοῦ Ἀποστόλου τοίνυν τοῖς ἐν τῇ συνηθείᾳ κεκρατημένοις χρησαμένου εἰς σαφεστέραν παράστασιν καὶ βοήθειαν d τοῖς ἀκούουσι τῶν τῇ εὐσεβείᾳ πρεπόντων, | ἐν τῷ 5 εἰπεῖν· « Οὔτε αὐτὴ ἡ φύσις διδάσκει ὑμᾶς ὅτι ἀνὴρ μὲν ἐὰν κομᾷ ἀτιμία αὐτῷ ἐστι, γυνὴ δὲ ἐὰν κομᾷ δόξα αὐτῇ ἐστι [a] ; », καὶ τὰ ἑξῆς· ἀκόλουθον ἂν εἴη καὶ ἡμᾶς τοῖς ἐν τῇ φύσει κεκρατημένοις πρὸς τὰ ἀναγκαῖα τῆς παρούσης ζωῆς χρήσασθαι. Τοῦ γὰρ ἐσθίειν καὶ πίνειν συνέχοντος 10 τὴν ζωήν, τίς τῶν σωφρονούντων ἀνέχεται ἐπὶ τῆς ἀγορᾶς ἐσθίειν καὶ πίνειν ; ἢ τίς ἀνέχεται κατὰ πετρῶν ἢ θαλάσσης καταβάλλειν τὰ σπέρματα ἐπὶ ζημίᾳ αὐτῷ 1601 τούτων καὶ τῶν προσδοκηθέντων καρπῶν ; | Καὶ πολλὰ ἄν τις εὕροι παρὰ τόπον ἐπικινδύνως γινόμενα, ἤτοι 15 κατεγνωσμένως.

Πάλιν δὲ τοῦ Ἀποστόλου μνημονεύοντες εἰπόντος· « Ταῦτα τυπικῶς συνέβαινεν ἐκείνοις· ἐγράφη δὲ πρὸς νουθεσίαν ἡμῶν, εἰς οὓς τὰ τέλη τῶν αἰώνων κατήντησεν [b] », ἴδωμεν εἰ μὴ τὰ νενομοθετημένα ὑπὸ τοῦ Θεοῦ 20 πρὸς θεοσέβειαν, κοινωνίαν ἔχοντα πρὸς ἄλληλα, τὴν διαφορὰν ἐφύλασσεν ἀπαραβάτως. Τὰ μὲν γὰρ ἀφώριστο τῇ Ἰερουσαλήμ, καὶ ἔξω ποιήσαντες ἐκινδύνευον· τὰ δὲ καὶ πλέον ὅτι καὶ ἐν αὐτῇ Ἰερουσαλὴμ οὐκ ἄλλοις τόποις ἀλλὰ τῆς πρὸς Θεὸν λατρείας ἦν ἐγκεκριμένα, καὶ οὔτε 25 τὰ ἐν τῷ ναῷ καὶ ἐν τῷ θυσιαστηρίῳ γινόμενα ἐν ἄλλοις

2 a. I Cor. 11, 14 || b. I Cor. 10, 11.

---

1. Topiques des écoles de rhétorique (cf. *Rhetores graeci* XI, 13).
2. Méthode aussi basilienne que paulinienne : cf. *supra*, 1541 a et 1560 d; *Mor* 26, 2 (745 a); etc.
3. Cf. *supra*, 1528 a, avec la note.

est une transgression relative soit au lieu, soit au temps, soit à la personne, soit à l'objet, soit à la mesure, soit à l'ordre, soit aux dispositions intérieures[1].

Transgression concernant le lieu

2 Pour traiter la question, voyons d'abord la transgression relative au lieu. On sait que l'Apôtre a utilisé les faits bien établis dans la coutume pour exposer plus clairement ce qui convient à la piété et venir en aide aux auditeurs. Il a dit en effet : « La nature elle-même ne vous enseigne-t-elle pas que c'est une honte pour l'homme de porter des cheveux longs, tandis que c'est une gloire pour la femme de les porter ainsi[a] ? », etc. Il serait donc logique, après cela que nous aussi, nous utilisions les dispositifs bien établis par la nature pour les besoins de notre vie présente[2]. Ainsi, le manger et le boire : ils soutiennent la vie, mais quel homme sensé accepte de manger et de boire sur la place publique ? Qui accepte de jeter les graines sur le rocher ou sur la mer pour les perdre et perdre en même temps les fruits attendus ? On pourrait trouver ainsi beaucoup d'actions, qui, exécutées en violation du lieu, sont dangereuses ou condamnables.

Mais rappelons encore la parole de l'Apôtre : « Ces choses arrivaient à nos pères en figures et elles ont été écrites pour notre instruction à nous qui touchons la fin des temps[b 3]. » Voyons si les actions prescrites par la loi divine en vue de la piété, tout en ayant des rapports entre elles, ne gardaient pas de façon inviolable leur caractère distinct. Pour les unes en effet, leur place était fixée à Jérusalem, et si on les faisait en dehors de cette ville, c'était à ses risques et périls ; pour les autres, s'ajoutait aussi le fait que dans la ville même de Jérusalem elles n'étaient pas admises n'importe où, mais seulement dans les lieux réservés au culte divin ; ce qu'on faisait dans le temple et sur l'autel, on n'osait pas

τόποις τῆς Ἱερουσαλὴμ γίνεσθαι ἐτολμᾶτο, οὔτε τὰ ἐν
b ἄλλοις τόποις | καὶ ἐν τῷ ναῷ συγκεχώρητο. Ἡμῖν δὲ
παρὰ τόπον μὲν κινδυνεύει ἡ ἐντολὴ μάλιστα ἐὰν τὰ τῆς
ἱερωσύνης μυστήρια ἐπιτελῶμεν ἐν βεβήλοις τόποις, τοῦ
30 τοιούτου πράγματος ἀπόδειξιν μὲν ἔχοντος τῆς κατα-
φρονήσεως τοῦ ἐπιτελοῦντος, σκανδαλίζοντος δὲ ἄλλον
ἐπ' ἄλλο τι πάθος πολυτρόπως διὰ τὴν τῶν πολλῶν ἐν τῇ
γνώσει διάφορον ἀσθένειαν [c].

3 Ἐὰν δέ τις λέγῃ· Τί οὖν ὁ Ἀπόστολος εἶπε·
« Βούλομαι οὖν τοὺς ἄνδρας προσεύχεσθαι ἐν παντὶ
τόπῳ [a] », διὰ τὸ τὸν Κύριον ἐν παντὶ τόπῳ διδόναι τὴν
ἐξουσίαν τῆς προσκυνήσεως ἐν τῷ εἰρηκέναι· « Ἔρχεται
5 γὰρ ὥρα, φησίν, ὅτε οὔτε ἐν Ἱεροσολύμοις οὔτε ἐν τῷ
ὄρει τούτῳ προσκυνήσετε τῷ Πατρί [b] »; Ἐκεῖνα ἔστιν
εἰπεῖν ὅτι τὸ ἐν παντὶ οὐ συμπεριλαμβάνει τοὺς ἀφωρισ-
μένους τόπους ταῖς ἀνθρωπίναις χρείαις καὶ ἀκαθάρτοις |
c καὶ βδελυκτοῖς πράγμασιν, ἀλλὰ πλατύνει ἀπὸ τῆς
10 περιγραφῆς τῆς Ἱερουσαλὴμ εἰς πάντα τόπον τῆς οἰκου-
μένης, καὶ κατὰ τὴν προφητείαν τῆς θυσίας [c], τὸν
ἐσπουδασμένως δηλονότι ἀνατιθέμενον τῷ Θεῷ εἰς τὴν
ἱερουργίαν τοῦ ἐνδόξου μυστηρίου.

Καὶ γὰρ ἀκούσαντες τοῦ Προφήτου λέγοντος·
15 « Ὑμεῖς ἱερεῖς Θεοῦ κληθήσεσθε [d] », οὔτε πάντες τῆς
τοιᾶσδε ἱερωσύνης ἢ λειτουργίας τὴν ἐξουσίαν ἁρπάζομεν,
οὔτε ἄλλος τὴν ἄλλῳ δοθεῖσαν χάριν ἐν ἐξουσίᾳ ἐστὶν
ἑαυτῷ λαμβάνειν, ἀλλ' ἕκαστος τῶν πιστῶν ἐν τοῖς ἰδίοις
ὅροις μένει τῆς δωρεᾶς τοῦ Θεοῦ· τοῦ Ἀποστόλου

c. Cf. I Cor. 8, 7-12.

3 a. I Tim. 2, 8 || b. Jn 4, 21 || c. Cf. Mal. 1, 11 || d. Is. 61, 6.

---

4. Cf. Introd., p. 18, et n. 5.

5. Cf. *Rb* 310 (1304b; *Monast*, p. 344). Le synode réuni à Gangres en 341 avait également dénoncé, dans son canon 6, comme « méprisante » l'attitude de ceux qui célébreraient les mystères divins en dehors des lieux de culte et les avait déclarés anathèmes (Pitra 489).

le faire ailleurs dans Jérusalem, et ce qu'on faisait ailleurs, on ne le tolérait pas dans le temple. Quant à nous, soyons assurés que le commandement est en danger par transgression du lieu, principalement si nous célébrons [4] les mystères sacerdotaux en des lieux profanes, car une telle action indique le mépris chez le célébrant [5], et de plus elle scandalise en beaucoup de manières, affectant l'un d'une façon, l'autre d'une autre, car si les gens sont généralement faibles dans la connaissance, ils le sont de façon différente [c].

3 Mais, dira-t-on peut-être, pourquoi alors l'Apôtre a-t-il déclaré : « Je veux que les hommes prient en tout lieu [a] » ? Le Seigneur, en effet, donne la permission de pratiquer l'adoration en tout lieu par cette parole : « L'heure vient où ce n'est ni à Jérusalem ni sur cette montagne que vous adorerez le Père [b]. » Voici la réponse que l'on peut faire : le mot « tout » n'inclut pas les lieux réservés aux usages humains, aux activités malpropres, inspirant le dégoût, mais il ouvre à l'adoration un large champ allant de la périphérie de Jérusalem à tout lieu de la terre habitée, pourvu, évidemment, que selon la prophétie de l'offrande [c] [6] on consacre avec soin ce lieu à Dieu, en vue d'y accomplir les rites sacrés du glorieux mystère.

Ce n'est pas une raison, en effet, parce que nous avons entendu cette parole du prophète : « Vous serez appelés prêtres de Dieu [d] », pour nous arroger tous le pouvoir d'exercer tel sacerdoce, ou telle liturgie ; il n'est pas au pouvoir de l'un de prendre pour lui la grâce donnée à l'autre ; mais chaque fidèle demeure dans les limites propres du don de Dieu, comme l'Apôtre nous l'ensei-

6. Basile interprète l'offrande évoquée par Malachie dans un sens eucharistique, suivant une interprétation bien attestée dans la tradition primitive (cf. IRÉNÉE, *Adv. haer.* IV, 29) et reprise par le concile de Trente.

20 παιδεύοντος ἡμᾶς ἐν τῷ λέγειν, πρὸς πάντας μέν· « Παρακαλῶ δὲ ὑμᾶς, ἀδελφοί, διὰ τῶν οἰκτιρμῶν τοῦ Θεοῦ, παραστῆσαι τὰ σώματα ὑμῶν θυσίαν ζῶσαν, d ἁγίαν, εὐάρεστον τῷ Θεῷ, τὴν λογι|κὴν λατρείαν ὑμῶν· καὶ μὴ συσχηματίζεσθε τῷ αἰῶνι τούτῳ, ἀλλὰ μεταμορ-
25 φοῦσθε τῇ ἀνακαινώσει τοῦ νοὸς ὑμῶν, εἰς τὸ δοκιμάζειν ὑμᾶς τί τὸ θέλημα τοῦ Θεοῦ τὸ ἀγαθὸν καὶ εὐάρεστον καὶ τέλειον[e] », πρὸς ἕκαστον δὲ σαφῶς **1604** διακρίνοντος μὲν | τὴν ἑκάστῳ πρέπουσαν λειτουργίαν, κωλύοντος δὲ ἐπεμβαίνειν ἀλλοτρίῳ τάγματι ἐν τῷ
30 λέγειν· « Λέγω γάρ, διὰ τῆς χάριτος τοῦ Θεοῦ τῆς δοθείσης μοι, παντὶ τῷ ὄντι ἐν ὑμῖν μὴ ὑπερφρονεῖν παρ' ὃ δεῖ φρονεῖν, ἀλλὰ φρονεῖν εἰς τὸ σωφρονεῖν, ἑκάστῳ ὡς ὁ Θεὸς ἐμέρισε μέτρον πίστεως[f] », καὶ διὰ τῆς ἐν ἀλλήλοις τῶν μελῶν τοῦ σώματος πρὸς τὸ εὔσχημον καὶ
35 ἀκίνδυνον κατηναγκασμένης εὐταξίας κανονίζοντος ἐν ἡμῖν τὴν ἡμῶν πρὸς ἀλλήλους εὐάρεστον τῷ Θεῷ ἐν ἀγάπῃ Χριστοῦ Ἰησοῦ εὐταξίαν ἐν τῇ διαφορᾷ τῶν χαρισμάτων. Λέγει γάρ· « Καθάπερ ἐν ἑνὶ σώματι μέλη πολλὰ ἔχομεν, πάντα δὲ τὰ μέλη οὐ τὴν αὐτὴν ἔχει
40 πρᾶξιν, οὕτως οἱ πολλοὶ ἓν σῶμά ἐσμεν ἐν Χριστῷ, ὁ δὲ καθεὶς ἀλλήλων μέλη, ἔχοντες δὲ χαρίσματα κατὰ τὴν b χάριν τὴν δοθεῖσαν ἡμῖν | διάφορα, εἴτε προφητείαν κατὰ τὴν ἀναλογίαν τῆς πίστεως, εἴτε διδασκαλίαν ἐν τῇ διδασκαλίᾳ, εἴτε ὁ διακονῶν ἐν τῇ διακονίᾳ[g] », καὶ τὰ
45 ἑξῆς.

4 Εἰ δὲ οἱ συνεργοῦντες ἀλλήλοις πρὸς τὸν ἕνα σκοπὸν τῆς πρὸς Θεὸν εὐαρεστήσεως καὶ τοσαύτην ἔχοντες πρὸς

e. Rom. 12, 1-2 || f. Rom. 12, 3 || g. Rom. 12, 4-7.

---

7. Rester à sa place, avoir de soi un sentiment juste et modeste, c'est le principe de la sagesse grecque transposé par S. Paul dans le domaine surnaturel et dont on voit le rapport avec la discussion de Basile sur le lieu. Le sage fidèle ne doit pas empiéter (ἐπεμβαίνειν) sur les attributions d'autrui (même emploi de ce verbe : *In Hex* VII, 3 [156 A]).

gne. D'une part, en effet, s'adressant à tous il dit : « Je vous exhorte, frères, par la miséricorde de Dieu, à offrir vos corps en victime vivante, sainte, agréable à Dieu : c'est le culte raisonnable que vous avez à rendre. Ne vous conformez pas à ce siècle, mais transformez-vous en renouvelant votre intelligence, afin de reconnaître quelle est la volonté de Dieu, ce qui est bon, capable de lui plaire, parfait[e] », d'autre part, s'adressant à chacun en particulier, il distingue clairement la liturgie qui convient à chaque fidèle et lui interdit de s'introduire dans un poste qui n'est pas le sien[7]. Il déclare en effet : « En vertu de la grâce divine qui m'a été donnée, je dis à toute personne parmi vous : Ne vous estimez pas plus qu'il ne faut vous estimer, mais ayez de vous une sage estime, chacun selon la mesure de foi que Dieu lui a donnée en partage[f]. » De plus, s'inspirant du bon ordre qui maintient les parties de notre corps ajustées les unes aux autres pour nous assurer belle apparence et sécurité, il règle parmi nous le bon ordre qui plaît à Dieu dans l'amour de Jésus-Christ et qui s'applique à nos relations les uns avec les autres dans la diversité de nos charismes. Il dit en effet : « De même que notre corps en son unité possède un grand nombre de parties et que ces parties n'ont pas toutes la même fonction, de même nous, si nombreux que nous soyons, nous formons un seul corps dans le Christ, dont nous sommes, chacun individuellement, partie interdépendante. Nous avons des charismes différents selon la grâce qui nous a été donnée. Si c'est la prophétie, exerçons ce charisme en proportion de notre foi, si c'est l'enseignement, enseignons, le service, servons[g] [8] », etc.

4 Or, si des fidèles qui travaillent les uns avec les autres en ayant pour seul but de plaire à Dieu et qui sont

8. Ces 3 citations de Paul, séparées par quelques mots de commentaire, forment dans l'Épître aux Romains un texte suivi.

ἀλλήλους συνάφειαν κοινωνίας ἐν ἀγάπῃ Χριστοῦ τὸν ἴδιον τόπον τοῦ χαρίσματος ὑπερβαίνειν οὐκ ἐπιτρέπον-
5 ται, πῶς οὐχὶ πολλῷ πλέον τοὺς ἀλλοτρίοις καὶ ἐναντίοις πράγμασιν ἀφωρισμένους τόπους διακρίνειν ἀπὸ τῶν ἁγίων ὀφείλομεν; Ἐκ πάντων γὰρ τῶν τε μνημονευθέντων καὶ μὴ ἐκ τῆς θεοπνεύστου Γραφῆς, καὶ τῶν τοιούτων, καὶ τῶν προρρηθέντων ὑποδειγμάτων παι-
10 δεύεσθαι ἡμᾶς χρὴ ὅτι ἡ παρὰ τόπον ἐνέργεια εἰς τὸ ἐναντίον τοῦ προκειμένου σκοποῦ περιτρέπει τὸ τέλος.

c Παρὰ καιρὸν δέ, | αὐτοῦ τοῦ Κυρίου ἡμῶν Ἰησοῦ Χριστοῦ ἔστιν ἀκοῦσαι, λέγοντος· « Διὰ τοῦτο ὡμοιώθη ἡ βασιλεία τῶν οὐρανῶν δέκα παρθένοις αἵτινες λαβοῦσαι
15 τὰς λαμπάδας αὐτῶν ἐξῆλθον εἰς ἀπάντησιν τοῦ νυμφίου. Πέντε δὲ ἦσαν ἐξ αὐτῶν φρόνιμοι, καὶ αἱ πέντε μωραί· αἵτινες μωραί, λαβοῦσαι τὰς λαμπάδας αὐτῶν, οὐκ ἔλαβον μεθ' ἑαυτῶν ἔλαιον· αἱ δὲ φρόνιμοι ἔλαβον ἔλαιον ἐν τοῖς ἀγγείοις αὐτῶν μετὰ τῶν λαμπάδων αὐτῶν.
20 Χρονίζοντος δὲ τοῦ νυμφίου, ἐνύσταξαν πᾶσαι καὶ ἐκάθευδον. Μέσης δὲ νυκτὸς κραυγὴ ἐγένετο· Ἰδοὺ ὁ νυμφίος ἔρχεται, ἐξέρχεσθε εἰς ἀπάντησιν αὐτοῦ. Τότε ἐγερθεῖσαι πᾶσαι αἱ παρθένοι ἐκεῖναι ἐκόσμησαν τὰς λαμπάδας αὐτῶν· αἱ δὲ μωραὶ ταῖς φρονίμοις εἶπαν·
25 Δότε ἡμῖν ἐκ τοῦ ἐλαίου ὑμῶν, ὅτι αἱ λαμπάδες ἡμῶν
d σβέννυνται. Ἀπεκρίθησαν δὲ αἱ φρό|νιμοι λέγουσαι· Μήποτε οὐ μὴ ἀρκέσῃ ἡμῖν τε καὶ ὑμῖν· πορεύεσθε δὲ μᾶλλον πρὸς τοὺς πωλοῦντας καὶ ἀγοράσατε ἑαυταῖς. Ἀπερχομένων δὲ αὐτῶν ἀγοράσαι ἦλθεν ὁ νυμφίος, καὶ αἱ
30 ἕτοιμοι εἰσῆλθον μετὰ τοῦ νυμφίου εἰς τοὺς γάμους, καὶ ἐκλείσθη ἡ θύρα. Ὕστερον δὲ ἔρχονται καὶ αἱ λοιποὶ
1605 παρθένοι, λέγου|σαι· Κύριε, Κύριε, ἄνοιξον ἡμῖν. Ὁ δὲ ἀποκριθεὶς εἶπεν· Ἀμὴν ἀμὴν λέγω ὑμῖν, οὐκ οἶδα ὑμᾶς. Γρηγορεῖτε οὖν, ὅτι οὐκ οἴδατε τὴν ἡμέραν οὐδὲ τὴν
35 ὥραν[a]. »

4 a. Matth. 25, 1-13.

si fortement unis entre eux par leur participation commune à l'amour du Christ ne sont pas autorisés à sortir du lieu propre où s'exerce leur charisme, comment ne devons-nous pas bien davantage distinguer des lieux consacrés ceux qui sont mis à part pour des activités étrangères, voire opposées au culte ? Car tout, les passages cités et non cités de l'Écriture inspirée de Dieu, les passages du même genre, les exemples donnés plus haut, tout doit nous apprendre que l'action accomplie en violation du lieu aboutit par un retournement à l'opposé du but fixé.

... le temps Sur la transgression relative au temps, nous pouvons écouter ces paroles de notre Seigneur Jésus-Christ lui-même : « Le royaume des cieux ressemble donc à dix vierges, qui, ayant pris leurs lampes, sortirent à la rencontre de l'époux. Cinq d'entre elles étaient sages et cinq étaient sottes. Celles qui étaient sottes prirent leurs lampes sans prendre d'huile avec elles. Les sages prirent de l'huile dans leurs fioles en même temps que leurs lampes. Comme l'époux se faisait attendre, elles s'assoupirent toutes et s'endormirent. Mais au milieu de la nuit, il y eut un cri : Voici que l'époux arrive ; sortez à sa rencontre. Alors toutes ces vierges se réveillèrent et apprêtèrent leurs lampes. Les sottes dirent aux sages : Donnez-nous de votre huile car nos lampes s'éteignent. Les sages répondirent : Jamais il n'y en aurait assez pour nous et pour vous. Allez plutôt chez les marchands et achetez-en pour vous-mêmes. Comme elles partaient en acheter, l'époux arriva ; les vierges qui étaient prêtes entrèrent avec lui dans la salle des noces et la porte se referma. Plus tard, les autres vierges arrivent aussi en disant : Seigneur, Seigneur, ouvre-nous. Mais il leur répondit : En vérité, je vous le dis, je ne vous connais pas. Veillez donc car vous ne savez ni le jour ni l'heure[a]. »

5 Διόπερ τὴν περὶ τοῦ αὐτου κρίματος πολλάκις γινομένην παραγγελίαν σφοδρότερον καθάπτεσθαι καὶ πιστεύεσθαι μᾶλλον εἰδώς, καὶ ἐν ἑτέρῳ τόπῳ κατὰ τὸν αὐτὸν νοῦν εἰρημένην παραθήσομαι. Φησὶ δὲ αὐτὸς ὁ
5 Κύριος· « Πολλοὶ ζητήσουσιν εἰσελθεῖν καὶ οὐκ ἰσχύσουσιν. Ἀφ' οὗ ἐὰν εἰσέλθῃ ὁ οἰκοδεσπότης καὶ κλείσῃ τὴν θύραν, καὶ ἄρξησθε λέγειν· Κύριε, Κύριε, ἄνοιξον ἡμῖν, καὶ τότε ἀποκριθεὶς ἐρεῖ· Οὐκ οἶδα ὑμᾶς πόθεν ἐστέ [a]. Διὰ τοῦτο λέγω ὑμῖν· Γίνεσθε ἕτοιμοι, ὅτι ᾗ ὥρᾳ
10 οὐ δοκεῖτε, ὁ Υἱὸς τοῦ ἀνθρώπου ἔρχεται [b] », καὶ πολλαχοῦ ὁμοίως.

b Εἰ | δὲ δεῖ καὶ τὸν Ἀπόστολον προσκαλέσασθαι εἰς μαρτυρίαν, ἀκούσωμεν αὐτοῦ μνημονεύσαντος μὲν τοῦ Προφήτου λέγοντος· « Καιρῷ δεκτῷ ἐπήκουσά σου, καὶ
15 ἐν ἡμέρᾳ σωτηρίας ἐβοήθησά σοι [c] », ἐπενεγκόντος δὲ τὸ παρ' ἑαυτοῦ· « Ἰδοὺ νῦν καιρὸς εὐπρόσδεκτος, ἰδοὺ νῦν ἡμέρα σωτηρίας [d] »· καὶ πάλιν· « Ἄρ' οὖν ὡς καιρὸν ἔχομεν, ἐργαζώμεθα τὸ ἀγαθὸν πρὸς πάντας, μάλιστα δὲ πρὸς τοὺς οἰκείους τῆς πίστεως [e]. » Εἰ δὲ καὶ ἄλλης
20 μαρτυρίας χρεία, μνημονεύσωμεν τοῦ Δαβὶδ εἰπόντος· «Ὑπὲρ ταύτης προσεύξεται πρὸς σὲ πᾶς ὅσιος ἐν καιρῷ εὐθέτῳ [f] », καὶ τοῦ Σολομῶντος κατὰ καιροὺς ὁρισαμένου ὅτι « πάντα καλὰ ἐν καιρῷ αὐτῶν [g] ».

6 Παρὰ πρόσωπον δέ, ἐν μὲν τῇ παλαιᾷ Διαθήκῃ, ὡς
c ἐπὶ τοῦ Κορὲ καὶ τολμησάντων ἐπεισελθεῖν τῇ | μὴ δοθείσῃ αὐτοῖς ἱερωσύνῃ, καὶ ὑποπεσόντων ἀποτομίᾳ ὀργῆς εἰς ὄλεθρον καὶ ἀπώλειαν φρικωδεστέραν [a], παρ'

5 a. Lc 13, 24-25 || b. Matth. 24, 44 || c. II Cor. 6, 2 || d. II Cor. 6, 2 || e. Gal. 6, 10 || f. Ps. 31, 6 || g. Eccl. 3, 11.

6 a. Cf. Nombr. 16, 1-35.

---

9. Cf *supra*, 1549 b.

10. Ce verset de l'Ecclésiaste comporte une référence à Dieu que Basile a supprimée : cf. Introd., p. 36.

11. Basile fait plusieurs fois allusion à cet épisode, en particulier en *Rb* 276 : « Encenser le Seigneur était à la fois une chose

5 Lorsque, sur le même sujet, une recommandation est faite plusieurs fois, elle touche plus fortement et on y croit davantage, je le sais[9]. C'est pourquoi, j'en présenterai encore une, tirée d'un autre passage, mais allant dans le même sens. C'est le Seigneur lui-même qui parle : « Beaucoup chercheront à entrer et n'y parviendront pas. Dès que le maître de maison sera entré et aura fermé la porte et que vous commencerez à dire : Seigneur, Seigneur, ouvre-nous, alors il vous répondra : Je ne sais d'où vous êtes[a]. Voilà pourquoi je vous dis : Tenez-vous prêts, car c'est à l'heure que vous ne pensez pas que vient le Fils de l'homme[b]. » Et en de nombreux passages, c'est la même recommandation.

D'autre part, s'il faut invoquer aussi le témoignage de l'Apôtre, écoutons-le rappeler la parole du prophète : « Au temps favorable je t'ai exaucé et au jour du salut je t'ai secouru[c] », puis ajouter de son propre fonds : « Le voici maintenant le temps favorable, le voici maintenant le jour du salut[d]. » Écoutons-le nous dire encore : « Ainsi donc, pendant que nous en avons le temps, pratiquons le bien à l'égard de tous et surtout de nos frères dans la foi[e]. » Et si un autre témoignage est encore nécessaire, citons David qui a dit : « C'est pourquoi tout homme pieux te priera au moment favorable[f] », et Salomon qui a prononcé cet aphorisme concernant les temps : « Toute chose est belle en son temps[g 10]. »

... la personne

6 Passons à la transgression concernant la personne. L'Ancien Testament nous instruit à ce sujet avec l'épisode de Coré et de ses compagnons qui osèrent s'introduire dans une dignité qui ne leur avait pas été octroyée, celle du sacerdoce : ils tombèrent sous le coup d'une âpre colère qui les livra à la mort et à une destruction plus effroyable[a 11]. D'autre

bonne et voulue de Dieu, mais il ne lui plaisait pas que ce fût fait par les partisans de Dathan et d'Abiron » (*Monast*, p. 322).

5 αὐτοῦ δὲ τοῦ Κυρίου παιδευόμεθα τοῦ ἀσφαλίζεσθαι, εἰπόντος πρὸς τοὺς μαθητάς· « Οὐκ ἀπεστάλην εἰ μὴ πρὸς τὰ πρόβατα τὰ ἀπολωλότα οἴκου Ἰσραήλ[b] », πρὸς δὲ τὴν γυναῖκα· « Οὐκ ἔστι καλὸν λαβεῖν τὸν ἄρτον τῶν τέκνων καὶ βαλεῖν τοῖς κυναρίοις[c]. »

10 Παρὰ πρᾶγμα δέ, ἐκ μὲν τῆς παλαιᾶς Διαθήκης ὅταν ἐντολῆς δοθείσης προσφέρειν θυσίαν ἀπὸ καθαρῶν καὶ ὁλοκλήρων καὶ ἀμώμων, μὴ ἐκ τοιούτων προσενεχθῇ, περὶ οὗ ὁ Θεὸς εἶπε· « Προσάγαγε αὐτὸ τῷ ἄρχοντί σου, εἰ προσδέξεται αὐτό, εἰ λήψεται πρόσωπόν σου[d] », ἐκ δὲ 15 τῆς καινῆς Διαθήκης παρ' αὐτοῦ τοῦ Κυρίου ἡμῶν Ἰησοῦ Χριστοῦ, τῆς προφητείας Ἡσαΐου μνημονεύσαντος κατὰ d τῶν | Ἰουδαίων, ὅτι « καλῶς προεφήτευσεν Ἡσαΐας περὶ ὑμῶν λέγων· Ὁ λαὸς οὗτος τοῖς χείλεσί με τιμᾷ, ἡ δὲ καρδία αὐτῶν πόρρω ἀπέχει ἀπ' ἐμοῦ· μάτην δὲ σέβονταί 20 με διδάσκοντες διδασκαλίας ἐντάλματα ἀνθρώπων[e] », παρὰ δὲ τοῦ Ἀποστόλου μαρτυροῦντος μὲν τῇ συνειδήσει τῶν Ἰουδαίων, καταγινώσκοντος δὲ αὐτῶν ἐν τῇ διαφορᾷ 1608 τῆς δικαιοσύνης. Γράφει δὲ | οὕτως· « Μαρτυρῶ γὰρ αὐτοῖς ὅτι ζῆλον Θεοῦ ἔχουσιν, ἀλλ' οὐ κατ' ἐπίγνωσιν. 25 Ἀγνοοῦντες γὰρ τὴν τοῦ Θεοῦ δικαιοσύνην καὶ τὴν ἰδίαν ζητοῦντες στῆσαι, τῇ δικαιοσύνῃ τοῦ Θεοῦ οὐχ ὑπετάγησαν[f]. »

Διόπερ ὁ Ἀπόστολος, τῆς πρὸς Θεὸν εὐαρεστήσεως γνησίως πεφροντικώς, μετὰ τὴν διήγησιν τῶν ἐν τῷ νόμῳ 30 ἀνωτάτω κατορθωθέντων αὐτῷ δικαιωμάτων ἐπιφέρει· « Ἀλλὰ μὲν οὖν καὶ ἡγοῦμαι τὰ πάντα ζημίαν εἶναι διὰ τὸ ὑπερέχον τῆς γνώσεως Ἰησοῦ Χριστοῦ τοῦ Κυρίου μου, δι' ὃν τὰ πάντα ἐζημιώθην καὶ ἡγοῦμαι σκύβαλα εἶναι, ἵνα Χριστὸν κερδήσω καὶ εὑρεθῶ ἐν αὐτῷ μὴ ἔχων

b. Matth. 15, 24 || c. Matth. 15, 26 || d. Mal. 1, 8 || e. Mc 7, 6-7 || f. Rom. 10, 2-3.

part, le Seigneur lui-même nous apprend à nous garder de cette transgression, ayant dit à ses disciples : « Je n'ai été envoyé qu'aux brebis perdues de la maison d'Israël[b] », et à la femme : « Il n'est pas beau de prendre le pain des enfants et de le jeter aux petits chiens[c]. »

... l'objet Pour la transgression concernant l'objet, elle se produit, d'après l'Ancien Testament, toutes les fois que, malgré l'ordre donné d'offrir en sacrifice des choses pures, intactes, irréprochables, on n'apporte pas une offrande de cette sorte, désobéissance dont Dieu a dit : « Présente cela à ton maître, vois s'il en sera content, s'il agréera ta personne[d]. » Considérons aussi le Nouveau Testament. Notre Seigneur Jésus-Christ lui-même a mentionné la prophétie d'Isaïe contre les Juifs : « Isaïe, déclara-t-il, a bien prophétisé en disant de vous : Ce peuple m'honore des lèvres, mais leur cœur est loin de moi, c'est en vain qu'ils me rendent un culte, car ils donnent pour enseignement des préceptes humains[e]. » D'autre part, l'Apôtre qui témoigne en faveur de la conscience des Juifs les condamne cependant, parce que leur justice s'est égarée. Voici ce qu'il écrit : « Je leur rends ce témoignage qu'ils ont le zèle de Dieu, mais c'est un zèle mal éclairé, car, méconnaissant la justice de Dieu et cherchant à établir la leur propre, ils ne se sont pas soumis à la justice de Dieu[f]. »

C'est pourquoi, dans un souci sincère de plaire à Dieu, l'Apôtre, après avoir énuméré les œuvres de justice les plus hautes qu'il avait accomplies selon la Loi, continue ainsi : « Eh bien ! tout cela, je vais jusqu'à le considérer comme un dommage au regard de ce bien suprême, la connaissance de Jésus-Christ mon Seigneur. Pour lui, j'ai subi tous les dommages, je regarde tout comme balayures, quand il s'agit de gagner le Christ et d'être trouvé en lui non pas avec ma justice propre, celle

35 ἐμὴν δικαιοσύνην τὴν ἐκ νόμου, ἀλλὰ τὴν διὰ πίστεως Ἰησοῦ Χριστοῦ, τὴν ἐκ Θεοῦ δικαιοσύνην ἐπὶ τῇ πίστει, τοῦ γνῶναι αὐτόν [g] », καὶ τὰ ἑξῆς. Διὰ δὲ τούτων καὶ τῶν
b τοιούτων | ἡμᾶς παιδεύει πολὺ περισσοτέρως φυλάσσεσθαι ἐπεισαγαγεῖν ποτε τῷ τοῦ Κυρίου ἡμῶν Ἰησοῦ
40 Χριστοῦ κανόνι τῆς πρὸς Θεὸν εὐαρεστήσεως ἀνθρωπίνην δικαιοσύνην.

7 Παρὰ μέτρον δέ, ἀρκεῖν ἡγοῦμαι τοῦ Κυρίου ἡμῶν Ἰησοῦ Χριστοῦ μνημονεῦσαι πρὸς ἀντιδιαστολὴν τοῦ μέτρου τῆς παλαιᾶς ἀγάπης — γέγραπται δέ· « Ἀγαπήσεις τὸν πλησίον σου ὡς σεαυτόν [a] » — εἰπόντος·
5 « Ἐντολὴν καινὴν δίδωμι ὑμῖν, ἵνα ἀγαπᾶτε ἀλλήλους καθὼς ἐγὼ ἠγάπησα ὑμᾶς [b]. Μείζονα ταύτης ἀγάπην οὐδεὶς ἔχει, ἵνα τις τὴν ψυχὴν αὐτοῦ θῇ ὑπὲρ τῶν φίλων αὐτοῦ [c]. » Καὶ καθόλου περὶ πάντων ὁμοῦ τῶν δικαιωμάτων ἔστι μαθεῖν παρ' αὐτοῦ τοῦ Κυρίου διορισαμένου·
c 10 « Ἐὰν μὴ περισ|σεύσῃ ὑμῶν ἡ δικαιοσύνη πλέον τῶν γραμματέων καὶ φαρισαίων, οὐ μὴ εἰσέλθητε εἰς τὴν βασιλείαν τῶν οὐρανῶν [d]. »

Παρὰ τάξιν δὲ καὶ ἀκολουθίαν, ὅταν τὰ πρῶτα ἐν δευτέρῳ τόπῳ ἢ τρίτῳ τις σπουδάζῃ, καὶ τὰ ἐν τρίτῳ
15 τόπῳ προστεταγμένα ἀρχὴν ἡγήσηται τῶν προτεταγμένων, τοῦ γὰρ Κυρίου προστάξαντος τῷ εἰπόντι· « Ταῦτα πάντα ἐφυλαξάμην ἐκ νεότητός μου [e] », τὸ « Πώλησόν σου τὰ ὑπάρχοντα καὶ δὸς πτωχοῖς, καὶ ἆρον τὸν σταυρόν σου καὶ δεῦρο ἀκολούθει μοι [f] », εἴ τις τῷ
20 μηδὲν πεποιηκότι τῶν προτεταγμένων τὸ δεύτερον « ἀκολούθει μοι » ἐπιτρέποι, καὶ ὡς πάλιν λέγοντος τοῦ Κυρίου· « Εἴ τις ἔρχεται πρός με, ἀπαρνησάσθω ἑαυτὸν

g. Phil. 3, 8-10.

7 a. Lév. 19, 18 || b. Jn 13, 34 || c. Jn 15, 13 || d. Matth. 5, 20 || e. Mc 10, 20 || f. Mc 10, 21.

---

12. Comme en *Rb* 98 (1152a), Basile fond en une seule 2 citations distinctes de S. Jean.

13. Τάξις : cf. *supra*, p. 83 et n. 5.

qui vient de la Loi, mais avec la justice qui s'obtient par la foi en Jésus-Christ, celle qui vient de Dieu et s'appuie sur la foi, cela, afin de le connaître [g] », etc. Par ces paroles et des paroles semblables, il nous enseigne à nous garder bien davantage de jamais introduire la justice humaine dans la règle de notre Seigneur Jésus-Christ, qui est de plaire à Dieu.

... la mesure

7 Au sujet de la transgression concernant la mesure, il suffit, je pense de citer notre Seigneur Jésus-Christ. Pour marquer la différence avec la mesure de l'amour ancien, indiquée par ce mot de l'Écriture : « Tu aimeras ton prochain comme toi-même [a] », il a déclaré : « Je vous donne un commandement nouveau, que vous vous aimiez les uns les autres comme moi-même je vous ai aimés [b], Il n'y a pas d'amour plus grand que celui-ci, donner sa vie pour ses amis [c] [12]. » Et d'une façon générale, pour toutes les œuvres de justice pareillement, on peut s'instruire auprès du Seigneur, qui a lui-même fixé cette mesure : « Si votre justice ne dépasse pas celle des scribes et des pharisiens, non, certes, vous n'entrerez pas dans le royaume des cieux [d]. »

... l'ordre

Il y a transgression sur l'ordre et la succession des choses [13], quand on s'occupe des choses premières en second ou en troisième lieu et quand on accorde aux choses prescrites en troisième lieu la priorité sur celles qui précèdent. A son interlocuteur qui avait répondu : « Tout cela, je l'ai observé dès ma jeunesse [e] » le Seigneur prescrivit : « Vends ce que tu as, donne-le aux pauvres, prends ta croix, puis viens et suis-moi [f]. » Ce serait violer l'ordre, si à quelqu'un qui n'a rien fait de ce qui précède, on permettait de faire ce qui vient après : « Suis-moi »; et de même, lorsque le Seigneur dit encore : « Si quelqu'un vient à moi, qu'il

καὶ ἀράτω τὸν σταυρὸν αὐτοῦ καὶ ἀκολουθείτω μοι[g] »,
d τὸ ἀκολουθεῖν προτάσσοι τῶν προτε|ταγμένων, καὶ πάλιν
25 τοῦ Κυρίου μετὰ πολλὰ ἐπενεγκόντος τὸ « οὕτω πᾶς ἐξ
ὑμῶν ὃς οὐκ ἀποτάσσεται τοῖς ἑαυτοῦ ὑπάρχουσιν οὐ
δύναταί μου εἶναι μαθητής[h] », πρὸ τοῦ τὰ προειρημένα
φυλάξαι μαθητὴς εἶναι φαντάζοιτο. Διόπερ ἀναγκαῖον
φυλάσσειν τὸ τοῦ Ἀποστόλου παράγγελμα, εἰπόντος·
30 « Πάντα εὐσχημόνως καὶ κατὰ τάξιν γινέσθω[i]. »

1609 | **8** Παρὰ διάθεσιν δέ, ὡς ὅταν λέγῃ ὁ Κύριος περὶ μὲν
τῶν πάθει ἀνθρωπαρεσκείας ποιούντων ἐλεημοσύνην ἢ
ἄλλο τι δικαίωμα πρὸς τὸ θεαθῆναι τοῖς ἀνθρώποις·
« Ἀμὴν λέγω ὑμῖν, ἀπέχουσι τὸν μισθὸν αὐτῶν[a]. » Ἔτι
5 δὲ σφοδρότερον παρίστησι τὴν κακίαν τῶν διὰ πάθος
ἀνθρώπινον ποιούντων τὴν ἐντολὴν τοῦ Κυρίου, δεικνύων
ὅτι οὐ μόνον μισθοῦ ἐκπίπτει, ἀλλὰ καὶ τιμωρίας ἄξιος ὁ
ποιῶν ἐντολὴν μὴ κατὰ θεοσέβειαν, ἀλλὰ κατὰ ἀνθρωπα-
ρέσκειαν ἤ τινος ἄλλης ἡδονῆς ἕνεκεν, ἢ πλεονεξίας ἢ
10 πραγματείας· ὧν κατηγορεῖ καὶ ὁ Ἀπόστολος. Αὐτὸς δὲ
ὁ Κύριος σφοδρότερον κατακρίνων τοὺς τοιούτους λέγει·
« Πολλοὶ ἐλεύσονται ἐν ἐκείνῃ τῇ ἡμέρᾳ λέγοντες·
Κύριε, κύριε, οὐ τῷ σῷ ὀνόματι προεφητεύσαμεν, καὶ τῷ
b σῷ ὀνόματι δαιμόνια ἐξεβάλομεν | καὶ δυνάμεις πολλὰς
15 ἐποιήσαμεν[b]; καὶ ἐφάγομεν μετὰ σοῦ καὶ ἐπίομεν, καὶ ἐν
ταῖς πλατείαις ἡμῶν ἐδίδαξας[c]· καὶ τότε ἀποκριθήσομαι
αὐτοῖς λέγων· Ἀποχωρεῖτε ἀπ' ἐμοῦ· οὐκ οἶδα ὑμᾶς
πόθεν ἐστέ, ἐργάται ἀνομίας[d]. »

Ὡς ἐκ τούτων καὶ τῶν τοιούτων δῆλον εἶναι ὅτι, κἂν
20 χαρίσματά τις ἐνεργήσῃ, κἂν ἐντολὰς ποιήσῃ, μὴ κατὰ

g. Lc 14, 26 || h. Lc 14, 33 || i. I Cor. 14, 40.

8 a. Matth. 6, 5 || b. Matth. 7, 22 || c. Lc 13, 26 || d. Matth. 7, 22-23.

14. Le « désir de plaire aux hommes » est considéré partout dans les *Ascétiques* comme un mal grave, un πάθος dont il faut absolument se guérir.

renonce à lui-même, prenne sa croix et me suive[g] », si on mettait l'ordre de suivre avant les ordres précédents ; et de même encore, lorsque le Seigneur, après avoir longuement instruit la foule, ajoute cette conclusion : « Ainsi, quiconque parmi vous ne renonce pas à ce qu'il possède, ne peut être mon disciple[h] », si on s'imaginait être disciple avant d'avoir observé les instructions données d'abord. Voilà pourquoi il est nécessaire d'observer ce précepte de l'Apôtre : « Que tout se fasse avec bienséance et selon l'ordre[i]. »

... les dispositions intérieures

8 Quant à la transgression relative aux dispositions intérieures, on en a un exemple, lorsque le Seigneur déclare, à propos de ceux qui font l'aumône ou quelque autre œuvre de justice par un désir passionné de plaire aux hommes[14] et pour se faire voir d'eux : « En vérité je vous le dis, ils ont reçu leur récompense[a]. » Il présente encore plus sévèrement le mal chez ceux qui exécutent ses commandements par passion humaine, lorsqu'il montre que non seulement on perd la récompense, mais que, de plus, on mérite un châtiment si on exécute l'ordre non par piété, mais par désir de plaire aux hommes ou dans quelque autre vue : plaisir, cupidité, soin des affaires — conduite que blâme aussi l'Apôtre. Lui-même, le Seigneur déclare, en condamnant plus sévèrement de tels individus : « Beaucoup viendront en ce jour-là disant : Seigneur, Seigneur, n'est-ce pas en ton nom que nous avons prophétisé, en ton nom que nous avons chassé les démons et accompli beaucoup de miracles[b] ? Nous avons mangé et bu en ta compagnie, tu as enseigné sur nos places[c]. Et alors je leur répondrai : Éloignez-vous de moi, je ne sais d'où vous êtes, ouvriers d'iniquité[d]. »

Ainsi, ces passages et d'autres semblables montrent clairement que vous avez beau opérer des charismes,

διάθεσιν δὲ καὶ σκοπὸν ὃν ἐδίδαξεν ὁ Κύριος εἰπών· « Οὕτως λαμψάτω τὸ φῶς ὑμῶν ἔμπροσθεν τῶν ἀνθρώπων, ὅπως ἴδωσιν ὑμῶν τὰ καλὰ ἔργα καὶ δοξάσωσι τὸν Πατέρα ὑμῶν τὸν ἐν τοῖς οὐρανοῖς[e] » — καὶ
25 Παῦλος δὲ ὁ ἐν Χριστῷ λαλῶν φησιν· « Εἴτε ἐσθίετε εἴτε πίνετε εἴτε τι ποιεῖτε, πάντα εἰς δόξαν Θεοῦ ποιεῖτε[f] » — δικαίως ἀκούει ἅπερ ἀπεκρίνατο ὁ Κύριος.

Ὅθεν ὁ Ἀπόστολος ἔμαθεν εἰπεῖν· « Ἐὰν ταῖς
c γλώσσαις τῶν | ἀνθρώπων λαλῶ καὶ τῶν ἀγγέλων, ἀγά-
30 πην δὲ μὴ ἔχω, γέγονα χαλκὸς ἠχῶν ἢ κύμβαλον ἀλαλάζον, κἂν ἔχω προφητείαν καὶ εἰδῶ τὰ μυστήρια πάντα καὶ πᾶσαν τὴν γνῶσιν, κἂν ἔχω πᾶσαν τὴν πίστιν ὥστε ὄρη μεθιστάνειν, ἀγάπην δὲ μὴ ἔχω, οὐθέν εἰμι. Κἂν ψωμίσω πάντα τὰ ὑπάρχοντά μου, καὶ ἐὰν παραδῶ
35 τὸ σῶμά μου ἵνα καυθήσωμαι, ἀγάπην δὲ μὴ ἔχω, οὐδὲν ὠφελοῦμαι[g]. » Καὶ ἀλλαχοῦ καθολικώτερον καὶ σφοδρότερόν φησιν· « Εἰ ἔτι ἀνθρώποις ἤρεσκον, Χριστοῦ δοῦλος οὐκ ἂν ἤμην[h]. »

9 Εἰ δὲ καὶ τῆς παλαιᾶς Διαθήκης μαρτυρίαν ἐπιζη-
d τεῖς εἰς πληροφορίαν τοῦ τοιούτου κρίματος, | Μωϋσῆς φησιν· « Ἀγαπήσεις Κύριον τὸν Θεόν σου ἐξ ὅλης τῆς καρδίας σου καὶ ἐξ ὅλης τῆς ψυχῆς σου καὶ ἐξ ὅλης τῆς
5 διανοίας σου καὶ ἐξ ὅλης τῆς ἰσχύος σου[a], καὶ ἀγαπήσεις τὸν πλησίον σου ὡς σεαυτόν[b]. » Οἷς ἐπιφέρει ὁ Κύριος· « Ἐν ταύταις ταῖς δυσὶν ἐντολαῖς ὅλος κρέμαται ὁ νόμος καὶ οἱ προφῆται[c]. » Μαρτυρεῖ δὲ καὶ ὁ Ἀπόστολος
1612 λέγων· « Πλήρωμα νόμου ἡ | ἀγάπη[d] ». Ὅτι δὲ οὐκ
10 ἀτιμώρητοι οἱ μὴ κατορθοῦντες ταύτας καὶ τὰ ταύταις ὑποπίπτοντα δικαιώματα, τιμωρίας δέ εἰσιν ὑπόδικοι, αὐτὸς Μωϋσῆς βοᾷ καὶ λέγει· « Ἐπικατάρατος πᾶς ὃς οὐκ ἐμμένει πᾶσι τοῖς γεγραμμένοις ἐν τῷ βιβλίῳ

e. Matth. 5, 16 || f. I Cor. 10, 31 || g. I Cor. 13, 1-3 || h. Gal. 1, 10.

9 a. Deut. 6, 5 || b. Lév. 19, 18 || c. Matth. 22, 40 || d. Rom. 13, 10.

accomplir les commandements, si vous n'agissez pas dans les dispositions intérieures ni pour le but enseignés par le Seigneur quand il a dit : « Que votre lumière brille devant les hommes, de sorte qu'ils voient vos bonnes œuvres et louent votre Père qui est dans les cieux[e] » — et de son côté Paul parlant dans le Christ affirme : « Soit que vous mangiez, soit que vous buviez, et quoi que vous fassiez, faites tout pour la gloire de Dieu[f] » —, alors, c'est à bon droit que vous vous entendez répondre ce qu'a répondu le Seigneur.

Cet enseignement conduisit l'Apôtre à dire : « Si je parle les langues des hommes et des anges, mais que je n'aie pas l'amour, je suis un airain qui résonne ou une cymbale qui retentit. Si j'ai le don de prophétie, si je connais tous les mystères et toute la science, si j'ai toute la foi au point de transporter les montagnes, mais que je n'aie pas l'amour, je ne suis rien. Si je distribue tous mes biens en aumônes, si je livre mon corps aux flammes, mais que je n'aie pas l'amour, cela ne m'est d'aucune utilité[g]. » Et ailleurs il affirme, de façon plus générale et plus forte : « Si j'en étais encore à vouloir plaire aux hommes, je ne serais pas le serviteur du Christ[h]. »

9 Et si on cherche en outre un témoignage dans l'Ancien Testament pour acquérir pleine assurance sur une telle question, voici Moïse qui déclare : « Tu aimeras le Seigneur ton Dieu, de tout ton cœur, de toute ton âme, de toute ta pensée et de toute ta force[a], et tu aimeras ton prochain comme toi-même[b] », paroles auxquelles le Seigneur ajoute : « De ces deux commandements dépendent toute la Loi et les prophètes[c] », et dont témoigne aussi l'Apôtre quand il dit : « L'amour est la plénitude de la Loi[d]. » Que de plus, on ne reste pas impuni si on n'accomplit pas ces commandements et les œuvres de justice qui en découlent, mais que l'on s'expose au châtiment, Moïse lui-même le crie dans cette parole : « Maudit soit quiconque ne demeure pas fidèle à

τούτῳ [e]. » Ὁ δὲ Δαβίδ φησιν· « Εἰ ἐθεώρουν ἀδικίαν ἐν
15 καρδίᾳ μου, μὴ εἰσακουσάτω μου Κύριος [f] »· καὶ ἀλλαχοῦ· « Ἐκεῖ φοβηθήσονται φόβον οὗ οὐκ ἦν φόβος, ὅτι ὁ Θεὸς διεσκόρπισεν ὀστὰ ἀνθρωπαρέσκων [g]. »

Πολλῆς οὖν ἐπιμελείας καὶ φροντίδος ἐπαγρύπνου χρεία μήπως, παρά τι τῶν εἰρημένων τὴν ἐντολὴν
20 ἐργασάμενοι, μὴ μόνον τοῦ τοιούτου καὶ τοσούτου μισθοῦ ἐκπέσωμεν, ἀλλὰ καὶ ταῖς οὕτω φοβεραῖς ἀπειλαῖς ὑποπέσωμεν.

e. Deut. 27, 26 || f. Ps. 65, 18 || g. Ps. 52, 6.

tout ce qui est écrit dans ce livre[e]. » Et David de son côté affirme : « Si j'ai médité l'injustice dans mon cœur, que le Seigneur ne me prête pas l'oreille[f] » ; ailleurs il dit encore : « Ils seront saisis d'effroi là où il n'y avait aucun sujet d'effroi, car Dieu disperse les os de ceux qui ont voulu plaire aux hommes[g 15]. »

Conclusion

Il faut donc beaucoup d'application et un zèle vigilant pour ne violer en aucune façon, dans l'exécution du commandement, l'une des conditions susdites, ce qui non seulement nous ferait perdre une si belle et si grande récompense, mais encore nous exposerait à des menaces si redoutables.

15. Tout ce développement sur la διάθεσις reprend l'enseignement de *Mor* 18, 2 et met en garde contre le « désir de plaire aux hommes » (voir n. précédente).

θʹ.

b | **Εἰ χρὴ συγκοινωνεῖν τοῖς παρανομοῦσιν ἢ τοῖς ἀκάρποις ἔργοις τοῦ σκότους[a], κἂν μὴ ὦσι τῶν ἐμοὶ πιστευθέντων οἱ τοιοῦτοι.**

1 Παράνομος μέν ἐστιν πᾶς ὁ μὴ ὁλόκληρον τὸν νόμον φυλάξας ἢ καὶ ὁ μίαν ἐντολὴν παραβάς. Ἐν γὰρ τῇ ἐλλείψει καὶ τοῦ μικροῦ τὸ πᾶν κινδυνεύει· τὸ γὰρ παρ' ὀλίγον γεγονὸς οὐ γέγονεν. Ὥσπερ γὰρ ὁ παρ' ὀλίγον 5 ἀποθανὼν οὐκ ἀπέθανεν ἀλλὰ ζῇ, καὶ ὁ παρ' ὀλίγον ζήσας οὐ ζῇ ἀλλὰ ἀπέθανε, καὶ ὁ παρ' ὀλίγον εἰσελθὼν οὐκ εἰσῆλθεν, ὡς αἱ πέντε παρθένοι[b], οὕτως ὁ παρ' ὀλίγον φυλάξας τὸν νόμον οὐκ ἐφύλαξεν, ἀλλ' ἔστι παράνομος.

Διὸ ἀναγκαῖον ἐπὶ τῶν παρανομούντων, κἂν γνήσιοι c 10 εἶναι δόξωσι, πεί|θεσθαι τῷ Ἀποστόλῳ εἰπόντι ποτὲ μέν· « Ἐάν τις ἀδελφὸς ὀνομαζόμενος ἢ πόρνος ἢ πλεονέκτης ἢ μέθυσος ἢ λοίδορος ἢ ἅρπαξ, τῷ τοιούτῳ μηδὲ συνεσθίειν[c] » — παρατηρητέον δὲ ἐνταῦθα ὅτι οὐχὶ τὸν τὰ πάντα ὄντα ἀφώρισε καὶ αὐτῆς τῆς κοινῆς διαίτης, 15 ἀλλὰ καὶ τὸν ἕν τι ὄντα ἐκ πάντων, ἐν τῷ μὴ εἰπεῖν « τούτῳ », ἀλλὰ « τῷ τοιούτῳ » —, ποτὲ δέ· « Νεκρώ-

1 a. Cf. Éphés. 5, 11 || b. Cf. Matth. 25, 1-13 || c. I Cor. 5, 11.

---

1. La question posée est celle de la conduite à observer avec les pécheurs. Le moine doit-il les tenir à distance ou, au contraire, nouer des relations avec eux dans l'espoir de les convertir ? Basile, qui a souvent abordé cette question, y répond dans ses *Ascétiques* en conseillant toujours un certain éloignement ; pour notre traité, cf. *supra* 1549 c, 1564 a, 1593 a, etc.

Chapitre IX

Faut-il m'associer aux trangresseurs de la Loi, et aux œuvres infructueuses des ténèbres [a], en particulier si ces transgresseurs n'appartiennent pas au groupe qui m'a été confié [1] ?

1 Est transgresseur de la Loi quiconque ne l'a pas observée intégralement ou même en a seulement violé un précepte ; car, lorsque une chose manque, fût-ce une petite chose, le tout se trouve en péril. Ce qui est arrivé à peu de chose près, n'est pas arrivé. Comme celui qui mourut à peu de chose près n'est pas mort mais vivant, que celui qui eut la vie sauve à peu de chose près, n'est pas vivant mais mort et que celui qui entra à peu de chose près, n'est pas entré — témoins les cinq vierges [b] —, ainsi, celui qui a observé la Loi à peu de chose près ne l'a pas observée, mais il est trangresseur de la Loi [2].

Il faut donc, quand il s'agit de ceux qui transgressent la Loi, même s'ils semblent sincères, obéir à l'Apôtre. Celui-ci nous a dit, une fois : « Si quelqu'un, tout en portant le nom de frère, est fornicateur ou cupide ou ivrogne ou insulteur ou rapace, il ne faut même pas prendre de repas avec un tel homme [c] » — et ici il faut observer que ce n'est pas le frère ayant tous ces vices ensemble qu'il a bel et bien retranché de la table commune, mais celui qui en aurait seulement un sur la totalité, car il n'a pas dit « cet homme » mais « un tel

2. Cette argumentation rappelle la maxime de Sextus citée plus haut en 1528 a (L'à peu de chose près, dans la vie, n'est pas peu de chose). Elle rappelle aussi la pensée de S. Jacques, également citée, en 1529 b (Celui qui accomplit toute la Loi, mais commet un écart sur un seul point est coupable comme l'ayant toute violée).

σατε τὰ μέλη ὑμῶν τὰ ἐπὶ τῆς γῆς· πορνείαν, ἀκαθαρσίαν, πάθος, ἐπιθυμίαν κακήν, καὶ τὴν πλεονεξίαν ἥτις ἐστιν εἰδωλολατρεία, δι᾽ ἃ ἔρχεται ἡ ὀργὴ τοῦ Θεοῦ [d] »,
20 καὶ καθολικώτερον ἐπήγαγεν· « ἐπὶ τοὺς υἱοὺς τῆς ἀπειθείας. Μὴ οὖν γίνεσθε συμμέτοχοι αὐτῶν [e]. » Καὶ πάλιν· « Στέλλεσθαι ὑμᾶς ἀπὸ παντὸς ἀδελφοῦ ἀτάκτως περιπατοῦντος καὶ μὴ κατὰ τὴν παράδοσιν ἣν παρε-
d λάβοσ|αν παρ᾽ ἡμῶν [f] », καὶ πολλαχοῦ ὁμοίως.

2 Τὸ δὲ « μὴ συγκοινωνεῖν τοῖς ἔργοις τοῖς ἀκάρποις [a] » ἵνα σαφῶς γνῶμεν τί ἐστι, πρῶτον καταμάθωμεν κατὰ τίνων πραγμάτων κεῖται τὸ ὄνομα τοῦ ἀκάρπου,
1613 πότερον κατὰ τῶν κατεγνωσμένων μόνον, ἢ | καὶ κατὰ
5 τῶν ἐπαινετῶν μὴ ἐξ ὑγιοῦς διαθέσεως γινομένων. Ἐν μὲν οὖν τῇ παλαιᾷ Διαθήκῃ ὁ Προφήτης ἐν τῇ τοῦ δένδρου παραβολῇ περὶ τῶν ἁγίων εἶπεν· « Ὃ τὸν καρπὸν αὐτοῦ δώσει ἐν καιρῷ αὐτοῦ [b]. » Ὁ δὲ Σολομὼν φησιν· « Ἔργα δικαίων ζωὴν ποιεῖ, καρποὶ δὲ ἀσεβῶν
10 ἁμαρτίας [c]. » Ὠσηὲ δὲ λέγει· « Σπείρατε ἑαυτοῖς εἰς δικαιοσύνην, τρυγήσατε καρπὸν ζωῆς [d]. » Καὶ ὁ Μιχαίας· « Καὶ ἔσται ἡ γῆ εἰς ἀφανισμὸν μετὰ τῶν κατοικούντων ἐν αὐτῇ ἀπὸ καρπῶν ἐπιτηδευμάτων αὐτῶν [e] »· καὶ ἄλλοι προφῆται ἄλλα πλείονα. Ἀλλὰ ταῦτα μὲν ὡς
15 λύχνος [f] λαμπέτω· τὸ δὲ φῶς τὸ ἀληθινόν, ὁ τῆς δικαιοσύνης ἥλιος [g], αὐτὸς ὁ Κύριος ἡμῶν Ἰησοῦς Χριστὸς τρανότερον παρίστησι λέγων· « Οὐ δύναται δένδρον
b ἀγαθὸν καρποὺς πονηροὺς ποιεῖν, οὐδὲ δένδρον | σαπρὸν καρποὺς ἀγαθοὺς ποιεῖν [h] », καὶ ἀλλαχοῦ ὁμοίως.

d. Col. 3, 5-6 || e. Éphés. 5, 6-7 || f. II Thess. 3, 6.

2 a. Cf. Éphés. 5, 11 || b. Ps. 1, 3 || c. Prov. 10, 16 || d. Os. 10, 12 || e. Mich. 7, 13 || f. Cf. II Pierre 1, 19 || g. Cf. Mal. 4, 2 || h. Matth. 7, 18.

---

3. Même distinction entre οὗτος et τοιοῦτος *supra*, 1529 b. En fait, dans la citation de S. Paul c'est la particule disjonctive ἤ plus que le τῷ τοιούτῳ qui justifie la remarque de Basile.

homme »[3]. Il a déclaré une autre fois : « Faites mourir vos membres terrestres : fornication, impureté, passion, désir mauvais, ainsi que la cupidité qui est idôlâtrie ; ces fautes attirent la colère de Dieu[d] », et il a ajouté de façon plus générale : « sur les fils de la désobéissance ; n'ayez donc pas de participation avec eux[e]. » Et il dit encore : « Tenez-vous à l'écart de tout frère qui vit dans le désordre, et non selon la tradition reçue de nous[f]. » Et en maints endroits, il s'exprime de même.

2 Pour ce qui est de « ne pas s'associer aux œuvres infructueuses[a] », si nous voulons savoir clairement ce que cela veut dire, examinons d'abord à quelles actions est appliqué le qualificatif « infructueux[4] ». Est-ce seulement à celles qui sont condamnées ou bien aussi à celles qui, étant louables, ne sont pas faites dans de saines dispositions ? Ainsi dans l'Ancien Testament, le Prophète a dit au sujet des saints, en utilisant la parabole de l'arbre : « Il donnera son fruit en son temps[b] » ; Salomon affirme : « Les œuvres des justes produisent la vie, les fruits des impies produisent le péché[c]. » Osée déclare : « Semez en vous-mêmes pour la justice, récoltez un fruit de vie[d]. » Michée : « Voici que la terre ira à sa destruction avec ceux qui l'habitent en raison des fruits de leurs entreprises[e]. » Et d'autres prophètes ajoutent d'autres considérations. Eh bien ! que ces paroles brillent comme un flambeau[f] ! Mais la lumière véritable nous est présentée plus distinctement par le soleil de la justice[g], notre Seigneur Jésus-Christ lui-même, quand il dit : « Un bon arbre ne peut pas produire de mauvais fruits, ni un arbre gâté produire de bons fruits[h] », et autres paroles semblables.

4. Basile procède pour ἄκαρπος comme il vient de le faire pour παράνομος : il étudie le terme isolément avant de l'examiner dans son contexte.

20 Ἔχοντες οὖν τὸ τῶν καρπῶν ὄνομα ἐπὶ τοῖς ἀλλήλων ἐναντίοις ὁμοίως κείμενον, λοιπὸν καταμάθωμεν ποῖοι μέν εἰσι δένδρα ἄκαρπα, τίνα δὲ ὁ Ἀπόστολος λέγει ἔργα ἄκαρπα. Τὰ μὲν οὖν ἄκαρπα δένδρα δηλοῦται ἡμῖν παρὰ Ἰωάννου τοῦ βαπτιστοῦ, εἰπόντος τοῖς καταξιωθεῖσι τοῦ 25 βαπτίσματος εἰς ἄφεσιν ἁμαρτιῶν, καὶ καθαρισθεῖσιν ἀπὸ παντὸς ῥύπου· « Ποιήσατε οὖν καρποὺς ἀξίους τῆς μετανοίας [i] », καὶ μετ' ὀλίγα ἐπιφέροντος· « Πᾶν οὖν δένδρον μὴ ποιοῦν καρπὸν καλὸν ἐκκόπτεται καὶ εἰς πῦρ βάλλεται [j]. » Τηλαυγέστερον δὲ ὁ Κύριος διδάσκει λέγων 30 τοῖς μὲν ἐκ δεξιῶν ἑστῶσι· « Δεῦτε οἱ εὐλογημένοι τοῦ Πατρός μου, κληρονομήσατε τὴν ἡτοιμασμένην ὑμῖν c βασιλείαν ἀπὸ καταβολῆς κόσμου [k] », | καὶ τοὺς ἀγαθοὺς αὐτῶν καρποὺς δεικνύων ἐν τοῖς ἐπιφερομένοις, τοὺς δὲ ἐξ ἀριστερῶν πέμπων « εἰς τὸ πῦρ τὸ αἰώνιον, τὸ 35 ἡτοιμασμένον τῷ διαβόλῳ καὶ τοῖς ἀγγέλοις αὐτοῦ [l] »· οἷς οὐχ ἁμαρτίας ἐργασίαν ἐγκαλεῖ, ἀλλ' ἀργίαν καρπῶν ἀγαθῶν· « Ἐπείνασα γάρ, φησί, καὶ οὐκ ἐδώκατέ μοι φαγεῖν [m] », καὶ τὰ ἑξῆς· ἥτις ἀργία τῆς μερίδος ἐποίησεν αὐτοὺς γενέσθαι τῶν ἁμαρτωλῶν, οἵτινες ἄγγελοι τοῦ 40 διαβόλου καλοῦνται παρὰ τοῦ Κυρίου.

3 Τῆς διαφορᾶς οὖν φανερωθείσης τῶν τὰ ἐναντία καρποφορούντων καὶ ἀκάρπων, λοιπὸν ἴδωμεν τίνα ἐστὶ μάλιστα ἃ λέγει ὁ Ἀπόστολος ἔργα ἄκαρπα [a]. Ἐγὼ δὲ λογιζόμενος οὐχ εὑρίσκω μεταξὺ τοῦ νομίμως καὶ 5 εὐαρέστως τῷ Θεῷ τὴν ἐντολὴν ἐργαζομένου καὶ τοῦ τὸ d κακὸν ἐργαζομένου καὶ τοῦ μηθ' | ἕτερον ποιοῦντος, εἰ μὴ

i. Matth. 3, 8 || j. Matth. 3, 10 || k. Matth. 25, 34 || l. Cf. Matth. 25, 41 || m. Matth. 25, 42.

3 a. Cf. Éphés. 5, 11.

---

5. Quand elle est appliquée à des hommes, l'expression « anges du diable » désigne ceux qui coopèrent avec Satan, oubliant les promesses de leur baptême : cf. THÉODORE DE MOPSUESTE, *IIe homélie sur le baptême* 8 (éd. Tonneau-Devreesse, *Studi e Testi*

Sachant donc que le nom de « fruits » s'applique de la même façon à des réalités opposées, il nous reste à examiner quelle sorte d'hommes sont les arbres non porteurs de fruits, quelles œuvres, d'autre part, sont déclarées par l'Apôtre œuvres infructueuses. Sur les arbres non porteurs de fruits, Jean-Baptiste nous donne une indication, lorsque, après avoir dit à ceux qui ont été admis au baptême pour la rémission des péchés et purifiés de toute souillure : « Produisez donc des fruits dignes de la conversion [i] », il ajoute presque aussitôt : « Tout arbre, donc, qui ne produit pas de bon fruit est coupé et jeté au feu [j]. » Mais l'enseignement du Seigneur répand une plus grande lumière. A ceux qui se tiennent à sa droite, il dit : « Venez les bénis de mon père ; recevez en héritage le royaume qui vous a été préparé dès la fondation du monde [k] », et il montre leurs bons fruits dans les paroles qui viennent ensuite. Ceux qui sont à sa gauche, au contraire, il les envoie « au feu éternel préparé pour le diable et pour ses anges [l] ». Ce qu'il leur reproche, ce n'est pas d'avoir commis le péché, mais d'avoir omis de produire de bons fruits. « J'ai eu faim, dit-il, et vous ne m'avez pas donné à manger [m] », etc. Cette omission les a mis au rang des pécheurs, appelés par le Seigneur anges du diable [5].

3 La différence entre ceux qui portent du fruit, bon ou mauvais, et ceux qui n'en portent pas ayant été ainsi mise en lumière, il nous reste à voir quelles œuvres principalement sont déclarées par l'Apôtre, œuvres infructueuses [a]. Pour moi, en réfléchissant, je ne trouve pas d'intermédiaires entre celui qui exécute le commandement de façon conforme à la Loi et agréable à Dieu, celui qui commet le mal et celui qui ne fait ni l'un ni

145, p. 379-381) ; IRÉNÉE, *Adv. haer.* IV, 41. S'appuyant sur Matthieu, Basile assimile à ces grands coupables les pécheurs par omission.

τοὺς ποιοῦντας τὸ ἀγαθὸν μὴ εὐαρέστως τῷ Θεῷ κατά τι τῶν προειρημένων ἐν τῷ ἐρωτήματι εἰ εὐπρόσδεκτόν ἐστιν ἔργον ἐντολῆς μὴ κατ' ἐντολὴν γινόμενον, περὶ ὧν ὁ
10 Κύριος λέγει· « Ἀπέχουσι τὸν μισθὸν αὐτῶν [b]. » Καὶ ὡς αἱ πέντε παρθένοι αἱ μωραί, αἵτινες μαρτυροῦνται ὑπ'
1616 αὐτοῦ τοῦ Κυρίου ὅτι παρθένοι καὶ ὅτι τὰς λαμ|πάδας ἐκόσμησαν καὶ ὅτι ἀνῆψαν, τουτέστιν ὁμοίως εἰργάσαντο ταῖς φρονίμοις, καὶ ἐξῆλθον εἰς ἀπάντησιν τοῦ Κυρίου καὶ
15 κατὰ πάντα ὁμοίως ταῖς φρονίμοις τὴν σπουδὴν ἐπεδείξαντο, διὰ δὲ μόνην τὴν ἔλλειψιν τοῦ ἐν τοῖς ἀγγείοις ἐλαίου τοῦ σκοποῦ ἀποτυχοῦσαι καὶ τῆς εἰσόδου τοῦ νυμφῶνος ἐκκλεισθεῖσαι [c].

Καὶ ὡς ἐκ τῶν δύο τῶν ὄντων ἐν τῷ μυλῶνι καὶ ἐπὶ
20 τῆς αὐτῆς κλίνης οἱ ἀφιέμενοι [d]· ἐφ' ὧν τάχα τὴν αἰτίαν ἐσίγησεν ὁ Κύριος, ἵνα ἐπὶ παντὸς πράγματος ἐν τῇ μικρᾷ γοῦν ἐλλείψει τοῦ πρέποντος, καὶ μάλιστα τῆς εἰλικρινοῦς ἀγάπης, ὡς ὁ Ἀπόστολος ἐδίδαξε [e], τοίνυν τὸ ἄκαρπον τῶν ἔργων κατὰ τί συμβαίνει γίνεσθαι γνωρίζοντες,
25 φυλαξώμεθα παρὰ μηδὲν τὴν νόμιμον ἄθλησιν τῆς πρὸς
b Θεὸν εὐαρεστήσεως ἀθλεῖν [f], | ἀλλ' ἐν παντὶ συνιστᾶν ἑαυτοὺς ὡς Θεοῦ διακόνους [g]. Οὐ μόνον δέ, ἀλλὰ μήτε συγκοινωνεῖν τοῖς τοιούτοις, ὡς ὁ ἐν Χριστῷ λαλῶν Παῦλος ὁριστικῶς ἀπεφήνατο λέγων· « Μὴ συγκοινω-
30 νεῖτε τοῖς ἔργοις τοῖς ἀκάρποις τοῦ σκότους τούτου »· τὸ δὲ « μᾶλλον δὲ καὶ ἐλέγχετε [h] » ἐπενεγκών, τέως τὸν τρόπον τοῦ μὴ συγκοινωνεῖν ἐδίδαξε.

b. Matth. 6, 5 || c. Cf. Matth. 25, 1-13 || d. Cf. Lc 17, 34-35 || e. Cf. I Cor. 13, 1-13 || f. Cf. II Tim. 2, 5 || g. Cf. II Cor. 6, 4 || h. Éphés. 5, 11.

---

6. Ces 3 termes se ramènent en fait à 2 : ceux qui font le bien de manière agréable à Dieu joints à ceux qui font le mal constituent la catégorie des porteurs de fruits opposés (οἱ τὰ ἐναντία καρποφοροῦντες) ; la seconde catégorie est celle des non-porteurs de fruits (ἄκαρποι), qui ne font ni bien ni mal.

l'autre [6], si ce n'est ceux qui font le bien sans être agréables à Dieu en raison d'une des circonstances qui ont été dites précédemment, lorsque nous nous demandions si l'exécution du commandement est bien accueillie, quand elle se fait en désaccord avec un commandement [7]. Or, au sujet de ces gens-là, le Seigneur déclare : « Ils ont reçu leur récompense [b]. » Tel fut le cas des cinq vierges sottes. Le Seigneur lui-même rend à leur sujet ce témoignage qu'elles étaient vierges, qu'elles avaient apprêté leurs lampes, les avaient allumées, c'est-à-dire qu'elles avaient agi de la même façon que les vierges sages, et que, sorties à la rencontre du Seigneur, elles montrèrent en tout le même empressement que les sages ; mais pour le simple manque d'huile dans leurs fioles, elles ne purent atteindre leur but, et l'accès de la salle de noces leur fut interdit [c].

Il en va pareillement pour la personne qui est laissée, dans le cas du couple occupé à la meule, dans le cas du couple étendu sur le même lit [d]. Et si dans ces deux cas, le Seigneur a fait silence sur l'explication, c'est peut-être afin qu'en toute entreprise, dans le manque si léger soit-il de ce qui convient, et en particulier du pur amour tel que l'Apôtre nous l'a enseigné [e], nous apprenions à reconnaître ce qui peut rendre ainsi nos œuvres infructueuses et que nous soyons attentifs à mener sans transgression aucune et selon la règle le combat qui plaît à Dieu [f], en nous affirmant en tout comme ses ministres [g]. De plus, c'est aussi pour que nous évitions de nous associer à de telles œuvres, suivant le conseil de Paul, qui, parlant dans le Christ, a déclaré en termes décisifs : « Ne vous associez pas aux œuvres infructueuses de ces ténèbres », et qui, en ajoutant « Dénoncez-les plutôt [h] », nous a appris en même temps la manière de ne pas y participer.

7. Basile reproduit à peu de chose près le titre de la question VIII.

4 Τί δέ ἐστι τὸ συγκοινωνεῖν ἢ καὶ κατὰ πόσους τρόπους τοῦτο γίνεται, καταμάθωμεν. Μνημονεύων οὖν ἐν μὲν ταῖς Παροιμίαις τοῦ· « Ἐλθὲ μεθ' ἡμῶν, κοινώνησον αἵματος [a] », παρὰ δὲ τῷ Ἀποστόλῳ τοῦ·
5 « Συγκοινωνούς μου τῆς χάριτος πάντας ὑμᾶς ὄντας [b] »,
c καί· « Συγκοινωνήσαντές μου τῇ θλίψει [c] », | καί· « Κοινωνείτω δὲ ὁ κατηχούμενος τὸν λόγον τῷ κατηχοῦντι ἐν πᾶσιν ἀγαθοῖς [d] », καὶ τοῦ· « Εἰ ἐθεώρεις κλέπτην συνέτρεχες αὐτῷ, καὶ μετὰ μοιχῶν τὴν μερίδα
10 σου ἐτίθεις [e] », καὶ τοῦ· « Ἐλεγμῷ ἐλέγξεις τὸν ἀδελφόν σου καὶ οὐ λήψῃ δι' αὐτὸν ἁμαρτίαν [f] », καὶ τοῦ· « Ταῦτα ἐποίησας καὶ ἐσίγησα· ὑπέλαβες ἀνομίαν ὅτι ἔσομαί σοι ὅμοιος; Ἐλέγξω σε καὶ παραστήσω κατὰ πρόσωπόν σου [g] », καὶ τῶν τοιούτων, κοινωνίαν ἡγοῦμαι
15 κατὰ μὲν τὸ ἔργον, ὅταν ἀλλήλοις ἐπὶ τῷ αὐτῷ σκοπῷ συλλαμβάνωνται πρὸς τὴν ἐνέργειαν, κατὰ δὲ γνώμην, ὅταν συγκατάθηταί τις τῇ διαθέσει τοῦ ποιοῦντος καὶ συναρεσθῇ.

Ἑτέρα δὲ κοινωνία τοὺς πολλοὺς λανθάνουσα ἐμφαίνε-
20 ται τῇ ἀκριβολογίᾳ τῆς θεοπνεύστου Γραφῆς· ὅταν μήτε
d | συνεργασάμενος μήτε συγκαταθέμενος τῇ διαθέσει, γνοὺς δὲ τὴν κακίαν τῆς γνώμης ἀφ' ἧς ποιεῖ, ἐφησυχάσῃ καὶ μὴ ἐλέγξῃ κατά τε τὰ ἀνωτέρω γεγραμμένα καὶ κατὰ τὸ ὑπὸ τοῦ Ἀποστόλου εἰρημένον τοῖς Κορινθίοις ὅτι
1617 25 « Οὐκ ἐπενθήσατε ἵνα | ἐξαρθῇ ἐκ μέσου ὑμῶν ὁ τὸ ἔργον τοῦτο ποιήσας [h] », οἷς ἐπήγαγεν· « Μικρὰ ζύμη ὅλον τὸ φύραμα ζυμοῖ [i]. » Φοϐηθῶμεν οὖν καὶ ἀνασχώμεθα αὐτοῦ λέγοντος· « Ἐκκαθάρατε οὖν τὴν παλαιὰν ζύμην, ἵνα ἦτε νέον φύραμα [j]. »

4 a. Prov. 1, 11 || b. Phil. 1, 7 || c. Phil. 4, 14 || d. Gal. 6, 6 || e. Ps. 49, 18 || f. Lév. 19, 17 || g. Ps. 49, 21 || h. I Cor. 5, 2 || i. I Cor. 5, 6 || j. I Cor. 5, 7.

---

8. Il s'agit de l'homme qui vit avec la femme de son père. Celui qui ne réagit pas devant le péché d'autrui s'en fait le complice. Sur cette forme coupable de κοινωνία, Basile a souvent attiré

4 Mais qu'est-ce que participer? Combien y a-t-il de façons de le faire? Examinons donc cette question. En fait, lorsque me reviennent à l'esprit cette invitation des Proverbes : « Viens avec nous, prends part au meurtre[a] », et ces affirmations de l'Apôtre : « Vous tous, vous participez à la grâce que j'ai reçue[b] »; « Vous avez pris part à mon épreuve[c] »; « Celui qu'on instruit de la Parole, qu'il fasse participer son instructeur à tous ses biens[d] »; lorsque j'évoque encore cette parole : « Si tu voyais un voleur, tu courais avec lui, et tu partageais la condition des adultères[e] »; et celle-ci : « Tu réfuteras ton frère et le convaincras de sa faute; ainsi tu ne te chargeras pas d'un péché à cause de lui[f] »; et cette autre encore : « Tu as fait cela et je me suis tu. As-tu supposé cette iniquité que je serai semblable à toi? Mais je te convaincrai de ta faute et je la placerai devant ta face[g] »; lorsque je me rappelle tous ces passages et d'autres semblables, je considère que la participation est en acte quand on se prête une aide mutuelle pour agir en vue du même but, qu'elle est en pensée quand on donne son approbation et son agrément à l'intention de l'exécutant.

Une autre façon de participer, qui échappe à la plupart, apparaît à l'examen attentif de l'Écriture inspirée. C'est lorsque, n'ayant pas collaboré à l'action, ni approuvé l'intention, mais ayant reconnu le mal dans la pensée de l'exécutant, on ne réagit pas, on ne cherche pas à le convaincre de sa faute, on ne se conforme pas aux textes cités plus haut, ni à cette parole de l'Apôtre aux Corinthiens : « Vous n'avez pas pris le deuil, pour que soit exclu du milieu de vous l'auteur de cette action[h] [8] ! »; ce à quoi il a ajouté : « Un peu de levain fait lever toute la pâte[i]. » Craignons donc et souffrons qu'il nous dise : « Débarrassez-vous du vieux levain afin d'être une pâte nouvelle[j]. »

l'attention dans ses *Ascétiques* (cf. *De jud* 664 c, 676 a; *Mor* 52, 2 [777 a], etc.).

30 Ὁ δὲ συνεργαζόμενος μέν τινι τὸ ἀγαθὸν ἀγαθῇ γνώμῃ, ἀγνοῶν δὲ αὐτοῦ τὴν κακίαν τῆς τε διαθέσεως καὶ τοῦ σκοποῦ, οὐκ ἐν τῷ συνεργάζεσθαι ἔγκλημα ἕξει κοινωνίας, ἀλλ' ἐν τῷ κεχωρίσθαι τῆς τοῦ ἀλλοτρίου διαθέσεως, φυλάσσειν δὲ ἑαυτὸν ἐν τῷ κανόνι τῆς πρὸς 35 Θεὸν ἀγάπης, τὸν ἴδιον μισθὸν λαμβάνει κατὰ τὸν ἴδιον κόπον, ὡς ὁ ἐπὶ τῆς κλίνης καὶ ἡ ἐν τῷ μυλῶνι[k] ἐφανερώθη ἡμῖν παρ' αὐτοῦ τοῦ Κυρίου ἡμῶν Ἰησοῦ Χριστοῦ.

Διαφορὰ δὲ εἰς τοὺς πιστευθέντας καὶ τοὺς μή, ἐν τῷ b 40 χρέει τῆς ἐπιμελείας ἐστίν, οὐκ ἐν τῇ κοινωνίᾳ | τῶν ἁμαρτημάτων· ἡ γὰρ ἐπιμέλεια ἐξαιρέτως μόνοις τοῖς πιστευθεῖσιν ὀφείλεται παρ' ἡμῶν, ἡ δὲ πρὸς τὸ κακὸν καὶ τὰ ἄκαρπα ἔργα κοινωνία κατὰ πάντων ὁμοῦ ἀπηγόρευται.

k. Cf. Lc 17, 34-35.

Mais celui qui coopère avec une personne pour le bien, dans une bonne pensée, sans savoir que les dispositions et le but de cette personne sont mauvais, ne sera pas accusé pour la part qu'il aura prise à cette coopération ; étranger aux dispositions de l'autre, restant fidèle à la règle de l'amour de Dieu, il reçoit son propre salaire en proportion de son propre travail, comme nous l'a clairement montré notre Seigneur Jésus-Christ lui-même avec l'exemple de l'homme étendu sur le lit, de la femme occupée à la meule[k].

Quant à la différence à l'égard de ceux qui nous ont été confiés et de ceux qui ne l'ont pas été, elle consiste dans l'obligation de prendre soin, non dans la participation aux fautes. Nous devons en effet donner nos soins par priorité à ceux-là seuls qui nous ont été confiés. La participation au mal et aux œuvres infructueuses est interdite pareillement dans tous les cas.

ι΄.

Εἰ ἀεί ἐστι τὸ σκανδαλίζειν ἐπικίνδυνον.

1 Πρῶτον μὲν ἡγοῦμαι ἀναγκαῖον εἶναι γνῶναι τί ἐστι σκάνδαλον, ἔπειτα δὲ τὴν διαφορὰν τῶν σκανδαλιζόντων καὶ δι᾽ ὧν σκανδαλίζουσι, καὶ οὕτω γνωρίσαι τό τε ἀκίνδυνον καὶ τὸ ἐπικίνδυνον.

c 5 | Σκάνδαλον μὲν οὖν ἐστιν, ὡς ἐγὼ λογίζομαι ἐκ τῶν γεγραμμένων ὁδηγούμενος, πᾶν τὸ ἤτοι εἰς ἀποστασίαν τινὰ τῆς κατ᾽ εὐσέβειαν ἀληθείας ἄγον, ἢ πρόσκλησιν τῆς πλάνης ἐμποιοῦν, ἢ οἰκοδομοῦν εἰς ἀσέβειαν, ἢ καθόλου πᾶν τὸ κωλύον τῇ ἐντολῇ τοῦ Θεοῦ ὑπακούειν μέχρι καὶ 10 αὐτοῦ τοῦ θανάτου. Ἐὰν μὲν οὖν αὐτὸ κατὰ τὸν ἴδιον λόγον ἀγαθὸν ᾖ τὸ γινόμενον ἢ τὸ λεγόμενον, ἡ δὲ νόσος τοῦ χρωμένου τῷ ἔργῳ ἢ τῷ λόγῳ ἐν τῇ χρήσει ἐμποιήσῃ αὐτῷ τὴν βλάβην, καθαρός ἐστιν ἀπὸ τοῦ κρίματος τῶν σκανδαλιζομένων ὁ τὸ ἀγαθὸν εἰς οἰκοδομὴν τῆς πίσ-15 τεως[a] εἰπὼν ἢ ποιήσας, ὥσπερ ὁ Κύριος, εἰπὼν μέν· « Οὐ τὸ εἰσερχόμενον εἰς τὸ στόμα κοινοῖ τὸν ἄνθρωπον, ἀλλὰ τὸ ἐκπορευόμενον ἐκ τοῦ στόματος, τοῦτο κοινοῖ d τὸν ἄνθρωπον[b] », πρὸς δὲ τοὺς σκανδαλισθέν|τας ἐπαγαγών· « Πᾶσα φυτεία ἣν οὐκ ἐφύτευσεν ὁ Πατήρ μου ὁ 20 οὐράνιος ἐκριζωθήσεται[c] », εἰπὼν δὲ ὅτι « Ὁ τρώγων μου τὴν σάρκα καὶ πίνων μου τὸ αἷμα ἔχει ζωὴν αἰώνιον[d] », καὶ μετ᾽ ὀλίγα « Οὐδεὶς δύναται εἰσελθεῖν

1 a. Cf. Éphés. 4, 29 || b. Matth. 15, 11 || c. Matth. 15, 13 || d. Jn 6, 54.

---

1. De même que la « vérité » en matière de « piété » est l'orthodoxie, l' « erreur » est l'hérésie.

2. Plusieurs exemples d' « édification négative » apparaissent dans les *Ascétiques* : *Rb* 18 (1096 a); *Rb* 64 (1125 b); etc.

Chapitre X

Est-il toujours dangereux de scandaliser ?

1 Il me paraît indispensable de connaître d'abord ce qu'est le scandale, ensuite la diversité des gens qui scandalisent et les moyens de scandaliser. C'est alors qu'on peut apprendre à connaître ce qui est sans danger et ce qui est dangereux.

Eh bien donc ! je considère, en prenant les Écritures pour guide, que le scandale c'est tout ce qui mène à un certain abandon de la piété véritable, fait venir l'erreur dans les esprits [1], édifie pour l'impiété [2], ou en général tout ce qui empêche d'obéir, jusqu'à la mort même, au commandement de Dieu. Si donc ce que nous faisons ou disons est bon en soi dans son principe, mais si quelqu'un, du fait de la maladie, utilise cette action ou cette parole à son détriment, dans ce cas, nous ne sommes pas touchés par la condamnation du scandale, nous qui avons dit ou fait le bien en vue d'édifier la foi [a]. C'est ainsi que le Seigneur, après avoir dit : « Ce n'est pas ce qui entre dans la bouche qui souille l'homme, mais ce qui sort de la bouche, voilà ce qui souille l'homme [b] », ajouta ce mot à l'adresse de ceux qui s'étaient scandalisés : « Toute plante que mon père céleste n'a pas plantée sera déracinée [c] [3]. » Il a dit aussi : « Celui qui mange ma chair et boit mon sang a la vie éternelle [d] », et peu après : « Nul ne peut venir à moi

3. Basile reprend en *Rb* 64 (1125 c) la même citation de Matthieu à l'encontre des minutieuses prescriptions des pharisiens.

πρός με, ἐὰν μὴ ᾖ αὐτῷ δεδομένον ἐκ τοῦ Πατρός μου[e] ». Ὁπότε τούτοις τοῖς ῥήμασιν εἰς ἀπώλειάν τινες
1620 25 ἐχρήσαντο, καθὼς γέγραπται· « Καὶ | πολλοὶ τῶν μαθητῶν αὐτοῦ ἀκούσαντες τὸν λόγον τοῦτον ἀπῆλθον εἰς τὰ ὀπίσω καὶ οὐκέτι μετ' αὐτοῦ περιεπάτουν, εἶπεν οὖν ὁ Ἰησοῦς τοῖς δώδεκα· Μὴ καὶ ὑμεῖς θέλετε ὑπάγειν; Ἀπεκρίθη οὖν Σίμων Πέτρος· Κύριε, πρὸς τίνα ἀπε-
30 λευσόμεθα; Ῥήματα ζωῆς αἰωνίου ἔχεις, καὶ ἡμεῖς πεπιστεύκαμεν καὶ ἐγνώκαμεν ὅτι σὺ εἶ ὁ Χριστὸς ὁ Υἱὸς τοῦ Θεοῦ τοῦ ζῶντος[f]. »

Οἷς γὰρ οἱ ὑγιαίνοντες τὴν πίστιν πρὸς οἰκοδομὴν ἐχρήσαντο τῆς πίστεως[g] καὶ περιποίησιν τῆς αἰωνίου
35 σωτηρίας, τούτοις οἱ ἀσθενοῦντες τὴν γνῶσιν ἢ τὴν πίστιν διὰ τὴν ἰδίαν κακίαν εἰς πρόφασιν ἀπωλείας ἐχρήσαντο, κατὰ τὸ γεγραμμένον περὶ τοῦ Κυρίου ὅτι « Οὗτος κεῖται εἰς πτῶσιν καὶ ἀνάστασιν πολλῶν[h] », οὐ κατὰ τὴν ἑαυτοῦ πρὸς ἑαυτὸν ἐναντιότητα, ἀλλὰ κατὰ τὴν
b 40 τῶν χρωμένων | ἀντικειμένην γνώμην, ὥσπερ γὰρ καὶ ὁ Ἀπόστολός φησιν· « Οἷς μὲν ὀσμὴ ζωῆς εἰς ζωήν, οἷς δὲ ὀσμὴ ἐκ θανάτου εἰς θάνατον[i]. »

2 Ἐὰν δὲ τῇ ἰδίᾳ φύσει κακὸν ᾖ τὸ γινόμενον ἢ τὸ λεγόμενον, ὁ ποιήσας αὐτὸ ἢ ὁ εἰπὼν καὶ τῆς ἰδίας ἁμαρτίας καὶ τοῦ σκανδάλου ἔχει τὸ κρῖμα, κἂν δι' ὃν γίνεται τὸ σκάνδαλον μὴ σκανδαλισθῇ· ὡς ἐπὶ τοῦ
5 Πέτρου μανθάνομεν, πρὸς ὃν λέγει ὁ Κύριος, κωλυθεὶς ἐκληρῶσαι τὴν οἰκονομίαν τῆς μέχρι θανάτου ὑπακοῆς· « Ὕπαγε ὀπίσω μου, Σατανᾶ, σκάνδαλόν μου εἶ. » Καὶ ἡ ἐπενεχθεῖσα δὲ αἰτία ὀλίγη τὸ καθόλου ἰδίωμα τοῦ σκανδάλου ἐδίδαξεν· « Ὅτι οὐ φρονεῖς τὰ τοῦ Θεοῦ,
10 ἀλλὰ τὰ τῶν ἀνθρώπων[a] »· ὥστε ἡμᾶς εἰδέναι ὅτι πᾶν
c φρόνημα ἐναντίως | ἔχον τῷ φρονήματι τοῦ Θεοῦ, τοῦτο σκάνδαλόν ἐστι, καὶ εἰς ἔργον προελθὸν φονέως ἔχει τὸ

e. Jn 6, 65 || f. Jn 6, 66-69 || g. Cf. Éphés. 4, 29 || h. Lc 2, 34 || i. II Cor. 2, 16.

2 a. Matth. 16, 23.

sinon par un don de mon Père [e]. » Et comme certains avaient utilisé ces paroles pour leur perte, ainsi qu'il est écrit : « Beaucoup de ses disciples ayant entendu ce discours s'éloignèrent et revinrent sur leurs pas, et ils ne marchaient plus avec lui », « Jésus dit alors aux Douze : Est-ce que vous voulez vous en aller vous aussi ? Simon Pierre lui répondit : Seigneur à qui irons-nous ? Tu as les paroles de la vie éternelle, et nous, nous croyons et nous savons que tu es le Christ, le Fils du Dieu vivant [f]. »

Ces déclarations que les gens à la foi solide ont utilisées pour édifier la foi [g] et procurer le salut éternel, les gens faibles dans la science ou dans la foi en ont fait, à cause de leur propre médiocrité, prétexte à perdition. Ainsi avait-il été écrit au sujet du Seigneur : « Celui-ci doit amener la chute et le relèvement de beaucoup [h] », non que le Seigneur porte en lui-même des contradictions, mais ce sont les utilisateurs de sa parole qui ont des volontés opposées, comme l'Apôtre aussi l'affirme : « Pour les uns, odeur de vie qui mène à la vie, pour les autres, odeur de mort qui mène à la mort [i]. »

2 Mais si l'action ou la parole est mauvaise de sa propre nature, celui qui a fait cette action ou dit cette parole encourt la condamnation et pour son propre péché et pour le scandale, même si lui, cause du scandale, ne se scandalise pas. C'est ce que nous apprenons dans le cas de Pierre. Comme il s'était opposé au dessein du Seigneur d'obéir jusqu'à la mort, celui-ci lui dit : « Retire-toi derrière moi, Satan, tu es pour moi un scandale. » Et en ajoutant brièvement le motif, il nous a instruits en général sur l'essence propre du scandale : « car tes pensées ne sont pas celles de Dieu, mais celles des hommes [a] ». Nous savons donc que toute pensée contraire à la pensée de Dieu est précisément scandale et qu'elle entraîne, si elle est conduite jusqu'à l'acte, la condamnation pour homicide, selon ce qui est

κρῖμα, κατὰ τὸ γεγραμμένον παρὰ Ὠσηὲ τῷ προφήτῃ· « Ἔκρυψαν ἱερεῖς ὁδόν, ἐφόνευσαν Σίκιμα ὅτι ἀνομίαν
15 ἐποίησαν ἐν τῷ λαῷ [b]. »

Ἐὰν δὲ κατὰ μὲν τὸν ἴδιον λόγον ᾖ τῶν συγκεχωρημένων, λαμβάνηται δὲ ἐπὶ βλάβῃ καὶ γένηται σκανδαλισμοῦ πρόφασις τοῖς ἀσθενοῦσι τὴν πίστιν ἢ τὴν γνῶσιν, ὁ ποιήσας οὐκ ἐκφεύγει τοῦ σκανδάλου τὸ κρῖμα, τοῦ
20 Ἀποστόλου λέγοντος περὶ τῶν ποιούντων καὶ μὴ φειδομένων τῶν ἀσθενούντων· « Οὕτω δὲ ἁμαρτάνοντες εἰς τοὺς ἀδελφούς, καὶ τύπτοντες αὐτῶν τὴν συνείδησιν ἀσθενοῦσαν, εἰς Χριστὸν ἁμαρτάνετε [c]. »

Ὥστε, ὅταν ἢ τὸ γινόμενον τῷ ἰδίῳ λόγῳ κακὸν
25 ὑπάρχον αἴτιον γένηται σκανδαλισμοῦ, ἤ τι τῶν συγκε-
d χωρημένων | καὶ ἐν ἐξουσίᾳ ἡμετέρᾳ κειμένων ὑπάρχον τῷ ἀσθενοῦντι τὴν πίστιν ἢ τὴν γνῶσιν γένηται σκάνδαλον, φανερὸν καὶ ἀπαραίτητον ἔχει τὸ φοβερὸν ἐκεῖνο κρῖμα τὸ ὑπὸ τοῦ Κυρίου εἰρημένον οὕτως· « Συμφέρει
1621 30 αὐτῷ ἵνα κρεμασθῇ μύλος ὀνικὸς περὶ τὸν | τράχηλον αὐτοῦ, καὶ ἔρριπται εἰς τὴν θάλασσαν, ἢ ἵνα σκανδαλίσῃ ἕνα τῶν μικρῶν τούτων [d]. » Πλατύτερον δὲ ἐν τοῖς πρώτοις ἐρωτήμασιν ἐξεθέμεθα, ἔνθα καὶ οἱ τρόποι τῶν σκανδαλιζομένων σαφέστερον ἐξητάσθησαν. Διόπερ ὁ
35 Ἀπόστολος καὶ ἐπὶ τῶν συγκεχωρημένων φησί· « Καλὸν τὸ μὴ φαγεῖν κρέα μηδὲ πιεῖν οἶνον, μηδὲ ἐν ᾧ ὁ ἀδελφός σου προσκόπτει ἢ σκανδαλίζεται ἢ ἀσθενεῖ [e]. » Καὶ πάλιν ἀλλαχοῦ, καίτοι γε λέγων ὅτι « Πᾶν κτίσμα θεοῦ καλόν,

b. Os. 6, 9 || c. I Cor. 8, 12 || d. Matth. 18, 6 + Lc 17, 2 || e. Rom. 14, 21.

---

4. Ces prêtres coupables, fauteurs de scandales, qui oublient leur mission sont de véritables homicides. Ils tuent non les corps mais les âmes.

5. Sur cet ouvrage de Basile et l'importance de sa mention ici pour établir l'authenticité et la date du *De bapt*, cf. Introd., p. 10 et 21-22. Quant à la « question » précisément évoquée (*Rb* 64),

écrit chez le prophète Osée : « Les prêtres ont caché la route, ils ont assassiné Sichem, car ils ont commis l'iniquité au milieu du peuple[b 4]. »

Envisageons enfin le cas où l'action dans son principe relève de ce qui est permis : si les âmes faibles dans la foi ou dans la science en reçoivent un dommage et y trouvent prétexte à se scandaliser, celui qui l'a faite n'échappe pas à la condamnation du scandale, car l'Apôtre déclare au sujet de ceux qui agissent sans considération pour les faibles : « En péchant ainsi contre vos frères, en blessant leur conscience qui est faible, c'est contre le Christ que vous péchez[c]. »

Ainsi donc, lorsque l'action, mauvaise dans son principe, fournit des raisons de se scandaliser, ou bien lorsque, tout en étant de celles qui sont permises et laissées à notre discrétion, elle devient scandale pour les âmes faibles dans la foi ou dans la science, alors elle entraîne de façon claire et inexorable ce terrible jugement formulé ainsi par le Seigneur : « Mieux vaut se voir suspendre autour du cou la meule que tournent les ânes et être jeté dans la mer plutôt que de scandaliser un seul de ces petits[d] » — nous nous sommes expliqué plus longuement sur ce jugement dans nos Premières questions où nous avons aussi dénombré avec plus de précision les variétés de scandale[5]. C'est pourquoi l'Apôtre affirme à propos de ce qui est permis : « Il est bien de ne pas manger de viande, de ne pas boire de vin, d'éviter ce qui pourrait heurter, scandaliser ou affaiblir ton frère[e]. » Et quoiqu'il reconnaisse que « toute chose créée par Dieu est bonne et qu'aucun aliment n'est à

elle est ainsi posée (*Monast*, p. 207) : « Il vaudrait mieux, a dit notre Seigneur, être précipité à la mer, une meule de moulin au cou, que de scandaliser un de ces petits ; mais, qu'est-ce que scandaliser, et comment l'éviter si l'on veut échapper à un jugement si terrible ? »

καὶ οὐδὲν ἀπόβλητον μετ' εὐχαριστίας λαμβανόμενον [f] »,
40 ὅμως φησίν· « Οὐ μὴ φάγω κρέα εἰς τὸν αἰῶνα, ἵνα μὴ τὸν ἀδελφόν μου σκανδαλίσω [g]. » Εἰ δὲ ἐπὶ τῶν συγκεχωρημένων τοιοῦτον τὸ κρῖμα, τί ἄν τις εἴποι περὶ τῶν κεκωλυμένων ; Διόπερ καθολικώτερον ἡμᾶς παιδεύει λέγων· « Ἀπρόσκοποι γίνεσθε καὶ Ἰουδαίοις καὶ |
b 45 Ἕλλησι καὶ τῇ ἐκκλησίᾳ τοῦ Θεοῦ, καθὼς κἀγὼ πάντα πᾶσιν ἀρέσκω, μὴ ζητῶν τὸ ἐμαυτοῦ συμφέρον, ἀλλὰ τὸ τῶν πολλῶν, ἵνα σωθῶσιν [h]. »

f. I Tim. 4, 4 || g. I Cor. 8, 13 || h. I Cor. 10, 32-33.

proscrire si on le prend avec action de grâces[f] », il affirme pourtant encore dans un autre texte : « Je me passerai de viande à tout jamais afin de ne pas scandaliser mon frère[g]. » Or, si tel est le jugement à propos de ce qui est permis, que dire de ce qui est défendu[6] ? Aussi nous donne-t-il cette instruction plus générale : Ne soyez pierre d'achoppement ni pour les Juifs, ni pour les Grecs, ni pour l'Église de Dieu. Faites comme moi qui m'efforce de plaire à tous en tout et ne cherche pas mon intérêt personnel mais celui du plus grand nombre, afin qu'ils soient sauvés[h].

6. Il faut entendre cette phrase elliptique de la même façon que la phrase plus développée de *Rb* 64 : « Puisqu'il est si terrible de scandaliser un frère en faisant ce qui est permis, que dire de ceux qui scandalisent par des paroles ou des actions défendues ? » (*Monast*, p. 210). Notre question X et *Rb* 64 présentent de nombreux points communs.

ια΄.

Εἰ χρὴ ἢ ἀκίνδυνόν ἐστι παραιτεῖσθαί τι τῶν προστεταγμένων ὑπὸ τοῦ Θεοῦ ἢ κωλύειν τὸν ἐπιταχθέντα ποιῆσαι, ἢ κωλυόντων ἀνέχεσθαι, μάλιστα ἐὰν γνήσιος ᾖ ὁ κωλύων, ἢ λογισμὸς εὐλογοφανὴς ἀντιπίπτῃ τῷ προστάγματι.

Τοῦ Κυρίου λέγοντος· « Μάθετε ἀπ' ἐμοῦ ὅτι πραΰς εἰμι καὶ ταπεινὸς τῇ καρδίᾳ [a] », δῆλον δὲ ὅτι καὶ πάντα ἀσφαλέστερον παιδευόμεθα μνημονεύοντες αὐτοῦ τοῦ
c Κυρίου ἡμῶν Ἰησοῦ Χριστοῦ, τοῦ μονογε|νοῦς Υἱοῦ τοῦ
5 Θεοῦ τοῦ ζῶντος, ἡνίκα Ἰωάννης ὁ βαπτιστὴς εἶπεν· « Ἐγὼ χρείαν ἔχω ὑπὸ σοῦ βαπτισθῆναι, καὶ σὺ ἔρχῃ πρός με; » ἀποκριναμένου ὅτι « Ἄφες ἄρτι· οὕτω γὰρ πρέπον ἐστὶν ἡμῖν πληρῶσαι πᾶσαν δικαιοσύνην [b] »· ἐπὶ δὲ τῶν μαθητῶν, ἡνίκα ἀπηύξατο ὁ Πέτρος τοὺς ἐν
10 Ἰερουσαλὴμ προφητευθέντας ὑπ' αὐτοῦ τοῦ Κυρίου ἐπάγεσθαι πειρασμούς, ἀγανακτικώτερον εἰπόντος· « Ὕπαγε ὀπίσω μου, Σατανᾶ, σκάνδαλόν μου εἶ, ὅτι οὐ φρονεῖς τὰ τοῦ Θεοῦ, ἀλλὰ τὰ τῶν ἀνθρώπων [c] »· καὶ πάλιν, ἡνίκα ὁ αὐτὸς Πέτρος παρῃτήσατο τὴν ὑπηρεσίαν
15 διαθέσει τιμῆς τῆς πρὸς τὸν δεσπότην, πάλιν εἰπόντος τοῦ Κυρίου ὅτι « Ἐὰν μὴ νίψω σε, οὐκ ἔχεις μέρος μετ' ἐμοῦ [d] ». Εἰ δὲ δεῖ πλεῖον βοηθηθῆναι τὴν ψυχὴν ἐν τοῖς

a. Matth. 11, 29 || b. Matth. 3, 14-15 || c. Matth. 16, 23 || d. Jn 13, 8.

Chapitre XI

Faut-il, peut-on sans danger refuser un ordre de Dieu, empêcher celui qui l'a reçu de l'accomplir, tolérer qu'il en soit empêché, en particulier si l'empêcheur est de bonne foi ou si une raison raisonnable en apparence s'oppose à cet ordre ?

Puisque le Seigneur nous dit : « Mettez-vous à mon école, car je suis doux et humble de cœur[a] », il est évident qu'en toute chose nous nous instruisons plus sûrement si nous rappelons le souvenir de notre Seigneur Jésus-Christ lui-même, le Fils Monogène du Dieu vivant. Lorsque Jean-Baptiste lui dit : « C'est moi qui ai besoin d'être baptisé par toi, et toi, tu viens à moi ! », il eut cette réponse : « Laisse faire pour l'instant, c'est ainsi qu'il est convenable pour nous d'accomplir toute justice[b]. » Et lorsque, en présence des disciples, Pierre formula le souhait que les tribulations auxquelles le Seigneur devait, selon sa propre prédiction, être en butte à Jérusalem n'arrivent pas, ce dernier manifesta une plus grande indignation : « Retire-toi derrière moi, Satan, lui dit-il, tu es pour moi un scandale, car tes pensées ne sont pas celles de Dieu mais celles des hommes[c]. » Une autre fois encore, lorsque le même Pierre, par déférence pour le maître, refusa de se laisser servir par lui, le Seigneur lui répliqua : « Si je ne te lave pas, tu n'as pas de part avec moi[d] [1]. » Mais, si nous voulons que l'âme trouve

1. Basile fait souvent allusion dans les *Ascétiques* à cette scène évangélique, présentant le refus humble et respectueux de Pierre comme une désobéissance pouvant entraîner un châtiment : *Rb* 161 et 233; *De jud* 672 a; *Rf prooem* 893 d; etc.

d τῶν ὁμογενῶν ὑποδείγ|μασι, μνημονεύσωμεν τοῦ Ἀποστόλου λέγοντος· « Τί ποιεῖτε κλαίοντες καὶ συνθρύπτοντές μου τὴν καρδίαν; Ἐγὼ γὰρ οὐ μόνον δεθῆναι, ἀλλὰ καὶ ἀποθανεῖν εἰς Ἰερουσαλὴμ ἑτοίμως ἔχω ὑπὲρ τοῦ ὀνόματος τοῦ Κυρίου Ἰησοῦ[e]. »

Πότε δ' ἂν ἢ ἐνδοξότερος Ἰωάννου ἢ γνησιώτερος Πέτρου, ἢ λογισμοὶ τῶν | ἐκείνοις ὑποπεσόντων φανεῖεν ἂν εὐλαβέστεροι; Ἐγὼ δὲ οἶδα ὅτι οὔτε Μωϋσῆς ὁ ἅγιος οὔτε Ἰωνᾶς ὁ προφήτης οὔτε Ἰερεμίας ὁ προφήτης, εἰς ἀθέτησιν ὑπακοῆς χρησάμενοι λογισμοῖς, ἀνέγκλητοι ἔμειναν παρὰ Θεῷ.

Δι' ὧν παιδευόμεθα μήτε ἀντιλέγειν μήτε κωλύειν μήτε κωλυόντων ἀνέχεσθαι. Εἰ δὲ τούτων καὶ τῶν τοιούτων καθάπαξ ἐδίδαξεν ὁ Λόγος μὴ ἀνέχεσθαι, πόσῳ μᾶλλον ἐπὶ τῶν λοιπῶν μιμεῖσθαι τοὺς ἁγίους ἀναγκαῖον, ποτὲ μὲν εἰπόντας· « Πειθαρχεῖν δεῖ Θεῷ μᾶλλον ἢ ἀνθρώποις[f] », ποτὲ δέ· « Εἰ δίκαιόν ἐστιν ὑμῶν ἀκούειν μᾶλλον ἢ τοῦ Θεοῦ, κρίνατε· οὐ δυνάμεθα γὰρ ἃ εἴδομεν καὶ ἠκούσαμεν μὴ λαλεῖν[g]. »

e. Act. 21, 13 || f. Act. 5, 29 || g. Act. 4, 19-20.

un secours supplémentaire dans l'exemple des êtres de notre race, rappelons la déclaration de l'Apôtre : « Qu-'avez-vous à pleurer et à me briser le cœur ? Je suis prêt moi, non seulement à me laisser lier, mais encore à aller mourir à Jérusalem pour le nom du Seigneur Jésus [e]. »

Or, quand pourrait-on montrer un homme plus renommé que Jean, un cœur plus sincère que Pierre ? Quand pourrait-on invoquer de plus pieuses raisons que les circonstances dans lesquelles ces grandes âmes se trouvèrent ? Et je sais d'autre part que ni le saint Moïse ni le prophète Jonas ni le prophète Jérémie, qui avaient donné des raisons pour éviter d'obéir, ne demeurèrent irréprochables aux yeux de Dieu.

Ces exemples nous apprennent à ne pas contester, à ne pas mettre d'empêchements, à ne pas tolérer qu'on en mette. Et si la Parole [2] nous a définitivement enseigné à ne pas tolérer d'empêchement de la part des personnes dont nous avons parlé ni de personnes de cette qualité, combien plus, dans tous les autres cas, devons-nous imiter les saints et dire avec eux, soit : « Il faut obéir à Dieu plutôt qu'aux hommes [f] », soit : « Est-il juste de vous écouter, vous plutôt que Dieu ? A vous d'en décider, car pour nous, il nous est impossible de taire ce que nous avons vu et entendu [g] » !

2. La parole de Jésus-Christ, Verbe incarné.

ιβ'.

Εἰ πᾶς ὀφειλέτης ἐστὶ πάντων τῆς ἐν πᾶσιν | ἐπιμελείας, ἢ μόνον τῶν πεπιστευμένων, καὶ τούτων κατὰ τὸ μερισθὲν αὐτῷ ὑπὸ Θεοῦ διὰ Πνεύματος ἁγίου χάρισμα.

b

1 Τοῦ Κυρίου ἡμῶν καὶ πάντων Ἰησοῦ Χριστοῦ, τοῦ μονογενοῦς Υἱοῦ τοῦ Θεοῦ, δι' οὗ τὰ πάντα ἐγένετο, ὁρατά τε καὶ ἀόρατα [a], ὁμολογοῦντος μὲν ὅτι « Οὐκ ἀπεστάλην εἰ μὴ εἰς τὰ πρόβατα τὰ ἀπολωλότα οἴκου
5 Ἰσραήλ [b] », λέγοντος δὲ τοῖς ἑαυτοῦ μαθηταῖς· « Καθὼς ἀπέστειλέ με ὁ Πατὴρ, κἀγὼ ἀποστέλλω ὑμᾶς [c] », παραγγέλλοντος δὲ « Εἰς ὁδὸν ἐθνῶν μὴ ἀπελθεῖν, καὶ εἰς πόλιν Σαμαρειτῶν μὴ εἰσελθεῖν [d] », μετὰ δὲ τὸ τὴν προφητείαν εἰς αὐτὸν πληρωθῆναι τοῦ Δαβὶδ εἰπόντος ὡς
10 ἐκ προσώπου τοῦ Θεοῦ καὶ Πατρός· « Υἱός μου εἶ σύ.
c Ἐγὼ σήμερον γεγέννηκά | σε· αἴτησαι παρ' ἐμοῦ, καὶ δώσω σοι ἔθνη τὴν κληρονομίαν σου, καὶ τὴν κατάσχεσίν σου τὰ πέρατα τῆς γῆς [e] », τότε καὶ τοῖς ἑαυτοῦ μαθηταῖς παραγγείλαντος· « Πορευθέντες μαθητεύσατε
15 πάντα τὰ ἔθνη [f] », πῶς οὐ πολλῷ μᾶλλον ἕκαστος ἡμῶν ἀκριβέστερον φυλάσσειν ὀφείλει τὸ τοῦ Ἀποστόλου παράγγελμα γράψαντος· « Μὴ ὑπερφρονεῖν παρ' ὃ δεῖ φρονεῖν, ἀλλὰ φρονεῖν εἰς τὸ σωφρονεῖν, ἑκάστῳ ὡς ὁ Θεὸς ἐμέρισε μέτρον πίστεως [g] », ἀναμένειν δὲ πότε καὶ

1 a. Cf. Col. 1, 16 || b. Matth. 15, 24 || c. Jn 20, 21 || d. Matth. 10, 5 || e. Ps. 2, 7-8 || f. Matth. 28, 19 || g. Rom. 12, 3.

Chapitre XII

Chacun est-il tenu de s'occuper de tous en tout, ou seulement de ceux qui lui ont été confiés, et dans la mesure où il en a reçu de Dieu le charisme par l'intermédiaire de l'Esprit-Saint ?

1 Jésus-Christ, notre Seigneur et le Seigneur de tous, Fils Monogène de Dieu, par qui tout a été fait, le visible et l'invisible [a], avoue : « Je n'ai été envoyé qu'aux brebis perdues de la maison d'Israël [b]. » D'autre part il dit à ses disciples : « Comme le Père m'a envoyé, moi aussi je vous envoie [c] », et il leur donne l'ordre de « ne pas prendre le chemin des nations ni d'entrer dans une ville des Samaritains [d] ». Mais après que se fût accomplie à son égard cette prophétie de David parlant en quelque sorte de la part de Dieu le Père : « Toi, tu es mon fils, moi aujourd'hui je t'ai engendré ; demande-moi et je te donnerai les nations pour ton héritage, et tu possèderas les extrémités de la terre [e] », à ce moment-là il ordonna à ses disciples : « Allez, faites disciples toutes les nations [f]. » Dès lors, à combien plus forte raison, chacun d'entre nous ne doit-il pas observer plus attentivement l'ordre de l'Apôtre qui a écrit : « Ne vous estimez pas plus qu'il ne faut vous estimer, mais ayez de vous une sage estime, chacun selon la mesure de foi que Dieu lui a donnée en partage [g] », et attendre le moment et l'objet

20 τί ἐπιταχθῇ, καθώς φησι καὶ πάλιν· « Ἕκαστος ἐν ᾧ ἐκλήθη, ἐν τούτῳ μενέτω [h]. » Ἀλλὰ καὶ αὐτὸς δὲ ὁ Ἀπόστολος, ὃ ἑτέροις παραγγέλλει ἀκριβέστερον φυλάσσων, λέγει· « Δεξιὰς ἔδωκαν ἐμοὶ καὶ Βαρνάβᾳ
d κοινωνίας, ἵνα ἡμεῖς μὲν εἰς τὰ ἔθνη, αὐτοὶ | δὲ εἰς τὴν
25 περιτομήν [i]. »

2 Ἐὰν δέ ποτε ἀνάγκη γένηται τῆς ἀγάπης τῆς πρὸς τὸν Θεὸν ἢ τῆς πρὸς τὸν πλησίον καλούσης εἰς ἀναπλήρωσιν τοῦ ἐλλείποντος, ὁ ὑπακούσας ἔχει τὸν μισθὸν τῆς ἑκουσίου ὑπακοῆς. Καλῇ δὲ ὅτε ἐστὶ πρὸς τὸν Θεὸν καὶ
1625 5 τὸν Χριστὸν αὐτοῦ ἀγά|πη πληρῶσαι τὴν ἐντολὴν τοῦ Κυρίου εἰπόντος· « Ἐντολὴν καινὴν δίδωμι ὑμῖν, ἵνα ἀγαπᾶτε ἀλλήλους καθὼς ἠγάπησα ὑμᾶς [a]. Μείζονα ταύτης ἀγάπην οὐδεὶς ἔχει, ἵνα τις τὴν ψυχὴν αὐτοῦ θῇ ὑπὲρ τῶν φίλων αὐτοῦ [b]. » Ἡ δὲ πρὸς τὸν πλησίον, ἡνίκα
10 ἂν ὁ ἐγκεχειρισμένος τὴν προστασίαν βοηθείας χρείαν ἔχῃ, ἢ τὸ τάγμα τῶν φροντιζομένων χρείαν ἔχῃ τοῦ ἀναπληροῦντος τὸ προσλεῖπον, τοῦ Ἀποστόλου εἰπόντος· « Μηδεὶς τὸ ἑαυτοῦ ζητείτω, ἀλλὰ τὸ τοῦ ἑτέρου ἕκαστος [c] »· ἡ γὰρ κατὰ Χριστὸν ἀγάπη « οὐ ζητεῖ τὰ
15 ἑαυτῆς [d] », καὶ ἀλλαχοῦ· « Οἰκοδομεῖτε εἷς τὸν ἕνα, καθὼς καὶ ποιεῖτε [e]. »

Ὥστε εἰς ὅ τι μὲν ἀπεστάλη τις μὴ πληρώσας τὸ κήρυγμα ἔργῳ καὶ λόγῳ, ἔνοχός ἐστι τοῦ αἵματος τῶν μὴ

h. I Cor. 7, 24 || i. Gal. 2, 9.

2 a. Jn 13, 34 || b. Jn 15, 13 || c. I Cor. 10, 24 || d. Cf. I Cor. 13, 5 || e. I Thess. 5, 11.

1. Influence latine que ce subjonctif dans l'interrogative indirecte ?

2. Cette longue phrase exclamative commençant par une série de génitifs absolus et s'articulant autour d'un πῶς οὐ πολλῷ μᾶλλον est bien dans la manière de Basile (cf. *De fid* 677 a ; *Rb* 120 [1164 b] ; etc.). On y reconnaît plusieurs éléments rappelant la 1re phrase du *De bapt*.

du commandement[1] selon ce qu'il a dit ailleurs : « Que chacun reste là où il a été appelé[h 2] ! » Ajoutons que l'Apôtre en ce qui le concerne, observant plus attentivement l'ordre qu'il donne aux autres, déclare : « Ils nous tendirent la main à moi et à Barnabé en signe d'accord : nous irions aux gentils, eux aux circoncis[i 3]. »

2 Cependant s'il arrive qu'une nécessité se présente, comme l'amour de Dieu ou du prochain appelle à remplir les vides, celui qui aura obéi à cet appel est récompensé de son obéissance volontaire. Or, on y est appelé, puisque aimer Dieu et son Christ, c'est accomplir le commandement du Seigneur qui a dit : « Je vous donne un commandement nouveau, que vous vous aimiez les uns les autres comme je vous ai aimés[a]. Il n'est pas de plus grand amour que de donner sa vie pour ses amis[b]. » C'est l'amour du prochain qui appelle, chaque fois que le supérieur a besoin d'aide ou que la communauté, objet de ses soins, a besoin de quelqu'un pour remplir un vide. L'Apôtre en effet l'a dit : « Que personne ne recherche son propre intérêt, mais chacun celui de l'autre[c] » car l'amour selon le Christ « ne recherche pas son intérêt[d] » ; et ailleurs : « Édifiez-vous l'un l'autre, comme déjà vous le faites[e]. »

Si donc quelqu'un n'a pas rempli en actes et en paroles la mission de prédication pour laquelle il a été

3. Jacques, Pierre et Jean, les « colonnes de l'Église », confirment la part de chacun dans l'œuvre d'évangélisation : ils chargent Paul de l'apostolat des nations ; quant à eux-mêmes, ils portent l'apostolat vers les juifs de Palestine. L'exemple de Jésus-Christ obéissant à l'ordre du Père en limitant d'abord sa mission aux brebis perdues d'Israël, ici celui de Paul se soumettant aux chefs de l'Église, sont une mise en garde contre le zèle indiscipliné. Basile reprend dans ce paragraphe une idée déjà développée au chap. VIII à propos de la transgression relative au lieu.

b ἀκουσάντων [f], καὶ οὐκ ἔχει παρρησίαν εἰπεῖν τὰ | αὐτὰ τῷ
20 Ἀποστόλῳ, διαμαρτυρομένῳ τοῖς πρεσβυτέροις Ἐφεσίων
ὅτι « Καθαρός εἰμι ἀπὸ τοῦ νῦν ἀπὸ τοῦ αἵματος πάντων
ὑμῶν· οὐ γάρ ὑπεστειλάμην τοῦ μὴ ἀναγγεῖλαι ὑμῖν
πᾶσαν τὴν βουλὴν τοῦ Θεοῦ [g] ». Ἐὰν δὲ πλέον τι τοῦ
ἐπιτεταγμένου ποιῆσαι δυνηθῇ εἰς οἰκοδομὴν τῆς πίσ-
25 τεως [h] ἐν ἀγάπῃ Χριστοῦ, μισθὸν ἔχει ὃν ὑπέδειξεν ἡμῖν ὁ
Ἀπόστολος, εἰπών· « Εἰ γὰρ ἑκὼν τοῦτο πράσσω,
μισθὸν ἔχω· εἰ δὲ ἄκων, οἰκονομίαν πεπίστευμαι [i]. »

f. Cf. Éz. 3, 20 || g. Act. 20, 26-27 || h. Cf. Éphés. 4, 29 || i. I Cor. 9, 17.

envoyé, il est responsable du sang de ceux qui n'ont pas entendu (annoncer l'Évangile)[f] et il n'a pas la liberté de dire comme l'Apôtre protestant solennellement devant les anciens d'Éphèse : « Désormais[4], je suis pur de votre sang à tous, car je ne me suis pas dérobé au devoir de vous annoncer l'entier dessein de Dieu[g]. » Mais si, pour édifier la foi[h] dans l'amour du Christ, on peut faire quelque chose de plus que ce qui a été commandé, on a la récompense que l'Apôtre nous a indiquée lorsqu'il a dit : « Si je fais cette tâche de moi-même, j'ai ma récompense ; mais si je ne la fais pas de moi-même, c'est qu'un ministère m'a été confié[i]. »

4. En citant *Act.* 20, 26-27, Basile ajoute ἀπὸ τοῦ νῦν, qui provient de *Act.* 18, 6. Il fait de même en *Rb* 261 (1257 b). Or, ces 2 passages des Actes figurent ensemble en *Mor* 70, 7 (824 b).

ιγ´.

Εἰ χρὴ πάντα πειρασμὸν ὑπομένειν, κἂν θανάτου ἔχῃ ἀπειλήν, ὑπὲρ τοῦ φυλαχθῆναι τὴν πρὸς Θεὸν ὑπακοήν, καὶ μάλιστα ἐν τῇ ἐπιμελείᾳ τῶν πεπιστευμένων.

c |**1** Εἰ ὁ Κύριος ἡμῶν Ἰησοῦς Χριστός, ὁ μονογενὴς Υἱὸς τοῦ Θεοῦ τοῦ ζῶντος, δι᾽ οὗ τὰ πάντα ἐγένετο, ὁρατὰ καὶ ἀόρατα [a], ὁ ζωὴν ἔχων ὥσπερ ἔχει ὁ δεδωκὼς αὐτῷ Πατήρ [b], ὁ τὴν ἐξουσίαν πᾶσαν [c] λαβὼν παρὰ τοῦ
5 Πατρός, ἐπερχομένων τῶν συλλαμβανόντων αὐτὸν εἰς τὸν ὑπὲρ τῆς ἡμετέρας δικαιοσύνης καὶ αἰωνίου ζωῆς θάνατον μετὰ τοσαύτης ἀπήντησε προθυμίας, λέγων· « Ἰδοὺ παραδίδοται ὁ Υἱὸς τοῦ ἀνθρώπου εἰς χεῖρας τῶν ἁμαρτωλῶν. Ἐγείρεσθε, ἄγωμεν· ἰδοὺ ὁ παραδιδούς με
10 ἤγγικε [d]. » Καὶ ὡς ἐν τῷ κατὰ Ἰωάννην εὐαγγελίῳ γέγραπται· « Ἰησοῦς οὖν, εἰδὼς πάντα τὰ ἐρχόμενα ἐπ᾽ αὐτόν, ἐξελθὼν εἶπεν αὐτοις· Τίνα ζητεῖτε; Ἀπεκρίθησαν αὐτῷ· Ἰησοῦν τὸν Ναζωραῖον. Λέγει αὐτοῖς ὁ
d Ἰησοῦς· Ἐγώ εἰμι [e]. » Καὶ μετ᾽ ὀλίγα· « Εἶ|πον ὑμῖν ὅτι
15 ἐγώ εἰμι· εἰ οὖν ἐμὲ ζητεῖτε, ἄφετε τούτους ὑπάγειν [f] », πόσῳ μᾶλλον ἡμεῖς τὰ κατὰ φύσιν ἑκόντες ὑπομένειν ὀφείλομεν, ἵνα, διὰ τὴν πρὸς τὸν Θεὸν ὑπακοὴν νικῶντες τοὺς ἐπαγομένους ὑπὸ τῶν ἐχθρῶν πειρασμούς, δοξάσω-

1 a. Cf. Col. 1, 16 || b. Cf. Jn 5, 26 || c. Cf. Matth. 28, 18 || d. Mc 14, 41-42 || e. Jn 18, 4-5 || f. Jn 18, 8.

Chapitre XIII

Pour observer l'obéissance due à Dieu, faut-il endurer n'importe quelle épreuve, même si elle comporte une menace de mort ? Qu'en est-il en particulier lorsque nous nous occupons de ceux qui nous ont été confiés ?

1 Considérons notre Seigneur Jésus-Christ, Fils Monogène du Dieu vivant, par qui tout a été fait, le visible et l'invisible[a], qui possède la vie comme la possède le Père qui la lui a donnée[b], qui a reçu du Père la toute-puissance[c]. Comme arrivaient sur lui ceux qui cherchaient à le saisir pour le mettre à mort — mort destinée à nous justifier et à nous obtenir la vie éternelle —, avec quel empressement alla-t-il à leur rencontre, en disant : « Voici que le Fils de l'homme est livré aux mains des pécheurs. Levez-vous, allons ! Voici qu'il est tout proche celui qui me livre[d] ! » Et, ainsi qu'il est écrit dans l'évangile selon Jean, « Jésus donc, sachant tout ce qui allait lui arriver, s'avança et leur dit : Qui cherchez-vous ? Ils lui répondirent : Jésus de Nazareth. Jésus leur dit : C'est moi[e]. » Et il reprit peu après : « Je vous ai dit que c'était moi. Si donc c'est moi que vous cherchez, laissez ceux-là s'en aller[f]. » Puisque telle fut la conduite de notre Seigneur, combien plus, en ce qui nous concerne, devons-nous supporter de bon gré les souffrances selon la nature ! Ainsi, dans les épreuves qui viennent sur nous du fait de l'ennemi, nous triompherons grâce à notre obéissance à Dieu et nous pourrons lui rendre gloire de ce que les afflictions allant

μεν τὸν Θεὸν ὅτι τὰ δοκοῦντα παρὰ τῶν ἐχθρῶν
20 ἐπάγεσθαι λυπηρὰ μέχρι θανάτου χαίροντες δεχόμεθα, τὸ φρόνημα κατορθώσαντες τοῦ λέγοντος ὅτι « Ὑμῖν ἐχα-
1628 ρίσθη τὸ | ὑπὲρ Χριστοῦ οὐ μόνον τὸ εἰς αὐτὸν πιστεύειν, ἀλλὰ καὶ τὸ ὑπὲρ αὐτοῦ πάσχειν[g] ». Κηρύσσουσι δὲ τοὺς τῶν ἀποστόλων ἀγῶνας αἱ Πράξεις, ἱστοροῦσαι ὅτι τὰς
25 ὕβρεις καὶ τοὺς θανάτους μετὰ χαρᾶς ἐδέξαντο ὑπὲρ τοῦ πληρῶσαι τὸ κήρυγμα κατὰ τὴν ἐντολὴν τοῦ Κυρίου[h].

2 Παιδεύει δὲ ἡμᾶς καὶ ὁ Ἀπόστολος, λέγων· « Τίς ἡμᾶς χωρίσει ἀπὸ τῆς ἀγάπης τοῦ Θεοῦ; θλῖψις ἢ στενοχωρία ἢ διωγμὸς ἢ λιμὸς ἢ γυμνότης ἢ κίνδυνος ἢ μάχαιρα; Καθὼς γέγραπται ὅτι Ἕνεκα σοῦ θανατούμεθα
5 ὅλην τὴν ἡμέραν, ἐλογίσθημεν ὡς πρόβατα σφαγῆς. Ἀλλ' ἐν τούτοις πᾶσιν ὑπερνικῶμεν διὰ τοῦ ἀγαπήσαντος ἡμᾶς· πέπεισμαι γὰρ ὅτι οὔτε θάνατος οὔτε ζωὴ οὔτε ἄγγελοι οὔτε ἀρχαὶ οὔτε ἐξουσίαι οὔτε δυνάμεις οὔτε
b ἐνεστῶτα | οὔτε μέλλοντα οὔτε ὕψωμα οὔτε βάθος οὔτε
10 τις κτίσις ἑτέρα δυνήσεται ἡμᾶς χωρίσαι ἀπὸ τῆς ἀγάπης τοῦ Θεοῦ τῆς ἐν Χριστῷ Ἰησοῦ[a] », τῆς ἀγάπης τῆς ἐν Χριστῷ κατηναγκασμένως καὶ ἀπαραλείπτως ἐχούσης τὴν τήρησιν τῶν ἐντολῶν, καθὼς αὐτὸς ὁ Κύριος εἶπεν· « Ὁ ἀγαπῶν με τὰς ἐντολάς μου τηρήσῃ· ὁ δὲ μὴ τηρῶν
15 μου τοὺς λόγους, οὗτος οὐκ ἀγαπᾷ με[b] », καί· « Ὑμεῖς φίλοι μού ἐστε ἐὰν ποιῆτε ὅσα ἐγὼ ἐντέλλομαι ὑμῖν[c]. » Καινὴ δὲ καὶ ἰδία αὐτοῦ ἐντολὴ τὸ ἀγαπᾶν ἀλλήλους[d], ἥντινα πληρῶν ὁ Ἀπόστολός φησιν· « Οὕτως ὁμειρόμενοι ὑμῶν, εὐδοκοῦμεν μεταδοῦναι ὑμῖν οὐ μόνον τὸ
20 εὐαγγέλιον τοῦ Χριστοῦ, ἀλλὰ καὶ τὰς ἑαυτῶν ψυχάς, δι' ὅτι ἀγαπητοὶ ἡμῖν ἐγενήθητε[e]. »

g. Phil. 1, 29 || h. Cf. Act. 5, 41.

2 a. Rom. 8, 35-39 || b. Cf. Jn 14, 23-24 || c. Jn 15, 14 || d. Cf. Jn 13, 34 || e. I Thess. 2, 8.

jusqu'à la mort [1], qui nous viennent, croyons-nous, de l'ennemi, nous les accueillons joyeusement, ayant réussi à mettre en nous les sentiments de celui qui disait : « Il vous a été fait la grâce pour le Christ non seulement de croire en lui, mais encore de souffrir pour lui [g]. » Et les Actes qui proclament les combats des apôtres rapportent qu'ils accueillirent avec joie les outrages et la mort afin d'accomplir leur prédication selon l'ordre du Seigneur [h].

2 L'Apôtre nous instruit encore en nous disant : « Qui nous séparera de l'amour de Dieu ? tribulation, angoisse, persécution, faim, nudité, péril, glaive ? Il est écrit en effet : A cause de toi, on nous met à mort à longueur de journée, on nous a considérés comme brebis d'abattoir. Mais en tout cela, notre victoire est complète grâce à celui qui nous a aimés, car, j'en ai la certitude, ni mort, ni vie, ni anges, ni principautés, ni puissances, ni pouvoirs, ni présent, ni avenir, ni hauteur, ni profondeur, ni quoi que ce soit d'autre de créé ne pourra nous séparer de l'amour que Dieu nous porte dans le Christ Jésus [a]. » Cet amour dans le Christ contraint à observer les commandements sans en rien laisser de côté, selon ces paroles du Seigneur lui-même : « Celui qui m'aime, qu'il observe mes commandements ; celui qui n'observe pas mes paroles, celui-là ne m'aime pas [b] », et : « Vous, vous êtes mes amis si vous faites tout ce que je vous commande [c]. » Or, le commandement nouveau qui lui appartient en propre, c'est de s'aimer les uns les autres [d], commandement auquel obéit l'Apôtre, lui qui affirme : « Dans notre tendresse pour vous, nous sommes disposés à vous donner non seulement l'évangile du Christ, mais encore notre propre vie, tant vous nous êtes devenus chers [e]. »

1. Il ne faut pas donner à l'expression μέχρι θανάτου un sens temporel, mais y voir un renchérissement comme en *Phil.* 2, 8, où Paul décrit les abaissements successifs de Jésus-Chrit.

Ἀφορῶντες οὖν εἰς τὸν Κύριον, τῇ ἐνδόξῳ μιμήσει τὴν
c προθυμίαν ἐπι|τείνωμεν· κατανοοῦντες δὲ τοὺς ἁγίους, τὸ
δυνατὸν παιδευώμεθα, ἵνα διὰ τούτων προθυμότεροι
25 γενόμενοι, ἄσπιλον καὶ ἄμωμον μέχρι θανάτου πᾶσαν
ἐντολὴν[f] τοῦ Κυρίου φυλάξαντες, εἰς τὴν ζωὴν τὴν
αἰώνιον εἰσέλθωμεν καὶ βασιλείαν οὐρανῶν κληρονομή-
σωμεν, καθὼς ἐπηγγείλατο ὁ ἀψευδὴς Κύριος καὶ Θεὸς
ἡμῶν Ἰησοῦς Χριστός, ὁ μονογενὴς Υἱὸς τοῦ Θεοῦ τοῦ
30 ζῶντος.

περὶ βαπτίσματος
λόγος β΄.

f. Cf. I Tim. 6, 14.

Tenons donc nos regards fixés sur le Seigneur et, en imitant ce modèle illustre, renforçons notre zèle. Observons aussi les saints et instruisons-nous auprès d'eux autant qu'il est possible. Ainsi, en devenant plus zélés grâce à ces exemples et en gardant sans tache et sans reproche[f], au risque même de la mort[2], chacun des commandements du Seigneur, nous pourrons entrer dans la vie éternelle et recevoir en héritage le royaume des cieux, comme l'a promis celui qui ignore le mensonge, notre Seigneur et notre Dieu, Jésus-Christ, le Fils Monogène du Dieu vivant[3].

Sur le baptême

fin du livre II.

2. Voir la note précédente.

3. Basile a perdu de vue la fin de la question, concernant le cas particulier de « ceux qui nous ont été confiés ».

INDEX SCRIPTURAIRE

Les références sont données au livre, au chapitre et au paragraphe du *De baptismo*. Les chiffres en italique indiquent les allusions.

Genèse

1, 26 — I, *2, 7* h
4, 7 — II, 8, 1 a
41, 14-36 — I, *2, 14* d

Lévitique

19, 17 — II, 9, 4 f
19, 18 — II, 8, 7 a ; 8, 9 b
21, 1-23 — I, *2, 1* j
21, 16-18 — II, 2 b
21, 18-20 — II, *2* c
22, 1-3 — II, 3 c
22, 21-22 — I, *2, 1* k

Nombres

16, 1-35 — II, *8, 6* a

Deutéronome

6, 5 — II, 8, 9 a
27, 26 — II, 5, 2 i ; 8, 9 e

IV Rois

10, 10 — II, 4, 1 m

Job

14, 5 — I, 2, 7 b
34, 18 — II, 4, 2 b

Psaumes

1, 3 — II, 9, 2 b
2, 7 — I, 1, 1 a ; 2, 6 c
2, 7-8 — II, 12, 1 c
18, 11 — I, *2, 10* n
31, 6 — II, 8, 5 f
48, 12 — I, 2, 7 g
49, 18 — II, 9, 4 e
49, 21 — II, 9, 4 g
50, 5 — I, 2, 7 c
50, 7 — I, *2, 11* e
52, 6 — II, 8, 9 g
65, 18 — II, 8, 9 f
100, 4 — I, 2, 15 f
100, 5-7 — I, 2, 21 f
110, 8 — II, 4, 1 k
110, 10 — I, 2 9 h
115, 10 — I, 2, 6 h
118, 163 — I, *2, 10* d ; *2, 15* e
140, 4 — II, *4, 2* e
144, 13 — II, 4, 1 l

Proverbes

1, 11 — II, 9, 4 a
9, 9 — I, 2, 1 f
10, 16 — II, 9, 2 c

Ecclésiaste

3, 11 — II, 8, 5 g

Isaïe

1, 18 I, 2, 11 f
5, 21 I, 2, 19 g
7, 9 I, 2, 6 g; *2, 9* f
61, 6 II, 8, 3 d
66, 3 II, 7 a

Jérémie

48(31), 10 II, 5, 2 j; 6, 1 h; 6, 2 b

Ézéchiel

3, 20 II, *12, 2* f
18, 4 I, 2, 16 c

Osée

6, 9 II, 10, 2 b
10, 12 II, 9, 2 d

Joël

2, 6 I, *2, 10* m

Michée

7, 13 II, 9, 2 e

Malachie

1, 8 II, 8, 6 d
1, 11 II, *8, 3* c
4, 2 I, *2, 11* d; II, *9, 2* g

Matthieu

3, 7-10 II, 6, 2 a
3, 8 II, 9, 2 i
3, 10 II, 9, 2 j
3, 11 I, 2, 4 k; 2, 10 b
3, 14-15 II, 11 b
4, 4 I, 3, 1 d; II, *4, 1* j
5, 3 I, 2, 2 a; *2, 4* a
5, 6 II, 6, 2 d
5, 10 I, 2, 2 b
5, 14 I, 2, 11 g
5, 15-16 II, 4, 2 g
5, 16 I, 2, 11 h; 2, 16 l; II, 8, 8 e
5, 17 II, *5, 1* c
5, 18 II, 4, 1 d; 5, 1 b
5, 20 I, 2, 2 f; 2, 4 b; *2, 19* k; II, 5, 1 h; 6, 1 b; 8, 7 d
5, 22 II, 5, 1 d
5, 28 II, 5, 1 e
5, 34 II, 5, 1 f
5, 37 II, 5, 1 g
5, 38-41 I, 2, 11 l
6, 3 II, 4, 2 h
6, 5 II, 8, 8 a; 9, 3 b
6, 20 I, 1, 1 j; II, 4, 3 c
6, 24 I, 1, 2 m; II, 7 c
7, 15 I, *2, 14* f
7, 18 II, 9, 2 h
7, 22 II, 8, 8 b
7, 22-23 II, 8, 8 d
7, 26-27 II, 5, 1 i; 6, 1 c
10, 5 I, *2, 6* d; II, 12, 1 d
10, 37 I, 1, 3 i
10, 38 I, 1, 3 j; 2, 26 c
11, 11 I, *2, 4* i; *2, 13* f
11, 29 II, 11 a
12, 6 I, 2, 1 m; 2, 4 d; II, 2 d; *3* d
12, 33 I, 2, 25 g; II, *7* f
12, 34 I, *2, 25* i
12, 36 I, *3, 3* e
12, 41 I, 2, 4 f

12, 41-42 II, *4, 1* f
12, 42 I, 2, 4e
13, 8 I, *2, 25* j
13, 36 II, *4, 3* b
13, 43 I, 2, 27j
15, 11 II, 10, 1b
15, 13 II, 10, 1c
15, 24 II, 8, 6b; 12, 1b
15, 26 II, 8, 6c
16, 23 II, 10, 2a; 11c
16, 24 I, 1, 3d; 1, 4d; 2, 26b
18, 3 I, 2, 2g
18, 6 II, 10, 2d
19, 20 I, 1, 2h
19, 21 I, 1, 2g; 1, 3h; II, 4, 3d
22, 23 I, 2, 24j
22, 40 II, 8, 9c
23, 26 I, 2, 25h; II, *7* g
23, 27-28 I, 2, 25l
24, 35 I, 2, 3b; II, 4, 1h
24, 44 II, 8, 5b
24, 46 II, 8, 1c
25, 1-13 II, 8, 4a; *9, 1* b; II, *9, 3* c
25, 14-28 I, *3, 3* f
25, 21 II, 1, 2j
25, 34 I, 2, 2c; II, 9, 2k
25, 41 II, 6, 1e; *6, 1* g; 6, 2c; *9, 2* l
25, 42 II, 6, 1f; 9, 2m
25, 46 I, *1, 5* g
26, 26-28 I, 3, 2a
26, 28 I, 1, 3e; 2, 7e; 2, 10e; 2, 26f
28, 18 I, 1, 1b; *2, 1* g; II, *13, 1* c
28, 19 I, 1, 1g; 1, 11i; 2, 6e; *2, 20* a; II, 12, 1f
28, 19-20 I, 1, 1c; 1, 1d; 1, 1e
28, 20 I, *1, 1* h; 2, 24d

Marc

7, 6-7 II, 8, 6e
10, 15 I, 2, 2h; 2, 19h; II, 4, 3k
10, 20 II, 8, 7e
10, 21 II, 8, 7f
14, 41-42 II, 13, 1d

Luc

1, 79 I, *2, 1* e
2, 34 II, 10, 1h
3, 16 I, 2, 4l
6, 20 I, *2, 2* d
6, 36 I, 2, 11j
7, 28 II, *5, 2* g
9, 59-60 I, 1, 4a
9, 61 I, 1, 4b
9, 62 I, 1, 4c; 2, 3j
12, 32-33 I, 2, 2e; II, 4, 3e
12, 33 I, 1, 1k
12, 47 I, 2, 9i
12, 48 I, 2, 1n; 2, 9e; *2, 9* j
12, 49 I, 2, 26d
13, 6-7 II, 6, 1d
13, 24-25 II, 8, 5a
13, 26 II, 8, 8c
13, 26-27 I, 2, 24j
13, 27 I, 2, 25e
14, 15 I, 1, 4e
14, 16-24 I, 1, 4f
14, 26 I, 1, 4d; 1, 4h; II, 8, 7g
14, 27 I, 1, 4i
14, 28-35 I, 1, 5a
14, 33 I, 2, 26a; II, 7d; 8, 7h

16, 17 II, 4, 1e
17, 2 II, 10, 2d
17, 34-35 II, *9, 3*d; *9, 4*k
21, 2 I, *2, 1*c

Jean

1, 7 I, 1, 2i; 3, 1a
1, 12 I, *2, 24*a; *2, 27*e
3, 3 I, *2, 1*h; 2, 2i; 2, 6a; *2, 7*a; *2, 8*c; *2, 27*a
3, 5 I, *2, 1*i; 2, 2j; *2, 4*a; 2, 6b; *2, 8*a; II, 1, 1a
3, 6 I, 2, 20b
3, 30 I, 2, 4j
3, 34 II, *4, 3*j
3, 36 I, 2, 13g; II, 5, 1a; 5, 2h
4, 21 II, 8, 3b
4, 34 I, 3, 1e
5, 26 II, *13, 1*b
5, 39 II, 4, 3a
6, 53-56 I, 3, 1f
6, 54 II, 10, 1d
6, 60-69 I, 3, 1g
6, 63 I, 2, 13c; 2, 19b; 3, 2e
6, 65 II, 10, 1e
6, 66-69 II, 10, 1f
6, 68-69 I, 2, 13d
8, 26 II, *4, 1*b
8, 31-32 I, 1, 2b
8, 34 I, 1, 2c; 1, 2k; 2, 16e; II, 7b
12, 26 I, 2, 13m; 2, 16k
12, 47 I, *1, 4*g
12, 48 II, 5, 2f
13, 8 I, 2, 3d; II, 11d
13, 17 I, 2, 9g
13, 34 I, *2, 1*a; II, 8, 7b; 12, 2a; *13, 2*d
14, 15 I, 2, 24e
14, 21 I, 2, 24f
14, 23 I, 2, 24g; II, 4, 3h
14, 23-24 II, *13, 2*b
14, 26 I, *2, 1*d; 2, 20d
15, 9-10 I, 2, 16p; 2, 24h
15, 13 II, 8, 7c; 12, 2b
15, 14 II, 13, 2c
15, 15 II, *4, 1*b
16, 13 I, *2, 1*d
17, 24 I, 2, 13l
18, 4-5 II, 13, 1e
18, 8 II, 13, 1f
20, 21 II, 12, 1c

Actes

3, 22-23 I, 2, 13e
4, 19-20 II, 11g
5, 29 II, 11f
5, 41 II, *13, 1*h
20, 26-27 II, 12, 2g
21, 13 II, 11e

Romains

1, 28-2, 1 II, 5, 2e
1, 32 I, 2, 3g
3, 23-25 I, 2, 7d
3, 25 I, *1, 5*e
5, 8-10 I, 2, 8d
5, 11 I, *2, 17*f
5, 14 I, *2, 17*e
5, 18 I, 2, 9a
5, 19 I, 1, 2e; 1, 3a; 2, 16h
6, 3 I, *1, 4*j; 2, 9b; *2, 10*a; *2, 10*i; *3, 1*b; II, *1, 2*e
6, 3-4 II, 1, 1b

6, 3-10 I, 2, 8 b
6, 4 I, 2, 10 k; *2, 11* k; *2, 13* i; *2, 15* h
6, 5 I, *2, 10* l; 2, 13 h; 2, 14 a; *2, 15* g; 2, 15 k; *2, 22* b
6, 6 I, 2, 14 e; II, 1, 2 f
6, 7 I, 2, 15 b
6, 9 I, *2, 16* b; *2, 16* d
6, 9-11 I, 2, 15 l
6, 9-13 I, 2, 26 h
6, 10 I, 2, 16 g
6, 11 I, 2, 16 a; *3, 1* c
6, 12-13 I, 2, 17 b; 2, 17 h; II, 1, 2 h
6, 17 I, 2, 7 i; 2, 10 j
6, 20 I, *1, 2* l
6, 23 I, 2, 11 b; 2, 18 a
7, 1-6 I, 2, 18 b
7, 4-6 I, 2, 13 a
7, 14-17 I, 1, 2 p
7, 17 I, *1, 2* j
7, 24-25 I, 1, 2 g; 2, 26 e
8, 1 I, 1, 2 r
8, 4 I, 1, 2 s
8, 28-29 I, 2, 23 c
8, 33 II, 4, 2 c
8, 35 II, 4, 3 g
8, 35-39 II, 13, 2 a
10, 2-3 I, 2, 19 f; II, 8, 6 f
11, 22 I, *1, 5* d
11, 33 II, *4, 2* a; *4, 2* d; II, 4, 3 i
12, 1 II, 1, 2 g
12, 1-2 II, 8, 3 e
12, 2 I, *2, 22* c
12, 3 II, 8, 3 f; 12, 1 g
12, 4-7 II, 8, 3 g
12, 6-7 I, 2, 20 h
13, 10 II, 8, 9 d
14, 15 I, *3, 3* i
14, 21 II, 10, 2 e
15, 16 II, *2* g

I Corinthiens

5, 2 II, 9, 4 h
5, 6 II, 9, 4 i
5, 7 II, 9, 4 j
5, 11 I, 2, 21 g; II, 5, 2 a; 9, 1 c
6, 9 I, *2, 3* i
6, 9-10 II, 5, 2 d
7, 24 II, *1, 2* k; 12, 1 h
8, 7-12 II, *8, 2* c
8, 12 II, 10, 2 c
8, 13 II, 10, 2 g
9, 15 II, 4, 3 f
9, 17 II, 12, 2 i
10, 11 I, 2, 1 l; II, *2* a; *3* b; 8, 2 b
10, 24 II, 12, 2 c
10, 31 I, 2, 16 m; 2, 25 f; II, 8, 8 f
10, 32-33 II, 10, 2 h
11, 14 II, 8, 2 a
11, 23-26 I, 3, 2 b
11, 27 I, *3, 3* c; *3, 3* h; II, 3 e; 3 h
11, 28-29 II, 3 f
11, 29 I, 3, 3 a
12, 3 I, 2, 21 c
12, 7 I, *2, 20* c
13, 1-3 I, 2, 24 i; *3, 3* j; II, 8, 8 g
13, 1-13 II, *9, 3* e
13, 5 II, *12, 2* d
13, 12 I, *2, 5* b; *2, 20* c
14, 40 II, 8, 7 i
15, 54 I, *2, 11* c

II Corinthiens

2, 16 II, 10, 1 i
2, 17 I, 2, 25 c
3, 6 I, *2, 5* a; *2, 13* b; I, *2, 19* a
3, 7 I, *2, 4* g; 2, 4 e; 2, 4 f
3, 10 I, *2, 4* h
3, 10-11 II, 4, 1 g
5, 14 I, 3, 3 d; II, 1, 2 b
5, 14-15 I, *2,16* o; 3, 2 c; 3, 2 d; *3, 3* k; II, 3 i
5, 15 I, *2, 19* c
5, 21 I, 1, 2 d; 1, 3 b; 2, 9 d
6, 1 I, *1, 3* c; *1, 5* b; *2, 9* d; *2, 17* g
6, 2 II, 8, 5 c; 8, 5 d
6, 3-4 I, *2, 3* k; *2, 17* a; II, 2 f
6, 4 II, *9, 3* g
6, 14-16 I, 1, 2 n; II, 7 e
6, 17-18 I, 2, 24 b; 2, 27 f
7, 1 I, *2, 10* h; *2, 18* c; 2, 27 g; *3, 3* b; II, 2 f; *3* a; *3* g; *7* h
10, 4-5 I, 2, 19 e
10, 10 I, *2, 5* c
13, 3 I, *2, 3* f

Galates

1, 10 II, 8, 8 h
1, 16 II, 13, 1 a
2, 9 II, 12, 1 i
2, 19-20 I, 2, 12 b
2, 20 I, 1, 3 k; 2, 12 a; 2, 15 i; 2, 19 j; II, 1, 2 d
3, 13 I, 1, 3 g; 2, 16 g
3, 27 I, 2, 22 e; 2, 27 c
3, 27-28 II, 1,1 c
3, 28 I, 2, 23 a; II, 1, 2 i
5, 1 I, 2, 16 i
5, 3 II, 1, 1 e
5, 6 I, *1, 5* i; 2, 24 c
5, 17 I, 1, 2 o
5, 18 I, 2, 20 f
5, 21 I, 2, 3 h
5, 22 I, 2, 20 e
5, 24 I, 2, 15 c; 2, 16 f
5, 25 I, 2, 20 g; *2, 21* b; *2, 27* b
6, 6 II, 9, 4 d
6, 10 II, 8, 5 e
6, 14 I, 1, 3 k; 2, 12 a; 2, 19 i; II, 1, 2 d

Éphésiens

1, 5-8 I, 2, 7 f
1, 7 I, 2, 10 f
2, 14-21 I, 2, 22 a
2, 20 I, 2, 22 d
3, 14-17 I, 2, 21 a
3, 16 I, *2, 21* d
4, 2 I, *2, 1* b
4, 5 II, *1, 2* a
4, 7 II, *1, 2* l
4, 24 I, 2, 23 b
4, 29 I, *3, 3* g; II *10, 1* a; *10, 1* g; *12, 2* h
4, 30 I, *2, 25* k
4, 31 II, 5, 2 c
5, 2 I, 1, 3 f; II, *2* e
5, 6-7 II, 9, 1 e
5, 11 II, *9, 1* a; *9, 2* a; *9, 3* a; 9, 3 h

5, 27 I, 2, 4c
6, 19 I, *2, 6*f

Philippiens

1, 7 II, 9, 4b
1, 15-17 I, 2, 25b
1, 27 I, *1, 5*h; *2, 16*n
1, 29 II, 13, 1g
2, 14-16 I, 2, 27h
2, 15-16 I, 2, 11i
3, 1 I, 2, 14c
3, 8-9 I, 2, 19d
3, 8-10 II, 8, 6g
3, 8-11 I, 2, 12c
3, 14 II, *4, 2*f
3, 15 I, 2, 12d
3, 20 I, 2, 15a; 2, 21e
3, 20-21 I, 2, 13j
4, 13 I, 2, 6i
4, 14 II, 9, 4c

Colossiens

1, 13 I, *2, 11*a
1, 14 I, 2, 26g
1, 16 I, *1, 5*c; II, *4, 1*a; *12, 1*a; *13 1*a
1, 24 I, *2, 3*e
2, 11 II, *1, 2*c
2, 11-12 II, 1, 1d
3, 1-2 I, 2, 17c
3, 1-4 I, 2, 27i
3, 5-6 I, 2, 15d; II, 9, 1d
3, 9 I, 2, 7j; *2, 23*b; II, 5, 2b
3, 9-11 I, 2, 27d
3, 11 I, 2, 22f; *2, 23*a

I Thessaloniciens

2, 5-7 I, 2, 25d
2, 8 II, 13, 2e
3, 13 II, *4, 1*i; *6, 1*a
4, 15-17 I, *2, 13*n
4, 17 I, *2, 13*k
5, 11 II, 12, 2e

II Thessaloniciens

1, 11 I, *2, 9*c
3, 6 I, *2, 14*g; II, 9, 1f

I Timothée

2, 8 II, 8, 3a
4, 4 II, 10, 2f
4, 6 I, *2, 10*c
6, 5 I, 2, 25a
6, 14 II, *13, 2*f

II Timothée

2, 4 I, *1, 2*f
2, 5 II, 8, 1b; *9, 3*f
2, 11-12 I, *2, 14*b; *2, 15*j

Tite

1, 2 I, *1, 2*a; *1, 5*f
2, 14 I, *2, 10*g; *2, 17*d

Jacques

2, 10 I, 2, 3c

I Pierre

3, 15 I, 1, 1f; II, 4, 1c

II Pierre

1, 19 II, *9, 2*f

I Jean

1, 7 I, *1, 2*i; *3, 1*a

INDEX DE MOTS GRECS

On donne ici un choix des termes les plus significatifs du traité de Basile. Sont recensées toutes les occurrences des mots retenus, à l'exception de ceux des citations. Les renvois sont faits au livre, chapitre, paragraphe et ligne.

ἀγανάκτησις I, 2, 11, 52
ἀδιάκριτος II, 4, 1, 24
ἀκαθαρσία I, 2, 5, 10 ; II, 2, tit. ; 3, 2 ; 3, 27 (bis) ; 3, 33
ἀκατάληπτος I, 2, 20, 18
ἀκολουθέω (τῷ Κυρίῳ) I, 1, 2, 3 ; 1, 3, 39 ; II, 1, 2, 24
ἀκριβολογία I, 2, 1, 35 ; II, 9, 4, 20
ἀμετεώριστος I, 1, 4, 11 ; 1, 5, 29 ; 2, 3, 35 ; 2, 25, 30 ; II, 6, 2, 20
ἀμφιβολία II, 4, 1, 9
ἀνακαίνωσις I, 2, 22, 24
ἀναχωρέω I, 1, 3, 17
ἀνεκδιήγητος I, 2, 3, 45 ; 2, 9, 2 ; 2, 18, 25
ἄνοδος I, 2, 16, 11
ἀπαγορεύω I, 1, 5, 48 ; 2, 3, 39 ; 2, 13, 42 ; II, 5, 1, 18 ; 6, tit. ; 6, 1, 28 ; 7, 14 ; 9, 4, 44
ἀπαλλάσσω I, 2, 3, 43 ; 2, 15, 6.11
ἀπαλλοτριόω I, 1, 4, 22 ; 2, 14, 24.25 ; 2, 16, 18
ἀπαρνέομαι I, 1, 3, 15
ἀπαστράπτω I, 2, 10, 58
ἀπέχω I, 1, 5, 22
ἀποκαθίστημι I, 2, 7,25
ἀποτάσσω I, 1, 5, 16
ἀρετή I, 1, 4, 52 ; 2, 26, 18 ; 3, 1, 9
ἀρχέτυπον I, 2, 23, 7
ἀφίστημι I, 1, 2, 23 ; 2, 15, 2 ; 2, 18, 1

βαθμός τέλειος I, 2, 24, 2
βδελύσσω I, 2, 15, 29

γνήσιος II, 9, 1, 9 ; 11, tit. ; 11, 23
γνησίως II, 8, 6, 29

δεδοκιμασμένως I, 2, 6, 28
διαβεβαιόομαι I, 2, 15, 43
διάβολος I, 1, 2, 11.35 ; 1, 3, 14 ; 1, 5, 22 ; 2, 19, 43.52
δικαίωμα I, 2, 10, 27.59 ; 2, 25, 2.6 ; 3, 3, 26 ; II, 2, 21 ; 5, 2, 26 ; 6, 2, 12 ; 7, tit. ; 8, 6, 30 ; 8, 7, 8 ; 8, 8, 3 ; 8, 9, 11
δυσωπητικός I, 2, 15, 49 ; 2, 24, 24

ἔγγραφος I, 3, 1, 12
ἐγκρίνω I, 1, 5, 48 ; II, 6, tit. ; 6, 1, 28 ; 8, 2, 24
εἰλικρινής II, 9, 3, 22

ἐνέργεια I, 2, 10, 20 ; 2, 20, 21 ; 2, 24, 31 ; II, 2, 11 ; 8, 4, 10 ; 9, 4, 16
ἔνοχος I, 3, 3, 6 ; II, 12, 2, 18
ἐντυπόω I, 2, 10, 42
ἐπαγγελία (ἐν τῷ βαπτίσματι) I, 2, 17, 4
ἐπανόρθωσις I, 2, 7, 2
ἐπιμιξία II, 2, 9
ἐπισκήπτω II, 4, 2, 13
ἐπισφράγισμα I, 2, 5, 13
ἐπιτείνω II, 13, 2, 23
ἐπιτετηρημένως I, 2, 6, 34
ἐστηριγμένως I, 2, 9, 25
εὐταξία II, 8, 3, 35.37
ἐφησυχάζω II, 9, 4, 22

θεωρέω I, 1, 2, 48 ; 1, 3, 7 ; 2, 8, 21 ; 2, 20, 22 ; II, 2, 21

ἰδίωμα II, 3, 28 ; 5, 1, 29 ; 10, 2, 8
ἰσραηλίτης II, 4, 1, 18

καθομολογέω (ἐν τῷ βαπτίσματι) I, 2, 19, 10
κανονίζω II, 8, 3, 35
κατατίθημι I, 2, 26, 31 ; 3, 1, 12 ; II, 1, 2, 24
καταφρονέω I, 1, 3, 48
κήρυγμα II, 12, 2, 18 ; 13, 1, 26
κλῆσις I, 2, 6, 35 ; 2, 16, 46 ; II, 4, 2, 20
κοσμικός I, 2, 11, 24
κτίζω I, 2, 23, 19.21 ; 3, 1, 18

λογισμός I, 2, 19, 28 ; II, 11, tit. ; 11, 24.27
λύτρωσις I, 2, 17, 20

μεριμνάω I, 1, 2, 45
μόλυσμα I, 2, 14, 32
μῶμος I, 2, 1, 36 ; II, 2, 8.20

νεκρόω I, 2, 10, 39 ; 2, 13, 41 ; 3, 1, 13 ; 3, 3, 39 ; II, 1, 2, 18
νομοθετέω I, 1, 4, 14 ; II, 7, 4 ; 8, 2, 19

οἰκονομέω I, 3, 3, 22
ὁλοκληρία II, 2, 12
ὁμολογέω (ἐν τῷ βαπτίσματι) I, 1, 4, 56 ; 2, 19, 49 ; 3, 2, 37 ; II, 4, 1, 2.25
ὁρίζω I, 2, 24, 19 ; II, 3, 2 ; 8, 5, 22

παράβασις I, 1, 3, 44
παραιτέομαι II, 11, tit. ; 11, 14
παρακοή I, 1, 4, 53 ; 2, 7, 26
παραλαμβάνω I, 1, 1, 30 ; 2, 5, 12 (bis) ; 2, 6, 25
παράστασις II, 8, 2, 3
παρρησία I, 2, 15, 8 ; 2, 19, 50 ;12, 2, 19
περικοπή I, 2, 26, 33 ; II, 4, 2, 18 ; 5, 1, 16 ; 6, 1, 11
περιποίησις II, 10, 1, 34
πλάνη II, 6, 1, 3 ; 10, 1, 8
πλημμελέω I, 2, 9, 41 ; II, 7, 1, 5
πληροφορέω I, 2, 1, 35 ; 2, 15, 45 ; II, 8, 1, 19
πολιτεύω I, 1, 5, 50 ; 2, 16, 47
προσέρχομαι I, 1, 2, 2 ; 1, 3, 38 ; 2, 5, 19 ; 3, 3, 6 (bis).15 ; II, 3, 34
προσπάθεια I, 1, 3, 16
πρόφασις II, 4, 2, 14 ; 10, 1, 36 ; 10, 2, 18

ῥυπαρία I, 2, 7, 2
ῥύπος II, 9, 2, 26

σοφία (ἀνθρωπίνη) I, 2, 19, 25
σοφίζω I, 2, 19, 37
σταυρόω I, 2, 12, 6; 2, 15, 1.16
στοχάζομαι I, 1, 5, 1
συνάφεια II, 8, 4, 3
συνεγείρω I, 2, 15, 36; 2, 17, 6; 2, 19, 50
συνεμπίπτω I, 1, 5, 40
συνήθεια I, 2, 6, 24; II, 8, 2, 2
συνθήκη I, 2, 15, 21; 2, 26, 31; II, 1, 2, 24
συντίθημι I, 1, 4, 55; II, 3, 46

τάγμα II, 8, 3, 29; 12, 2, 11
τελειότης I, 1, 1, 30
τελειοποιός I, 2, 24, 32

ὑγιαίνω I, 1, 5, 50; II, 6, 1, 4; 10, 1, 33
ὑπερφρονέω I, 1, 3, 50
ὑπόθεσις I, 2, 9, 28; II, 4, 2, 17
ὑψόω I, 2, 15, 6

φρόνησις I, 2, 6, 29
φυτεία I, 2, 13, 41; 2, 15, 36
φωνή II, 4, 3, 38
φωτίζω I, 2, 10, 12.23; 2, 11, 9.14

χωρητικός I, 2, 21, 10

INDEX ANALYTIQUE

Les renvois sont faits au livre, chapitre, paragraphe et ligne.

Actes des Apôtres II, 13, 1, 25
Action humaine à examiner sous 7 rapports (II, 8,1, 20)
Adoration où la pratiquer? (II, 8, 3)
Adultère condamnation de l'adultère (I, 2, 19, 12)
Ame en prendre soin (I, 2, 1, 44)
Amour selon l'ancienne alliance et selon la nouvelle (II, 8, 7 et 9); le Seigneur en a fait l'objet d'un commandement (I, 2, 1; II, 12, 2, 5); se manifeste par l'obéissance (I, 2, 16, 55; 2, 24, 20; II, 4, 3, 30; 13, 2, 13); appelle à combler les vides (II, 12, 2, 2); ne cherche pas son intérêt (II, 12, 2, 13); sans amour, tout est vain (I, 2, 24, 30; 2, 25, 5; II, 8, 8, 30; 9, 3, 22)
Arbre parabole de l'arbre (II, 9, 2); le bon arbre produit de bons fruits (I, 2, 25, 23; II, 9, 2); arbres produisant de mauvais fruits (II, 6, 2); arbres stériles (II, 9, 2)
Ascension de N.S. I, 1, 5, 42

Baptême de feu I, 2, 10, 25; 3, 1, 7
Baptême de Jean remet les péchés (II, 6, 2); en vue de la conversion (II, 9, 2, 25); supérieur à celui de Moïse (I, 2, 5, 15); donné à Jésus-Christ (II, 11, 5)
Baptême de Jésus-Christ annoncé par Jean (I, 2, 10, 10); comparé à celui de Jean (I, 2, 4); son éclatante supériorité (I, 2, 5); efface toute différence entre les hommes (I, 2, 23, 13); un seul baptême (II, 1, 2, 1); discours sur le baptême (I, 2, 8; II, 1, 2, 21); signification de l'eau (I, 2, 16, 34; 2, 17, 27; 2, 26, 29; 3, 1, 11); donné au nom des trois personnes divines (I, 2, 20 et 27; 3, 1, 15); au nom du Saint-Esprit (I, 2, 20; 2, 21 et 22); au nom du Fils (I, 2, 22); au nom du Père (I, 2, 24)
Barnabé reçoit avec Paul l'apostolat des Gentils (II, 12, 1, 23)
Béatitudes leur annonce (I, 2, 2); l'enseignement leur faisant suite (II, 5, 1, 18)

Charisme don de Dieu transmis par Jésus-Christ (I, 2, 20, 20); par l'Esprit-Saint (II, 12, tit.); doit être subordonné au bon ordre (II, 8, 3); à faire fructifier (II, 1, 2, 45); mauvais usage des charismes (I, 2, 25; II, 8, 8)
Circoncision charnelle, sans valeur (I, 2, 24, 11); selon Moïse et selon le Christ (II, 1, 1 et 2)
Citoyenneté céleste I, 2, 13, 45; 2, 15, 8; 2, 21, 20
Communion eucharistique institution (I, 3, 2); elle nourrit pour la vie éternelle (I, 3, 1); elle exige la pureté de l'âme (II, 3); autres conditions pour ne pas communier indignement (I, 3, 3)
Coopération différentes formes (II, 9)
Coré (II, 8, 6, 1)
Couple occupé à la meule Pourquoi l'un est pris, l'autre laissé? (II, 9, 3, 20)

David sa prophétie concernant Jésus-Christ (I, 1, 1, 4; 2, 6, 8; II, 12, 1, 9)
Désobéissance entraîne la colère de Dieu (I, 2, 13, 20; II, 5, 1); par omission (II, 6); de Moïse, Jonas, Jérémie (II, 11, 25)
Dieu ses pensées sont insondables (II, 4, 2, 4; 4, 3, 30); ne peut mentir (I, 2, 11, 12); sa philantropie (I, 1, 3, 1; 1, 5, 36; 2, 3, 45; 2, 5, 35; 2, 8, 25; 2, 17, 15; 2, 18, 25)
Disciple définition (I, 1, 2); être disciple avant de recevoir le baptême (I, 1; 2, 1, 17; 2, 26, 1); comment devenir disciple? (I, 1, 2; 1, 3, 15; 1, 4; 1, 5, 15; 2, 26; II, 8, 7, 20)
Dispositions intérieures leur importance (II, 8, 8 et 9; 9, 2; 9, 4, 21); des pharisiens (I, 2, 25, 35)

Écriture sainte ses procédés habituels d'expression (I, 1, 1, 40; 2, 6, 25); ses contradictions apparentes (II, 4, 1 et 2); elle exige toute notre attention (I, 2, 6, 34; II, 4, 3, 5)
Édification devoir d'édifier pour la foi (I, 2, 1, 15; II, 10, 1, 33); édification mutuelle (II, 12, 2, 15); édification à rebours pour l'impiété (II, 10, 1, 8)
Enfant nécessité de lui ressembler (I, 2, 19, 40; II, 4, 3, 38)
Envoi en mission des disciples (I, 1, 1, 10; II, 12, 1, 15)
Éphèse les anciens d'Éphèse (II, 12, 2, 20)
Esprit et lettre (I, 2, 13, 12; 2, 19, 5); esprit et chair (I, 2, 20, 10; 3, 1, 43); esprit et parole du Seigneur (I, 2, 1, 12; 2, 13, 11; 2, 20, 25; 3, 1, 43; II, 4, 1, 28)
Évangile garantie la plus sûre (II, 4, 1, 24); piété selon l'Évangile (II, 2, 22); vivre selon l'Évangile, devoir du baptisé (II, 1, 1, 25); Évangile et Loi (II, 5, 1)

Faiblesse humaine I, 1, 5, 1; II, 4, 1, 32; 5, 2, 5; 8, 2, 33; 10, 1, 35; 10, 2, 18)

Feu révèle les défauts (I, 2, 10, 15); paroles de feu (I, 2, 26, 14)
Foi nécessaire pour comprendre (I, 2, 6, 18 ; 2, 9, 32); doit être ferme (II, 4, 1); doit ressembler à celle des petits enfant (II, 4, 3, 35)
Fréquentations I, 2, 15, 2 ; 2, 21, 23 ; 2, 22 ; 2, 27, 3 ; II, 9, 1, 14

Gloire de Dieu, but de nos actes (I, 2, 9, 5 ; 2, 25, 38 ; 2, 26, 18); de l'Esprit-Saint (I, 2, 20, 19); de Moïse (I, 2, 4, 32 ; II, 4, 1, 18); de l'homme, restaurée (I, 2, 7, 25)
Grâce prévenante de Dieu (I, 2, 8, 22 ; 2, 9, 14; 2, 17, 15); à ne pas recevoir en vain (I, 1, 3, 12 ; 1, 5, 24; 2, 9, 15 ; 2, 17, 29)

Haine du père, de la mère, etc. : nature de cette haine (I, 1, 4, 51)
Homme le vieil homme (I, 2, 14, 30); l'homme nouveau (I, 2, 7, 42 ; 2, 23, 19; 3, 1 17); l'homme intérieur (I, 2, 7, 39; 2, 10, 55 ; 2, 15, 38 ; 2, 21, 8.19; 2, 22, 23 ; 2, 25, 29); l'homme, image de Dieu (I, 2, 7, 29)

Ignorance faute commise dans l'ignorance (I, 2, 9, 41)
Image du roi (I, 2, 7, 22 ; 2, 23, 4)
Importance d'un seul manquement I, 2, 1, 35 ; 2, 3, 2.9; II, 9, 1 ; 9, 3, 16
Incarnation annoncée par prophéties (I, 1, 5, 39); est rencontre de natures opposées (I, 1, 5, 40); manifeste la philantropie divine (I, 1, 3, 2); assumée par Jésus-Christ jusqu'à l'acceptation de la mort (I, 2, 16, 3); vie selon l'Incarnation I, 2, 10, 40 ; 2, 15, 38)

Jérusalem lieu consacré (II, 8, 2, 22 ; 8, 3, 5); lieu des épreuves de Jésus-Christ (II, 11, 10); Paul est prêt à y mourir (II, 11, 21)
Jésus-Christ artisan de la Création (I, 1, 5, 32 ; II, 12, 1, 2 ; 13, 1, 2); rédempteur (I, 1, 3, 24); sauveur (I, 1, 4, 44); élargissement de sa mission (II, 12, 1); fruits pour l'homme de son obéissance (I, 2, 17, 20)
Joseph se prononçant sur le songe du Pharaon (I, 2, 14, 12)
Jourdain lieu du baptême (I, 2, 5, 21)
Justice vivre pour elle (I, 3, 1, 13); en avoir faim et soif (II, 6, 2, 24); faire de ses membres des instruments de justice (I, 2, 17, 11.35 ; 2, 26, 43 ; II, 1, 2, 34); plénitude des bonnes actions (I, 2, 4, 13); incompatible avec l'iniquité (I, 1, 2, 49 ; II, 7, 16); don du Christ à l'homme (I, 2, 3, 45 ; 2, 17, 23 ; II, 13, 1, 6); le baptême de feu nous y dispose (I, 3, 1, 7); justice humaine et justice divine (I, 2, 12, 16 ; 2, 19, 30 ; II, 8, 6, 22); justice selon

la Loi : surpassée par la justice évangélique (I, 2, 11, 23 ; 2, 12) ; S. Paul nous en détourne (I, 2, 18 et 19)

Lettre sur la concorde II, 5, 1, 1
Lieu lieu approprié (II, 8, 2, 10) ; lieux profanes, lieux consacrés (II, 8, 2, 21 ; 8, 3 et 4)
Loi Loi et circoncision (II, 1, 1, 25) ; Loi et Évangile (I, 2, 19, 1 ; II, 5, 1, 30) ; Loi et amour (II, 8, 9, 1) ; la Loi instruit sur ce qui est impur (II, 3) ; elle est immuable (II, 5, 1, 9) ; spirituelle (I, 1, 2, 57) ; bonne en soi (I, 1, 2, 61) ; mauvaise à certains égards (I, 2, 13, 5) ; le Christ nous en a délivrés (I, 2, 13, 3 ; 2, 16, 22) ; il est nécessaire de mourir à la Loi (I, 2, 12, 7)

Monde agitation du monde (I, 2, 19, 43) ; vie selon le monde (I, 2, 11, 24 ; 2, 15, 5 ; II, 8, 3, 24)

Naissance d'en haut corrige la naissance charnelle (I, 2, 7, 1) ; concerne l'homme intérieur (I, 2, 22, 23) ; implique un changement de vie (I, 2, 27, 2) ; donne accès au Royaume de Dieu (I, 2, 1, 25) ; équivaut à la plénitude des bonnes actions (I, 2, 4, 13)
Nourriture du baptisé I, 3

Obéissance c'est un devoir d'obéir au Seigneur (I, 1, 2, 24 ; 2, 11, 2) ; qualités de l'obéissance : ferme rapide, confiante, ne cherchant pas de prétextes ni d'excuses, allant, s'il le faut, jusqu'à la mort (I, 1, 4, 10 ; 1, 5, 28 ; 2, 3, 33 ; 2, 19, 47 ; II, 4 et 13)

Œuvres stériles II, 9, 2 ; 9, 4, 44
Offrande façon de la présenter (II, 8, 1, 1) ; ce qu'il faut offrir (I, 2, 1, 34 ; II, 8, 6, 10) ; prophétie de l'offrande (II, 8, 3, 11)
Ordre nécessité de l'observer (I, 1, 1, 37 ; 1, 3, 39) ; exemples de violation de l'ordre (II, 8, 7, 13)
Ouvriers d'iniquité I, 2, 25, 4 ; II, 8, 8, 17

Parole du Seigneur source de la foi (II, 4, 1, 28) ; sera notre juge (II, 5, 2, 39)
Parousie I, 1, 5, 42 ; 2, 13, 59
Péché esclavage (I, 1, 2, 12.35 ; 1, 5, 21 ; 2, 16, 30) ; originel (I, 2, 7, 26) ; distinction entre les péchés (I, 2, 5, 6)
Pharaon le songe (I, 2, 14, 14)
Pierre l'apôtre choisi (I, 2, 13, 15) ; honoré par le Seigneur (I, 2, 3, 10) ; s'oppose à lui (II, 10, 2, 5 ; 11, 14)

Plaire à Dieu effort du chrétien (I, 1, 1, 38 ; 2, 3, 42 ; 2, 9, 16 ; 2, 23, 22 ; II, 4, 2, 15 ; 7 ; 8, 3, 25 ; 8, 4, 1 ; 8, 6, 28 ; 9, 3, 25)
Plaire aux hommes disposition fâcheuse (II, 8, 8, 9 ; 8, 9, 17)
Premières questions II, 10, 2, 33
Prière Basile fait appel à son secours (I, 2, 1, 10 ; 2, 6, 19.36)
Purification par le sang du Christ I, 2, 10, 29 ; 3, 1 10

Répétition ses vertus (I, 2, 14, 7 ; II, 8, 5, 1)
Résurrection glorieuse de Jésus-Christ (I, 1, 5, 41) ; de l'homme (I, 2, 13, 33.56)
Rétribution bénédiction pour les uns, malédiction pour les autres (I, 1, 5, 47 ; 2, 2, 10 ; 2, 27, 34 ; II, 1, 2, 40 ; 5, 1, 5 ; 5, 2, 48 ; 6, 1, 24 ; 6, 2, 16 ; 9, 2, 30
Royaume des cieux conditions d'accès (I, 2, 1, 25 ; 2, 2 ; 2, 3, 16 ; 2, 4, 1 ; 2, 6, 1 ; II, 1, 1, 4 ; 5, 1, 31 ; 6, 1, 8 ; 8, 7, 10) ; en sont exclus, selon S. Paul (II, 5, 2, 15)

Sacerdoce exige pureté (II, 2) ; s'exerce dans de strictes limites (II, 8, 3, 28 ; 8, 6, 1)
Saint les saints : prophéties les concernant (II, 9, 2, 6) ; leurs paroles sur le baptême (I, 2, 5, 27) ; leur règle de piété (II, 7, tit.) ; se mettre à leur école (II, 11, 32 ; 13, 2, 23) ; partager leur vie (I, 2, 17, 23 ; 2, 22, 16) ; les choses saintes : ne pas s'en approcher indignement (I, 3, 3, 1 ; II, 3)
Scandale nature et formes diverses (II, 10) ; prêtres qui scandalisent (II, 8, 2, 30)
Sichem II, 10, 2, 14
Statue brisée I, 2, 7, 21

Traditions humaines I, 2, 19, 23
Transgression d'un seul commandement (II, 5, 2, 35) ; accompagnée ou non de menace (II, 5, 1, 14 ; 5, 2, 32)
Typologie I, 2, 1, 40 ; II, 2, 1, 1 ; 8, 2, 16

Veuve son offrande : Basile se compare à elle (I, 2, 1, 8)
Vie nouvelle beaucoup plus sainte que la vie selon la Loi (I, 2, 11, 23.53) ; semence de résurrection (I, 2, 13, 33)
Vierges sottes elles ont failli entrer (II, 9, 1, 7) ; une seule chose leur manquait (II, 9, 3, 16)

TABLE DES MATIÈRES

INTRODUCTION 7

I. L'authenticité (7). — II. Contenu - structure - forme (13). — III. A qui s'adressent les deux livres du *De baptismo*? (17). — IV. La date du *De baptismo* (21). — V. Climat : l'auteur, le milieu, l'arrière-plan (25). — VI. Le *De baptismo* et la Bible (33). — VII. La doctrine baptismale (46). — VIII. Ascèse et spiritualité dans le *De baptismo* (57). — IX. Note sur l'établissement du texte et sur la traduction (71).

NOTES BIBLIOGRAPHIQUES 75

ABRÉVIATIONS 78

TEXTE ET TRADUCTION 79

Livre I (80).
Livre II (200).

INDEX 305

Index scripturaire (307).
Index de mots grecs (314).
Index analytique (317).

SOURCES CHRÉTIENNES

Fondateurs : H. de Lubac, s.j.
† J. Daniélou, s.j.
Directeur : D. Bertrand, s.j.
Directeurs-adjoint : J.-N. Guinot

Dans la liste qui suit, dite « liste alphabétique », tous les ouvrages sont rangés par nom d'auteur ancien, les numéros précisant pour chacun l'ordre de parution depuis le début de la collection. Pour une information plus complète, on peut se procurer deux autres listes au secrétariat de « Sources Chrétiennes » — 29, rue du Plat, 69002 Lyon (France) — Tél. : 78.37.27.08 :

1. la « liste numérique », qui présente les volumes et leurs auteurs actuels d'après les dates de publication; elle indique les réimpressions et les ouvrages momentanément épuisés ou dont la réédition est préparée.
2. la « liste thématique », qui présente les volumes d'après les centres d'intérêt et les genres littéraires : exégèse, dogme, histoire, correspondance, apologétique, etc.

LISTE ALPHABÉTIQUE (1-357)

ACTES DE LA CONFÉRENCE DE CARTHAGE : *194, 195, 224*

ADAM DE PERSEIGNE
Lettres, I : *66*

AELRED DE RIEVAULX
Quand Jésus eut douze ans : *60*
La vie de recluse : *76*

AMBROISE DE MILAN
Apologie de David : *239*
Des sacrements : *25*
Des mystères : *25*
Explication du Symbole : *25*
La Pénitence : *179*
Sur saint Luc : *45* et *52*

AMÉDÉE DE LAUSANNE
Huit homélies mariales : *72*

ANSELME DE CANTOBÉRY
Pourquoi Dieu s'est fait homme : *91*

ANSELME DE HAVELBERG
Dialogues, I : *118*

APHRAATE LE SAGE PERSAN
Exposés, I : *349*

APOCALYPSE DE BARUCH : *144 et 145*

ARISTÉE (LETTRE D') : *89*

ATHANASE D'ALEXANDRIE
Deux apologies : *56*
Discours contre les païens : *18*
Voir « Histoire acéphale » : *317*
Lettres à Sérapion : *15*
Sur l'Incarnation du Verbe : *199*

ATHÉNAGORE
Supplique au sujet des chrétiens : *3*

AUGUSTIN
Commentaire de la première Épître de saint Jean : *75*

Sermons pour la Pâque : *116*

BARNABÉ (ÉPÎTRE DE) : *172*

BASILE DE CÉSARÉE
Contre Eunome : *299* et *305*
Homélies sur l'Hexaéméron : *26*
Sur l'origine de l'homme : *160*
Sur le baptême : *357*
Traité du Saint-Esprit : *17*

BASILE DE SÉLEUCIE
Homélie pascale : *187*

BAUDOUIN DE FORD
Le sacrement de l'autel : *93* et *94*

BENOÎT (RÈGLE DE S.) : *181-186*

CABASILAS, voir Nicolas Cabasilas

CALLINICOS
Vie d'Hypatios : *177*

CASSIEN, voir Jean Cassien

CÉSAIRE D'ARLES
Œuvres monastiques, I. Œuvres pour les moniales : *345*
Sermons au peuple : *175*, *243*, *330*

LA CHAÎNE PALESTINIENNE SUR LE PSAUME 118 : *189* et *190*

CHARTREUX
Lettres des premiers Chartreux : *88*, *274*

CHROMACE D'AQUILÉE
Sermons : *154* et *164*

CLAIRE D'ASSISE
Écrits : *325*

CLÉMENT D'ALEXANDRIE
Le Pédagogue : *70*, *108* et *158*
Protreptique : *2*
Stromate I : *30*
Stromate II : *38*
Stromate V : *278* et *279*
Extraits de Théodote : *23*

CLÉMENT DE ROME
Épître aux Corinthiens : *167*

CONCILES GAULOIS DU IVe SIÈCLE : *241*

CONCILES MÉROVINGIENS (LES CANONS DES) : *353* et *354*

CONSTANCE DE LYON
Vie de saint Germain d'Auxerre : *112*

CONSTITUTIONS APOSTOLIQUES : *320*, *329* et *336*

COSMAS INDICOPLEUSTÈS
Topographie chrétienne : *141*, *159* et *197*

CYPRIEN DE CARTHAGE
A Donat : *291*
La vertu de patience : *291*

CYRILLE D'ALEXANDRIE
Contre Julien, I-II : *322*
Deux dialogues christologiques : *97*
Dialogues sur la Trinité : *231*, *237* et *246*

CYRILLE DE JÉRUSALEM
Catéchèses mystagogiques : *126*

DEFENSOR DE LIGUGÉ
Livre d'étincelles : *77* et *86*

DENYS L'ARÉOPAGITE
La hiérarchie céleste : *58*

DHUODA
Manuel pour mon fils : *225*

DIADOQUE DE PHOTICÉ
Œuvres spirituelles : *5*

DIDYME L'AVEUGLE
Sur la Genèse : *233* et *244*
Sur Zacharie : *83-85*

A DIOGNÈTE : *33*

LA DOCTRINE DES DOUZE APÔTRES : *248*

DOROTHÉE DE GAZA
Œuvres spirituelles : *92*

ÉGÉRIE
Journal de voyage : *296*

ÉPHREM DE NISIBE
Commentaire de l'Évangile concordant ou Diatessaron : *121*
Hymnes sur le Paradis : *137*

EUNOME
Apologie : *305*

EUSÈBE DE CÉSARÉE
Contre Hiéroclès : *333*
Histoire ecclésiastique, I-IV : *31*
— V-VII : *41*
— VIII-X : *55*
— Introd. et Index : *73*
Préparation évangélique, I : *206*
— II-III : *228*
— IV-V, 17 : *262*
— V, 18-VI : *266*
— VII : *215*
— XI : *292*

— XII-XIII : *307*
— XIV-XV : *338*

ÉVAGRE LE PONTIQUE
Le Gnostique : *356*
Scholies aux Proverbes : *340*
Traité pratique : *170* et *171*

ÉVANGILE DE PIERRE : *201*

EXPOSITIO TOTIUS MUNDI : *124*

FIRMUS DE CÉSARÉE
Lettres : *350*

FRANÇOIS D'ASSISE
Écrits : *285*

GÉLASE Ier
Lettres contre les lupercales et dix-huit messes : *65*

GERTRUDE D'HELFTA
Les Exercices : *127*
Le Héraut : *139, 143, 255* et *331*

GRÉGOIRE DE NAREK
Le livre de Prières : *78*

GRÉGOIRE DE NAZIANZE
Discours 1-3 : *247*
— 4-5 : *309*
— 20-23 : *270*
— 24-26 : *284*
— 27-31 : *250*
— 32-37 : *318*
Lettres théologiques : *208*
La Passion du Christ : *149*

GRÉGOIRE DE NYSSE
La création de l'homme : *6*
Traité de la Virginité : *119*
Vie de Moïse : *1*
Vie de sainte Macrine : *178*

GRÉGOIRE LE GRAND
Commentaire sur le Cantique : *314*
Commentaire sur le Ier livre des Rois : *351*
Dialogues : *251, 260* et *265*
Homélies sur Ézéchiel : *327*
Morales sur Job, I-II : *32*
— XI-XIV : *212*
— XV-XVI : *221*

GRÉGOIRE LE THAUMATURGE
Remerciements à Origène : *148*

GUERRIC D'IGNY
Sermons : *166* et *202*

GUIGUES Ier
Les Coutumes de Chartreuse : *313*
Méditations : *308*

GUIGUES II LE CHARTREUX
Lettre sur la vie contemplative : *163*
Douze méditations : *163*

GUILLAUME DE BOURGES
Livre des guerres du Seigneur : *288*

GUILLAUME DE SAINT-THIERRY
Exposé sur le Cantique : *82*
Lettre aux Frères du Mont-Dieu : *223*
Le miroir de la foi : *301*
Oraisons méditatives : *324*
Traité de la contemplation de Dieu : *61*

HERMAS
Le Pasteur : *53*

HÉSYCHIUS DE JÉRUSALEM
Homélies pascales : *187*

HILAIRE D'ARLES
Vie de saint Honorat : *235*

HILAIRE DE POITIERS
Commentaire sur le psaume 118 : *344* et *347*
Contre Constance : *334*
Sur Matthieu : *254* et *258*
Traité des Mystères : *19*

HIPPOLYTE DE ROME
Commentaire sur Daniel : *14*
La tradition apostolique : *11*

HISTOIRE « ACÉPHALE » ET INDEX SYRIAQUE DES LETTRES FESTALES D'ATHANASE D'ALEXANDRIE : *317*

DEUX HOMÉLIES ANOMÉENNES POUR L'OCTAVE DE PÂQUES : *146*

HOMÉLIES PASCALES : *27, 36, 48*

QUATORZE HOMÉLIES DU IXe SIÈCLE : *161*

HUGUES DE SAINT-VICTOR
Six opuscules spirituels : *155*

HYDACE
Chronique : *218* et *219*

IGNACE D'ANTIOCHE
Lettres : *10*

IRÉNÉE DE LYON
Contre les hérésies, I : *263* et *264*
— II : *293* et *294*
— III : *210* et *211*
— IV : *100* (2 vol.)
— V : *152* et *153*
Démonstration de la prédication apostolique : *62*

Isaac de l'Étoile
Sermons : *139*, *207* et *339*

Jean d'Apamée
Dialogues et traités : *311*

Jean de Béryte
Homélie pascale : *187*

Jean Cassien
Conférences : *42*, *54* et *64*
Institutions : *109*

Jean Chrysostome
A une jeune veuve : *138*
A Théodore : *117*
Commentaire sur Isaïe : *304*
Commentaire sur Job : *346* et *348*
Homélies sur Ozias : *277*
Huit catéchèses baptismales : *50*
Lettres d'exil : *103*
Lettres à Olympias : *13*
Panégyrique de saint Paul : *300*
Sur l'incompréhensibilité de Dieu : *28*
Sur la Providence de Dieu : *79*
Sur la vaine gloire et l'éducation des enfants : *188*
Sur le mariage unique : *138*
Sur le sacerdoce : *272*
La Virginité : *125*

Pseudo-Chrysostome
Homélie pascale : *187*

Jean Damascène
Homélies sur la Nativité et la Dormition : *80*

Jean Moschus
Le Pré spirituel : *12*

Jean Scot
Commentaire sur l'évangile de Jean : 180
Homélie sur le prologue de Jean : *151*

Jérôme
Apologie contre Rufin : *303*
Commentaire sur Jonas : *323*
Commentaire sur saint Matthieu : *242* et *259*

Julien de Vézelay
Sermons : *192* et *193*

Lactance
De la mort des persécuteurs : *39* (2 vol.)
Épitomé des Institutions divines : *335*
Institutions divines I : *326*; II *337*; V : *204* et *205*
La colère de Dieu : *289*
L'ouvrage du Dieu créateur : *213* e *214*

Léon le Grand
Sermons, I-19 : *22*
— 20-37 : *49*
— 38-64 : *74*
— 65-98 : *200*

Léonce de Constantinople
Homélies pascales : *187*

Livre des deux Principes : *198*

Pseudo-Macaire
Œuvres spirituelles. I : *275*

Manuel II Paléologue
Entretien avec un musulman : *11*

Marius Victorinus
Traités théologiques sur la Trinité *68* et *69*

Maxime le Confesseur
Centuries sur la Charité : *9*

Mélanie : voir Vie

Méliton de Sardes
Sur la Pâque : *123*

Méthode d'Olympe
Le banquet : *95*

Nersè Šnorhali
Jésus, Fils unique du Père : *203*

Nicétas Stéthatos
Opuscules et Lettre : *81*

Nicolas Cabasilas
Explication de la divine liturgie :
La vie en Christ : *355*

Origène
Commentaire sur saint Jean, I-V *120*
— VI-X : *157*
— XIII : *222*
— XIX-XX : *290*
Commentaire sur saint Matthieu, X XI : *162*
Contre Celse : *132*, *136*, *147*, *15* et *227*
Entretien avec Héraclide : *67*
Homélies sur la Genèse : *7*
Homélies sur l'Exode : *321*
Homélies sur le Lévitique : *286* *287*
Homélies sur les Nombres : *29*

Homélies sur Josué : *71*
Homélies sur Samuel : *328*
Homélies sur le Cantique : *37*
Homélies sur Jérémie : *232* et *238*
Homélies sur Ézéchiel : *352*
Homélies sur saint Luc : *87*
Lettre à Africanus : *302*
Lettre à Grégoire : *148*
Philocalie : *226* et *302*
Traité des principes : *252*, *253*, *268* *269* et *312*

PALLADIOS
Dialogue sur la vie de Jean Chrysostome : *341* et *342*

PATRICK
Confession : *249*
Lettre à Coroticus : *249*

PAULIN DE PELLA
Poème d'action de grâces : *209*
Prière : *209*

PHILON D'ALEXANDRIE
La migration d'Abraham : *47*

PSEUDO-PHILON
Les Antiquités Bibliques : *229* et *230*

PHILOXÈNE DE MABBOUG
Homélies : *44*

PIERRE DAMIEN
Lettre sur la toute-puissance divine : *191*

PIERRE DE CELLE
L'école du cloître : *240*

POLYCARPE SE SMYRNE
Lettres et Martyre : *10*

PROLÉMÉE
Lettre à Flora : *24*

QUODVULTDEUS
Libre des promesses : *101* et *102*

LA RÈGLE DU MAÎTRE : *105-107*

LES RÈGLES SES SAINT PÈRES : *297* et *298*

RICHARD DE SAINT-VICTOR
La Trinité : *63*

RICHARD ROLLE
Le chant d'amour : *168* et *169*

RITUELS
Rituel cathare : *236*
Trois antiques rituels du Baptême : *49*

ROMANOS LE MÉLODE
Hymnes : *99*, *110*, *114*, *128*, *283*

RUFIN D'AQUILÉE
Les bénédictions des Patriarches : *140*

RUPERT DE DZUTZ
Les œuvres du Saint-Esprit
Livres I-II : *131*
— III-IV : *165*

SALVIEN DE MARSEILLE
Œuvres : *176* et *220*

SCOLIES ARIENNES SUR LE CONCILE D'AQUILÉE : *267*

SOZOMÈNE
Histoire ecclésiastique, I : *306*

SULPICE SÉVÈRE
Vie de S. Martin : *133-135*

SYMÉON LE NOUVEAU THÉOLOGIEN
Catachèse : *96*, *104* et *113*
Chapitres théologiques, gnostiques et pratiques : *51*
Hymnes : *156*, *174* et *196*
Traités théologiques et éthique : *122* et *129*

TARGUM DU PENTATEUQUE : *245*, *256*, *261*, *271* et *282*

TERTULLIEN
A son épouse : *273*
Contre les Valentiniens : *280* et *281*
De la patience : *310*
De la prescription contre les hérétiques : *46*
Exhortation à la chasteté : *319*
La chair du Christ : *216* et *217*
Le mariage unique : *343*
La pénitence : *316*
Les spectacles : *332*
La toilette des femmes : *173*
Traité du baptême : *35*

THÉODORET DE CYR
Commentaire sur Isaïe : *276*, *295* et *315*
Correspondance : *40*, *98* et *111*
Histoire des moines de Syrie : *234* et *257*
Thérapeutique des maladies helléniques : *57* (2 vol.)

Théodote
Extraits (*Clément d'Alex.*) : *23*

Théophile d'Antioche
Trois lives à Autolycus : *20*

Vie d'Olympias : *13*

Vie de sainte Mélanie : *90*

Vie des Pères du Jura : *142*

SOUS PRESSE

Aphraate le Sage Persan : **Exposés.** Tome II. M.-J. Pierre.

Grégoire de Nazianze : **Discours 38-41.** P. Gallay et C. Moreschini.

Nicolas Cabasilas : **La vie en Christ.** Tome II. M.-H. Congourdeau.

Jean Chrysostome : **Sur Babylas.** M. Schatkin.

EN PRÉPARATION

Actes de la Conférence de Carthage. Tome IV. S. Lancel.

Les Apophtegmes des Pères. Tome I. J.-C. Guy.

Basile de Césarée : **Homélies morales.** Tome I. É. Rouillard et M.-L. Guillaumin.

Bernard : **Vie de S. Malachie et Éloge du Temple.** P.-Y. Émery.

Césaire d'Arles : **Œuvres monastiques.** Tome II : **Œuvres pour les moines.** J. Courreau et A. de Vogüé.

Grégoire de Nysse : **Lettres.** P. Maraval.

Grégoire le Grand : **Lettres.** P. Minard † et M. Reydellet.

Tertullien : **Contre Marcion.** Tomes I et II. R. Braun.

ÉGALEMENT AUX ÉDITIONS DU CERF

LES ŒUVRES DE PHILON D'ALEXANDRIE

publiées sous la direction de
R. ARNALDEZ, C. MONDÉSERT, J. POUILLOUX.
Texte original et traduction française.

1. **Introduction générale. De opificio mundi.**R. Arnaldez (1961).
2. **Legum allegoriae.** C. Mondésert (1962).
3. **De Cherubin.** J. Gorez (1963).
4. **De sacrificiis Abelis et Caini.** A. Méasson (1966).
5. **Quod deterius insidiari soleat.** I. Feuer (1965).
6. **De posteritate Caini.** R. Arnaldez (1972).

7-8. **De gigantibus. Quod Deus sit immutabilis.** A. Mosès (1963).

9. **De agricultura.** J. Pouilloux (1961).
10. **De plantatione.** J. Pouilloux (1963).

11-12. **De ebrietate. De sobrietate.** J. Gorez (1962).

13. **De confusione linguarum.** J.-G. Kahn (1963).
14. **De migratione Abrahami.** J. Cazeaux (1965).
15. **Quis rerum divinarum heres sit.** M. Harl (1966).
16. **De congressu eruditionis gratia.** M. Alexandre (1967).
17. **De fuga et inentione.** E. Starobinski-Safran (1970).
18. **De mutatione nominum.** R. Analdez (1964).
19. **De somniis.** P. Savinel (1962).
20. **De Abrahamo.** J. Gorez (1966).
21. **De Iosepho.** J. Laporte (1964).
22. **De vita Mosis.**R. Analdez, C. Mondésert, J. Pouilloux, P. Savinel (1967).
23. **De Decalogo.** V. Nikiprowetzky (1965).
24. **De specialibus legibus.** Livres I-II. S. Daniel (1975).
25. **De specialibus legibus.** Livres III-IV. A. Mosès (1970).
26. **De virtutibus.** R. Arnaldez, A.-M. Vérilhac, M.-R. Servel et P. Delobre (1962).
27. **De praemiis et poenis. De exsecrationibus.** A. Beckaert (1961).
28. **Quod omnis probus liber sit.** M. Petit (1974).
29. **De vita contemplativa.** F. Daumas et P. Miquel (1964).
30. **De aeternitate mundi.** R. Arnaldez et J. Pouilloux (1969).
31. **In Flaccum.** A. Pelletier (1967).
32. **Legatio ad Caium.** A. Pelletier (1972).
33. **Quaestiones in Genesim et in Exodum. Fragmenta graeca.** F. Petit (1978).

34 A. **Quaestiones in Genesim, I-II** (e vers. armen.). Ch. Mercier (1979).
34 B. **Quaestiones in Genesim, III-IV** (e vers. armen.). Ch. Mercier et F. Petit (1984).
34 C. **Quaestiones in Exodum, I-II** (e vers. armen.) (en prép.).

35. **De Providentia, I-II.** M. Hadas-Lebel (1973).
36. **De animalibus.** A. Terian (1988).
37. **Hypothetica.** M. Petit (en prép.).

ACHEVÉ D'IMPRIMER
EN NOVEMBRE 1989
SUR LES PRESSES
DE
L'IMPRIMERIE F. PAILLART
A ABBEVILLE

DÉPÔT LÉGAL : 4e TRIMESTRE 1989
N. IMP. 6977, N°. D. L. ÉDIT. 8906

CATHOLIC THEOLOGICAL UNION
BR60.S65VOL.357 C001
SUR LE BAPTEME PARIS

3 0311 00011 5407

BR 60 .S65 vol. 357

Basil, ca. 329-379.

Sur le bapt^eme

GEMCO